TEOLOGIA
CONTEMPORÂNEA

ABRAÃO DE ALMEIDA

TEOLOGIA
CONTEMPORÂNEA

A influência das correntes
teológicas e filosóficas na igreja

13ª Impressão

Rio de Janeiro
2024

Todos os direitos reservados. Copyright © 2002 para a língua portuguesa da Casa Publicadora das Assembleias de Deus. Aprovado pelo Conselho de Doutrina.

É proibida a duplicação ou reprodução deste volume, no todo ou em parte, sob quaisquer formas ou meios (eletrônico, mecânico, gravação, fotocópia, distribuição na web e outros), sem permissão expressa da Editora.

Preparação de originais: Patrícia Oliveira
Revisão: Klerber Cruz
Projeto gráfico: Rodrigo Sobral Fernandes
Editoração: Oséas Felicio Maciel
Capa: Joab Santos

CDD: 201 - Filosofia e Cristianismo
ISBN: 978-65-5968-303-1

As citações bíblicas foram extraídas da versão Almeida Revista e Corrigida, edição de 2009, da Sociedade Bíblica do Brasil, salvo indicação em contrário.

Para maiores informações sobre livros, revistas, periódicos e os últimos lançamentos da CPAD, visite nosso site: https://www.cpad.com.br.

SAC — Serviço de Atendimento ao Cliente: 0800-021-7373

Casa Publicadora das Assembleias de Deus
Av. Brasil, 34.401, Bangu, Rio de Janeiro – RJ
CEP 21.852-002

2ª edição
13ª impressão: 2024
Impresso no Brasil
Tiragem: 400

PREFÁCIO

Quando minha mãe, uma imigrante sueca e simples dona de casa no Estado de Wisconsin, na outra América, me falou dos perigos que havia na chamada "Alta Crítica", assunto que, quando menino, não tinha condições de entender, pouco poderia ter imaginado que um dia eu estaria escrevendo o prefácio de uma obra séria, destinada a combater essa nociva "Alta Crítica". Agora, entendo por que ela assim me advertiu por antecipação: foi simplesmente a ação amorosa de uma mãe com fé viva e consciente no Jesus que lhe concedera a maravilhosa esperança do novo nascimento.

Em seu afã de resguardar a vida espiritual do filhinho, ela escreveu-me uma carta quando eu tinha, apenas, um ano de idade, na qual avisava-me dos perigos da vida. Minha mãe terminou a carta com estas palavras: "Eu oro por ti; Jesus ora por ti ao Pai. Sê um bom menino; lê muito a Bíblia. Encontrar-nos-emos com Jesus. Esta é a minha última oração. (Ass.) Tua mãe."

Mas como podia ela, simples dona de casa, ter conhecimento do problema da "Alta Crítica"? Por certo, pelas instruções recebidas de pastores de sua igreja, que a alertaram sobre o grave perigo de perder aquela simplicidade da fé na Bíblia como revelação de Deus ao homem. A Bíblia apresentou-lhe Cristo como o Salvador que deu seu sangue em resgate por todos nós. Ela transmitiu-me em tempo aviso que me serviu de "sinal vermelho", de cautela diante das críticas que, forçosamente, algum dia, procurariam assolar a minha fé e a minha experiência em Cristo.

As palavras de mamãe não se perderam: lembrei-me nos anos da adolescência; nos tempos de estudante, e no exercício da atividade ministerial que Jesus me permitiu (incluem-se nesta os quarenta e um anos de Missionário neste querido Brasil.) O supremo desejo que me domina ao dar forma a estes pensamentos é que sirvam de alerta a jovens menos firmes na fé, ajudando-os a não fracassar diante dos ataques do inimigo das nossas almas — Satanás.

O problema da "Alta Crítica" representa apenas uma minúscula parte do arsenal que o inimigo preparou para atacar a integridade da Igreja. Que a Igreja seria atacada era de se esperar, pois Cristo disse: "... as portas do inferno não prevalecerão contra a minha igreja." Estando a Igreja unida a Cristo, a sua estabilidade e vitória final estão garantidas. Caim matou Abel. Abraão sofreu sérios ataques da parte do inimigo. Israel durante 400 anos no Egito foi alvo de devastadores ataques do diabo, mas a providência divina fez esse povo sobreviver e, finalmente, entrar em Canaã.

Faraó fez tudo para acabar com o nenê Moisés, mas Deus o protegeu. Os ataques continuaram. Balaque queria ver Israel destruído e, para isso, quis usar o profeta Balaão... Deus, porém, ao invés de destruir o seu povo, abençoou-o. Satanás fez uso de gente malvada, como a rainha-mãe e avó Atália para tentar exterminar a descendência de Davi, justamente quando essa linhagem real se reduzia a um só menino — Joás, mas Deus o guardou, e a linhagem firmou-se (2 Rs 11.1,2). O que o inimigo tencionava era impedir a vinda de Cristo, o Messias, o Salvador da humanidade, o prometido Redentor, o Filho de Davi (Gn 3.15).

Os próprios filhos de Davi conspiraram contra o plano divino, numa tentativa de impedir que Salomão assumisse o trono do pai, mas o Deus que dissera: "Salomão reinará" cuidou do caso, e Salomão ocupou o trono! De Salomão descendeu Cristo, como consta da genealogia de Mateus. Muitas têm sido as formas de ataques satânicos contra Cristo e o povo que o segue. Vê-se isto tanto no Antigo como no Novo Testamento.

Satanás muda suas táticas conforme acha mais vantajoso para seus desígnios. As perseguições contra a Igreja, como a movida por Herodes, contra os apóstolos, visaram a destruir a liderança da Igreja nascente.

Satanás dominava os líderes judaicos (inclusive o jovem fariseu Saulo de Tarso) quando prendiam e matavam os crentes, até no exterior. Mas para cada ataque contra a Igreja, Jesus preparou uma defesa adequada. As dez perseguições da parte dos imperadores romanos e a repressão dos governantes contra os cristãos que se espalhavam por todo o Império outra coisa não eram senão tentativas de extirpar a Igreja, o reino de Deus sobre a terra. Satanás, porém, teve de reconhecer que seus ataques não apresentavam o resultado esperado: a Igreja crescia cada vez mais. Os crentes estavam dispostos a darem suas vidas em defesa da fé, aquela que, uma vez para sempre, fora entregue aos santos!

Um dos ardis mais usados por Satanás foi a filosofia, ou seja, o pensamento humano em questões de espaços e de tempo em relação ao ser humano. Filosofias de má espécie têm surgido em todos os pontos da terra. A mais perigosa foi a desenvolvida pelos antigos gregos, já em séculos anteriores a Cristo. Filosofia significa amor à sabedoria e vem dos vocábulos gregos *filos*, "um que ama", e *sofia*, "sabedoria". No entanto, a sabedoria que eles amavam não procedia de Deus, mas deles próprios. O apóstolo Paulo avisou os colossenses sobre essa filosofia, dizendo: "Tende cuidado para que ninguém vos faça presa sua, por meio de filosofias e vãs sutilezas" (Cl 2.8).

Chegando a Atenas, Paulo encontrou os filósofos estóicos e epicureus, os quais zombaram dos seus discursos sobre o Evangelho, em razão de estarem buscando o prazer como o sumo bem e negando a providência divina (At 17.18). Paulo, em muitas passagens de suas epístolas, opõe-se a tais filosofias falsas, tachando-as de pagãs e contrárias à sabedoria de Cristo e à verdadeira religião. No modo de pensar desses filósofos, não passava de tolice, porque não dependia nem de eloquência nem da apresentação dos seus pregadores. Sim, não dependia disso, mas unicamente da autoridade e do poder divino, da operação do Espírito Santo que influenciava os corações daqueles a quem Deus chamava.

Na presente obra, o autor faz ampla referência a todos os sistemas filosóficos que influenciaram o Cristianismo e historia o influxo deles sobre a Igreja surgida no meio dessas correntes do pensamento humano. Da "teologia contemporânea" se serve o Inimigo para fazer renascer em nossos tempos certas teorias já conhecidas no mundo filosófico grego, o que prova ser Satanás bastante astuto, capaz de, ainda hoje, usar um "anzol" antigo para fisgar os incautos.

A Teologia Contemporânea, por mais atraente que seja com sua roupagem lingüística ricamente adornada com nomes de eminentes doutores que ocupam cadeiras em seminários de renome em ambas as Américas, está em contradição com a revelação divina. Tais doutores são "lobos vestidos de pele de ovelha", sobre os quais Jesus preveniu sua Igreja. São eles que têm conduzido grande massa de cristãos nominais à apostasia que prolifera no Cristianismo do nosso tempo. A respeito desses, Paulo nos avisou, dizendo: "Mas o Espírito expressamente diz que, nos últimos tempos, apostatarão alguns da fé, dando ouvidos a espíritos enganadores, e a doutrinas de demônios; pela hipocrisia de homens que falam mentiras, tendo cauterizada a sua própria consciência" (1 Tm 4.1,2). Os pontos principais dessas discordâncias são:

1. *A infalibilidade das Escrituras Sagradas;*
2. *A Trindade;*
3. *O nascimento virginal de nosso Senhor Jesus Cristo;*
4. *Os milagres operados por Jesus;*
5. *A morte substitutiva do Senhor;*
6. *A deidade do Senhor Jesus Cristo e sua vida imaculada;*
7. *A ressurreição corporal do Senhor Jesus Cristo e a sua ascensão;*
8. *A queda do homem e o pecado original;*
9. *A salvação do homem pela fé em Cristo Jesus;*
10. *A segunda vinda pré-milenial de Cristo;*
11. *A vida eterna por meio da graça de Jesus Cristo;*
12. *O eterno castigo dos ímpios no lago de fogo.*

Os propagadores da Teologia Contemporânea, que nós chamamos de "liberais" ou "modernistas", pregam o "evangelho social", que nem *evangelho* é. A mensagem deles não se dirige à consciência do indivíduo, mas à coletividade. Sua teoria se funda em que a responsabilidade da Igreja é transformar a sociedade e, por meio desta, converter o mundo, para inaugurar o reino de Deus na terra. São os pecados do indivíduo que precisam de perdão e não só os da sociedade. Primeiramente devemos tratar o indivíduo, para depois a coletividade.

O ecumenismo, tão falado em nossos dias, é outro ardil satânico que visa a destruir a Igreja. O romanismo prega as vantagens que teriam as Igrejas da Reforma se voltassem à "Igreja-mãe"! Também as igrejas apóstatas protestantes, reunidas no Conselho Mundial de Igrejas, se reforçam para unir debaixo de sua bandeira todos os evangélicos. Mas nós, conservadores, de fé simples e singela baseada na Bíblia Sagrada, relutamos contra tal idéia por sabermos que os ecumenistas estão em falta com os princípios básicos da nossa fé "uma vez entregue aos santos".

De modo nenhum cederemos a essas invocações. A união que desejamos é a união que o Espírito Santo promove, união que edifica, que salva as almas, constrói a Igreja de Cristo sobre a terra e prepara um povo para ser arrebatado quando da segunda vinda do nosso Senhor. O autor apresenta muito bem as várias teorias e pensamentos desses modernos pensadores surgidos nos últimos tempos, alguns dos quais vivem ainda.

Na minha opinião, quem manusear diligentemente estas páginas colherá farto conhecimento sobre a matéria que é quase desconhecida do nosso povo. Receberá, também, aumento de amor, cada vez mais profundo, pela Palavra de Deus: "Lâmpada para os meus pés é a tua palavra e luz, para o meu caminho" (Sl 119.105).

N. Lawrence Olson

AO LEITOR

O conhecido pastor Eugene Carson Blake, durante uma alocução na Catedral de Washington para mais de cinco mil "hippies" que haviam realizado uma célebre marcha contra a morte, no dia 14 de novembro de 1969, aplicou ao pervertido auditório o texto de 1 Pedro 2.9: "Mas vós sois a geração eleita, o sacerdócio real, a nação santa, o povo adquirido, para que anuncieis as virtudes daquele que vos chamou das trevas para a sua maravilhosa luz".

Como pode alguém, em sã consciência, aplicar um texto deste a uma multidão representativa das drogas, da liberdade sexual e de outras corrupções morais, espirituais e mentais? O uso abusivo e irreverente de passagens da Bíblia só pode ser fruto de uma maneira de ver as coisas espirituais típica de alguns teólogos modernos.

Francis A. Schaeffer, analista extremamente perspicaz de toda a cultura moderna, compara os teólogos liberais de hoje aos falsos profetas do tempo de Jeremias, os quais, longe de falarem da parte de Deus, faziam-se, apenas, o eco da sociedade em que viviam. Assim acontece em grande parte com a Teologia Contemporânea: é um eco do mundo, das idéias de filósofos, psicólogos, sociólogos e economistas profanos.

"Evite discussões ridículas com aqueles que se gabam de seu conhecimento e assim provam a sua própria falta dele. Algumas dessas pessoas perderam a coisa mais importante da vida — elas não conhecem a Deus" (1 Tm 6.20,21; *O Novo Testamento Vivo*).

A antiga edição desta obra, que, sob o título de *Tratado de Teologia Contemporânea*, tem sido adotada em muitas instituições de ensino teológico tanto no Brasil como no exterior — além de estar referenciada em diversas obras similares de outros autores brasileiros — chega agora às mãos do leitor enriquecida com duas seções: uma acerca da história da Filosofia, e outra sobre o liberacionismo latino-americano.

A decisão de ampliar esta obra levou em conta dois objetivos: primeiro, a necessidade de atender ainda melhor os que dela se têm utilizado ao longo de quase duas décadas; segundo, fazer que ela também possa ser usada como um manual simples e prático de filosofia por leitores em geral ou como livro texto em seminários ou escolas bíblicas.

Abraão de Almeida
Hollywood, Flórida, Fevereiro de 2001

Prefácio v
Ao leitor xi
Introdução 1

PRIMEIRA PARTE
   NO RASTRO DOS PENSADORES

1. *A Filosofia Grega* 7
2. *A Filosofia Patrística* 19
3. *As Filosofias Medieval e Escolástica* 23
4. *A Filosofia Renascentista* 29
5. *A Filosofia Moderna* 35
6. *A Filosofia Contemporânea* 49
7. *A Lógica Formal* 53
8. *O Desenvolvimento da Lógica* 61
9. *A Metafísica* 71
10. *A Ontologia* 89
11. *A Teodicéia* 95

SEGUNDA PARTE
   TEOLOGIA CONTEMPORÂNEA

12. *Teologias Pré-Contemporâneas* 101
13. *O Liberalismo Teológico* 115
14. *O Novo Modernismo* 127

15. Novas Correntes Teológicas 141
16. O Movimento da Morte de Deus 163
17. O Falso Ecumenismo 179

TERCEIRA PARTE
LIBERACIONISMO LATINO-AMERICANO

18. Raízes Liberais e Ecumênicas 201
19. O Caráter e o Desenvolvimento 209
20. O Problema do Pecado 217
21. A Mensagem da Salvação 229
22. A Evangelização 243
23. O Problema da Pobreza 257
24. Liberdade e Libertação 271
25. A Verdadeira Missão da Igreja 279
26. Os Caminhos da Libertação 287
27. A Origem e o Caráter do Marxismo 295
28. O Cristão Marxista É uma Contradição 309
29. O Estado 323
30. Esperanças Diferentes 333

Apêndice 347

Notas 351

A. FILOSOFIAS EMBRIONÁRIAS

Egípcios. A especulação entre os egípcios enfatiza certas preocupações psicológicas. Os deuses são desdobramentos de forças e atividades dos fiéis, e estes, por sua vez, os vêem exercendo papéis específicos sobre a natureza. O culto dos mortos mostra a concepção de que a alma é imortal.

Sumerianos e acadianos. O pensamento desses povos centralizava-se na conduta, transparecendo de suas leis, como no Código de Hamurabi, que também trata da linguagem do culto. A relação com os deuses funda-se no temor, e o sofrimento é a conseqüência da desobediência aos preceitos sagrados. As relações entre os homens eram reguladas pelo direito, que impunha respeito à família, à propriedade e aos direitos alheios.

Fenícios. A base de suas especulações está na busca dos elementos finais da realidade. Além do primeiro alfabeto, os fenícios elaboraram, talvez, a mais antiga teoria atomística, atribuída a Moscos de Sidon.

Hititas. A preocupação desse povo foi registrar suas crônicas históricas diacronicamente, ou seja, por meio de uma língua que sofreu profundas mudanças fonéticas, mórficas, sintáticas, semânticas e léxicas.

Medos e persas. O pensamento desses povos, como aparece no Zend-Avestá (livro sagrado atribuído a Zaratustra, ou Zoroastro, com existência provável entre os séculos VIII e VI a.C.), influenciou as grandes religiões do Ocidente. Visava a afirmar uma significação metafísica para o homem em termos de um psicologismo dinâmico, projetado a nível cósmico e baseado na dicotomia do conflito. Assim, há um deus do bem e um deus do mal, um inferno e um paraíso, anjos e demônios, pecado e morte, ressurreição, salvação e juízo final.

B. A FILOSOFIA DO ANTIGO ORIENTE

Filosofia indiana

Os hindus foram os povos do Antigo Oriente que mais possuíram dotes especulativos, e os que mais procuraram explicar, racionalmente, o homem e o universo.

O pensamento dos hindus é altamente elaborado, e apresenta uma evolução histórica em três períodos: arcaico, clássico e escolástico.

No período arcaico nota-se um esforço no sentido de reduzir o pluralismo cósmico a alguns princípios básicos, e principalmente a uma lei universal, remoto esboço da posterior lei do carma.

Os primeiros comentários dos Vedas, de caráter decididamente filosófico, surgiram entre 750 e 550 a.C. Tais comentários são os *upanishads*.

O *ātma* é o princípio interior de todos os seres, idêntico ao *brãhma*, o ser universal que se desdobra em infinitas individualidades, as quais aparecem e desaparecem ciclicamente no plano dos fenômenos. Admite-se a dupla eternidade da alma (no passado e no futuro) e, como conseqüência, a reencarnação cósmica do universo, através de infinitos aparecimentos e desaparecimentos.

Na filosofia hindu as intenções, além de deflagrarem fatos imediatos que atingem a outrem, preparam uma contrapartida de retorno contra o próprio emitente: cada ação terá sua recíproca; o que não puder ocorrer numa só vida, atingirá o sujeito em suas futuras reencarnações.

Portanto, cada ser humano prepara o seu próprio futuro, nesta e nas seguintes existências, solução esta que concilia as noções de causalidade e livre arbítrio no plano da metafísica.

A libertação do eu frustrante pode ser alcançada através do conhecimento.

FILOSOFIA CHINESA

A filosofia chinesa apresenta, em geral, diretrizes eminentemente pragmáticas, ou seja, voltadas para os aspectos ético-sociais da vida. Preocupa-se mais com as normas que estabelecem a conduta do indivíduo na sociedade, do que com as grandes questões metafísicas.

No período arcaico (séculos XII ao VII a.C.), o conceito central é o da transformação que se efetua em certo ritmo: uma que ocorre no céu, que se manifesta no ritmo do dia e da noite; uma que ocorre na terra, que se produz dentro de certa periodicidade; e uma que ocorre no homem, que rege a harmonia e as normas da vida humana.

Nos famosos cinco livros chineses do período arcaico: o Livro das Mutações, o Livro de História, o Livro de Versos, o Livro dos Rituais, e o Anais da Primavera e Outono, aparece como infra-estrutura o culto dos ancestrais, sendo o cumprimento de uma espécie de aliança que liga os vivos aos seus antepassados já falecidos.

PRIMEIRA PARTE

NO RASTRO DOS PENSADORES

1 A FILOSOFIA GREGA

Tão grande é a influência da Filosofia nos mais diferentes aspectos da Teologia Contemporânea que resolvemos inserir, nesta segunda edição, toda uma seção em que resumimos as diferentes correntes filosóficas, desde os clássicos gregos até nossa época.

"CONHECE-TE A TI MESMO"

Sócrates, filósofo grego (469-399 a.C.), ficou conhecido pelas obras de Platão e de Xenofonte. Fazendo do diálogo o método da sua filosofia, Sócrates ensina a necessidade de cada um conhecer a si mesmo a fim de descobrir a verdade que não está fora da pessoa, "mas dentro de cada um, adormecida na alma".[1]

Para Sócrates, a sabedoria é o que há de comum entre todas as virtudes, a qual, por sua vez, faz que a alma domine o corpo. Esse domínio permite à alma realizar o seu próprio papel de alcançar a ciência do bem.

Acerca do bem e do mal, Sócrates ensinou que todos os homens buscam o bem, que é sinônimo de felicidade. O mal, por sua vez, é conseqüência do vício, que não passa de ignorância, uma vez que nenhuma pessoa, voluntariamente, pode praticar o mal.

Sócrates combateu os sofistas e procurou reabilitar a ciência, com a qual identificou a virtude. Ele se serviu da ironia e da maiêutica para comunicar seus ensinos, e fez da semelhança com a Divindade o fim de todas as coisas e a felicidade do homem.

Profundamente influenciada pelo moralismo de Sócrates, a filosofia pós-socrática passou a caracterizar-se mais pela preocupação com os problemas éticos do homem do que com o universo físico. As escolas fundadas por Platão, Aristóteles, Epicuro e Zenão seguem esse objetivo.

O *SER* NECESSÁRIO E ABSOLUTO

Com Platão, a Filosofia retoma o caráter de universalidade, como ciência suprema, soberana, que domina todas as outras.

O objeto da filosofia platônica é o ser necessário e absoluto, representado pela *idéia*, princípio de verdade para a razão e da existência para as coisas. Dentro do idealismo platônico, as idéias são realidades objetivas e eternas, das quais as coisas sensíveis são meros reflexos, imperfeitos e efêmeros.

A filosofia de Platão não visa apenas à investigação do imutável e do essencial das coisas, mas a uma visão de conjunto, síntese universal e princípio de harmonia para a vida e para o pensamento.

A finalidade da filosofia platônica é a pesquisa perpétua da Verdade, da Beleza e da Bondade, através da qual o filósofo se eleva acima da vulgaridade terrena.

Platão procurou determinar a relação entre o conceito e a realidade, considerou as idéias como a fonte de realidade, admitiu a existência da alma, colocou a felicidade humana na contemplação da idéia do Bem absoluto, que é Deus, e foi partidário de um governo aristocrático e de um Estado totalitário.

A CIÊNCIA DE TUDO O QUE EXISTE

Aristóteles (384-322 a.C.), célebre filósofo grego, nasceu na Macedônia e foi, durante 20 anos, discípulo de Platão. Após a morte de seus mestres, foi encarregado da educação de Alexandre, filho de Felipe da Macedônia, o qual veio a se tornar mais tarde o famoso imperador dos gregos. Aristóteles acompanhou Alexandre à Ásia e depois fixou residência em Atenas, no ano de 334, onde fundou a famosa escola peripatética, em que mestres e alunos estudavam caminhando. Liceu era o nome pelo qual esta escola ficou conhecida, pois ficava junto ao templo de Apolo Lício.

A filosofia de Aristóteles mostra-nos toda a natureza como um imenso esforço da matéria bruta para se elevar até o ato puro, isto é, o pensamento e a inteligência. Tem sido considerado um dos maiores gênios da Antigüidade: abrangeu todas as ciências do seu tempo e criou outras.

Aristóteles, embora concorde com Platão quanto ao caráter universal da Filosofia, rejeita o idealismo deste e faz da *realidade* o ponto de partida de suas especulações filosóficas. Para ele, a Filosofia é a ciência de tudo o que existe e compreende três ordens de conhecimento: conhecimentos teóricos, que visam a pura especulação — física, matemática, metafísica; conhecimentos práticos, que têm por fim dirigir a ação — ética e política; e conhecimentos poéticos, que têm por fim dirigir a produção, isto é, as obras humanas — poética, retórica e as outras artes.

A característica determinante de Aristóteles como filósofo é um robusto bom senso, que se recusava a acreditar que este mundo fosse algo não completamente real. A Filosofia, tal como se lhe apresentava, era uma tentativa de explicar o mundo natural, e se não o conseguisse fazer, ou se o pudesse explicar apenas pela introdução de um misterioso mundo-modelo transcendente, destituído da propriedade tipicamente natural do movimento, devia, pois, considerar que fracassara. O seu comentário às idéias platônicas é característico: "Mas chamar-lhes modelos, ou dizer que as outras coisas participam delas, é falar com palavras vazias e metáforas poéticas".[2]

A verdadeira ciência do filósofo, segundo Aristóteles, é a metafísica, ou filosofia primeira, mais tarde chamada de ontologia, que objetiva o estudo do ser, seus princípios e causas últimas, independente das suas determinações sensíveis. Trataremos especificamente da metafísica no capítulo 9.

O aristotelismo abrange a natureza de Deus (Metafísica), do homem (Ética) e do Estado (Política). Para Aristóteles, Deus não é o Criador, mas o primeiro e último motor do universo, ou seja, o motor não movido. Exceto Deus, toda e qualquer outra fonte de movimento no mundo, seja uma pessoa, uma coisa, um pensamento, é um motor movido. Assim, o arado move a terra, a mão move o arado, o cérebro a mão, o desejo de alimento move o cérebro, o instinto da vida move o desejo de alimento.

Portanto, a causa de todo o movimento é o resultado de outro movimento. O amo de todo escravo é escravo de algum outro amo. O próprio tirano é escravo de sua ambição. Somente Deus não pode ser resultado de alguma ação, não pode ser escravo de amo algum. Ele é a fonte de toda a ação, o amo de todos os amos, o instigador de todo o pensamento, primeiro e último Motor do Mundo.

A filosofia de Aristóteles caracterizou-se pelo realismo, pela objetividade e pelo método. Defendeu ele as teorias da realidade do indivíduo, das causas do ser, do ato e da potência, da matéria e da forma, da união da alma com o corpo, do conhecimento sensitivo e intelectual, da contemplação de Deus como fim último e felicidade suprema do homem, sendo a virtude ou bem-fazer o meio de alcançá-la.

TODO O BEM ESTÁ NO PRAZER

Epicuro, fundador da escola que tem o seu nome, nasceu em Atenas, em 270 a.C., e morreu aos setenta anos de idade. Foi um fidalgo, mestre eficaz de sabedoria aristocrática, que possuía refinado gosto pela formosura e pela cultura superior. Deu a vida a uma sociedade genial em que dominava o vínculo da amizade.

As amizades dos epicuristas ficaram famosas, como as dos pitagóricos. A associação conservou-se organizada mediante uma constituição de ajudas materiais, cartas, missões, etc. A sua filosofia foi considerada como uma religião, bem como a sua doutrina, que ficou resumida em catecismos, e sua imagem chegou a ficar gravada em jóias.

O epicurismo, como também o estoicismo — que estudaremos a seguir —, divide a Filosofia em três partes: lógica, física, e ética. Subordinam a teoria à prática, e a ciência à moral, para garantir ao homem um bem supremo. Segundo Epicuro, a Filosofia é a arte da vida, é tarefa do mundo da Física, para libertar o homem dos grandes temores da vida, da morte, do além-túmulo e de Deus, fazendo com que ele viva sem medo.

Epicuro recorre à física atomista mecanicista, pela qual também os deuses vêm a ser compostos de átomos e habitam felizes o intermúndio, desinteressados por completo dos homens. Assim também a alma, formada de átomos sutis, mas sempre materiais, perece com o corpo, razão por que não devemos ter nenhuma preocupação com a morte, nem com o além-túmulo.

O epicurista acredita que a necessidade universal oprime o homem ainda mais do que o arbítrio divino. Sendo rigorosamente sensista, afirma que todo o nosso conhecimento deriva da sensação que nos dá o ser material que constitui a realidade originária. O processo cognoscitivo da sensação é explicado mediante os chamados fantasmas, que seriam imagens em miniatura das coisas e, assim chegariam até a alma imediatamente ou mediatamente através dos sentidos.

Em vista dessa gnosiologia sensista, é natural que o critério fundamental e único da verdade no campo teórico seja a sensação — a percepção sensível imediata, intuitiva e evidente. Da mesma forma o sentimento, tanto de prazer como de dor, será o critério supremo do valor no campo prático.

Pelo fato de a gnosiologia epicurista ser rigorosamente sensista, a metafísica epicurista é rigorosamente materialista. Epicuro, seguindo as pegadas de Demócrito, ensina que os últimos elementos constitutivos da realidade são os átomos, que são corpúsculos inúmeros, eternos, imutáveis e invisíveis, homogêneos, indivisíveis, iguais qualitativamente e diversos quantitativamente no tamanho, na figura e no peso.

Para Epicuro, a serenidade do sábio não deve ser perturbada pelo medo da morte, pois todo o mal e todo o bem se acham na sensação, e a morte é ausência de sensibilidade e de sofrimento. Dentro desse critério, nunca nos encontraremos com a morte, porque quando nós somos, ela não o é; e quando ela é, nós já não somos mais. Epicuro não defende o suicídio, que poderia justificar com maior razão do que os estóicos. Dado este conceito da vida como liberdade, paz e contemplação, ele é hostil ao matrimônio e à família, à atividade pública e à política. No seu entender, a família e a pátria são causas de agitações, por isso inimigos da autarquia.

Em seu materialismo teórico e em seu ateísmo prático, Epicuro admite a divindade transcendente de um modo diverso do imanentismo estóico. Ele justifica a divindade, acredita no amor de Deus, dos ascetas e dos místicos.

VIVENDO EM HARMONIA COM A NATUREZA

Tendo como fundador Zenão de Cício, surgiu no quarto século antes de Cristo uma escola filosófica denominada de estoicismo, que pretendia tornar o homem insensível a todos os males físicos e morais.

Os estóicos buscavam a felicidade suprema, que era uma atividade constante para viver em harmonia com a natureza, aceitando corajosamente todas as suas leis e vicissitudes, e ficaram conhecidos pela sua atitude intelectual de austeridade de caráter, de rigidez de princípio, de firmeza e resignação contra a dor ou a adversidade.

Esta escola, que pregava também o panteísmo — a falsa doutrina que afirma que o Universo está impregnado de Deus e forma com ele um único ser —, atraiu alguns "espíritos superiores", e teve especial importância no mundo romano. Homens importantes da época, possuidores de elevada cultura, seguiram o estoicismo, como Sêneca, Epicteto e o imperador Marco Aurélio.

Zenão também pregava que o homem deveria aceitar livre e espontaneamente todos os acontecimentos de sua vida, pois, agindo assim, é ele levado a participar da vida universal. O homem deve se identificar com a natureza a cada dia que passa. Esta deve ser a sua bandeira e o seu alvo.

Zenão ensinava que o universo tem uma ordem divina e exige de cada um uma vida racional, e, por conseguinte, uma condenação das paixões. O verdadeiro sábio, a fim de se identificar com o *logos* (razão ou sabedoria), deve gozar de uma imparcialidade absoluta.

Segundo o estoicismo, o homem deve suportar os "prós" ou os "contras" com a mesma atitude. A virtude estóica é uma força ativa e deliberada que não sacrifica jamais a sabedoria da razão às paixões. A paz que todos nós almejamos, a independência que buscamos e a bem-aventurança perfeita estão na indiferença absoluta por todos os prazeres e por todas as dores. A moral estóica pode ser definida como sendo o sistema ético mais elevado do paganismo.

A doutrina estóica que mais se aproxima do cristianismo é a que ensina a fraternidade universal entre todos os homens, pois não faz distinção entre gregos e bárbaros, entre escravos e libertos. Como conseqüência, traz a justiça necessária e a benevolência universal.

Desde Zenão, que iniciou com Atenas o ensinamento que prometia felicidade a todos, sem distinção de raça, cor, religião, o homem passou a crer numa vida superior a partir do cultivo de uma virtude básica e da aceitação de uma condição regida pela lei única do Universo: a razão universal.

Cleanto, um dos continuadores de Zenão, manifestou através do hino de sua autoria, "Zeus", algumas das idéias mestras do estoicismo, como: o *logos* do universo é o fogo; o mundo penetra na razão divina; a necessidade do homem evitar as paixões para conquistar a sabedoria, e a perpetuidade de espírito.

O sucessor de Cleanto foi Crisipo, que deu feição sistemática ao estoicismo, dotando-o inclusive de aprimoramento industrial lógico. A partir daí o estoicismo tomou novo impulso e foi dividido em três níveis estritamente interligados:

A Física, fundamentada na idéia do fogo universal, cujas transformações cíclicas determinam a periódica repetição de todos os acontecimentos;

A Lógica, de índole acentuadamente antiaristotélica, que é definida como rigorosa sucessão de acontecimentos individuais regidos pela razão universal;

A Moral, baseada no preceito: "Viver conforme a natureza", o que significa aceitação do destino que o *logos* estabelece para a totalidade no universo, isto é, para cada indivíduo.

Embora com sentido estritamente pessoal, no estoicismo o *bem* se identifica com a tranqüilidade interior para a libertação puramente subjetiva das circunstâncias. Dessa maneira, a identidade fundamental de todos os homens é, em última instância, o cosmopolitismo, isto é, o homem acima de tudo, um cidadão do universo.

TRAFICANTES DE FALSA SABEDORIA

Em virtude da vitória dos gregos sobre os persas, ao tempo de Alexandre, o Grande, Atenas assumiu o domínio sobre o mar Egeu, e a democracia vitoriosa obteve grande progresso com a crescente importância das assembléias, dos tribunais, das discussões sobre a moral, a política, etc.

Tais circunstâncias levaram os gregos a uma maior preocupação com os problemas humanos, pois as instituições e as crenças do passado eram agora insuficientes para fazer face às novas perguntas que surgiam. Desenvolveu-se, assim, uma cultura de valor prático, preocupada com as coisas humanas. Uma cultura dialética, que não mais encontrava, no âmbito das velhas concepções filosóficas, uma resposta às suas perguntas, o que levou os filósofos a penetrarem em um novo terreno: o homem.

A fase antropológica da Filosofia substitui a fase cosmológica, dando origem ao surgimento de grande número de sábios, mestres, vagabundos, hábeis oradores e expositores de doutrinas, que contavam com o apoio da juventude que os acompanhava. Eram os sofistas.

Esses sábios eram muito admirados por todos os que lhes pagavam para que lhes ensinassem a arte de argumentar e de discutir. Não formavam propriamente uma corrente, pois havia entre eles todas as tendências. O que os caracterizava, porém, era a exaltação que davam ao homem como indivíduo.

Como não poderia deixar de ser, os sofistas eram desprezados pelos aristocratas do saber, pelos filósofos. Segundo Aristóteles, "a sofística é uma sabedoria aparente, não real, e o sofista é um traficante de sabedoria aparente".

Sendo a sofística mais uma atitude do espírito do que uma doutrina, seus adeptos eram, aparentemente, os continuadores e os discípulos dos sábios da geração precedente. O próprio nome *sofistas* (Gr. *Sophia, sabedoria*) não possuía em sua origem nenhum sentido pejorativo, mas esses "retóricos de má fé", como Platão os chamou, na realidade diferiam essencialmente dos verdadeiros filósofos, visto que não mais tomavam o objeto a ser conhecido como fim e regra de sua ciência, mas se concentravam nos interesses do sujeito que desejava o conhecimento do objeto.

Mestres ambulantes que ensinavam por dinheiro, enciclopedistas, conferencistas, jornalistas, e até mesmo super-homens ou diletantes, os sofistas eram tudo, menos sábios. Sem desejarem a verdade, eles queriam as vantagens da ciência enquanto esta significava para seus possuidores poder e dominação.

Assim, parecendo professores de virtude, os sofistas notabilizavam-se como racionalistas e sábios universais, dando explicações falsamente claras para todas as coisas, e pretendendo reformar tudo. Por tais razões se interessavam de preferência pelas coisas humanas, por serem as mais complexas e menos certas.

Procurando, por meios inteligentes, apenas o meio de demonstrar superioridade, os sofistas transformaram uma das mais dignas ciências na arte de negar e destruir pelo raciocínio. Com sua moral maleável, eram capazes de sustentar os prós e os contras com a mesma verossimilhança. Condenavam toda a lei imposta ao homem como uma convenção arbitrária, e a virtude que pregavam reduzia-se ou à arte do bom êxito ou ao desejo do poder.

Desta maneira, de todos os grandes projetos filosóficos da época precedente, os sofistas haviam conservado apenas o orgulho científico. Queriam ser grandes pela ciência, e acreditavam nela, mas não criam na verdade.

Eis alguns passos importantes para se compreender a sofística:

Foi um movimento cultural destinado a satisfazer a necessidade de culturalização das massas democráticas;

Como todos podiam ter acesso à atividade política, para alguém impor-se nessa área necessitava do dom da palavra e da argumentação, e era isso precisamente que os sofistas proporcionavam pelo ensino, valorizando assim o homem que, pela palavra, podia sobressair-se;

Primordialmente, ensinavam a ciência do bom conselho nos assuntos privados e públicos;

Em vez de os discípulos buscarem os mestres, estes é que buscavam os discípulos. A contribuição pecuniária garantia o sustento do mestre;

Os mestres, que antes estavam presos às grandes cidades, agora, pela necessidade de culturalização, podiam levar as luzes do saber aos recantos mais remotos;

Ofereciam discursos aparatosos, estudando os mais variados termos, dos mais elevados aos mais estranhos;

Ensinavam a arte do discurso, a técnica da persuasão, do argumento penetrante, e usavam como método principal a controvérsia, ensinando a criticar e a discutir;

Mostravam como todas as doutrinas e opiniões podem ser defendidas ou combatidas, desde as mais comuns às mais paradoxais, o que em parte os levou posteriormente ao descrédito.

PRINCIPAIS SOFISTAS

Protágoras (480-410 a.C.), natural de Abdera, foi professor de gramática. Seguiu para Atenas, onde sua palavra fluente e suas doutrinas causaram sensação. Percorreu a Grécia, demorou-se na Itália meridional e Sicília. Retornando a Atenas, foi acusado de impiedade, condenado e morreu na fuga. Seus livros foram queimados em praça pública. De suas obras restam apenas os títulos. Mas, através dos diálogos de Platão, *Teeto* e *Protágoras*, muito se conhece de sua filosofia.

O princípio fundamental de Protágoras é que o homem é a medida de todas as coisas, e cada coisa é apenas o que parece a cada um de nós. Nega a distinção entre o bem e o mal, verdade e erro, e sustentou o pró e o contra, com sutileza dialética e argumentos capciosos. A frase de sua autoria: "o homem é medida de todas as coisas das que são, e do não ser das que não são", define sua doutrina.

As interpretações da doutrina protagórica vão desde o relativismo ao subjetivismo. Protágoras é cético quanto ao conhecimento e quanto à religião. Modernamente, a doutrina de Protágoras tem grande influência devido ao sentido temperalista e relativista que a caracteriza.

Górgias (483-375 a.C.), professor de retórica. Mandado a Atenas para pedir socorro em favor dos siracusanos, assombrou a todos pelo brilho de sua palavra. Dotado de extraordinário talento para a improvisação, tratava de todos os temas sem preocupação, com grande brilho de proficiência, graças aos seus artifícios de retórica, às antíteses bem aproveitadas, etc.

Górgias era cético, pertencia aos negadores de um critério absoluto, porém apoiava-se em razões diferentes das de Protágoras e seus discípulos. Seus princípios são de que não existe nada, e, embora algo exista, é inapreensível ao homem.

Muitos dos interessantes argumentos de Górgias foram aproveitados para combater os conceitos de Parmênides, e, posteriormente, para responder às teses realistas na grande polêmica medieval entre nominalistas e realistas.

Hépias de Élis (segunda metade do quinto século a.C.), era natural de Élis. Esteve em Atenas por volta de 421. Dotado de prodigiosa memória, tinha um saber enciclopédico, de que se gloriava. Para ele a educação, como depositária da cultura, é a melhor coisa que se pode desejar. Por ser um representante do cosmopolitismo, pregava a igualdade entre gregos e bárbaros, entre aristocratas e escravos.

Trasímaco (5 a.C.), defendia a tese de que o direito é fundado na força, e de que o justo é o que beneficia o mais forte.

Embora em certo sentido a sofística tenha valorizado o homem como indivíduo, trouxe ela, por outro lado, muito transtorno devido à ilimitada ambição de saber tudo sem levar em conta o valor da disciplina e do bom manejo das idéias.

PERGUNTAS PARA REVISÃO

1. Quem foi Sócrates e como ele ficou conhecido?
2. Qual é o ensinamento de Sócrates acerca do bem e do mal?
3. Qual é a finalidade da filosofia platônica?
4. Qual é a verdadeira ciência da Filosofia, segundo Aristóteles?
5. Quem é Deus, para Aristóteles?
6. Como Epicuro justifica o livre arbítrio?
7. Cite três pessoas importantes do quarto século a.C. que seguiram o estoicismo.
8. Como Platão denominou os sofistas?
9. Cite os nomes dos quatro principais sofistas comentados neste capítulo.

2 A FILOSOFIA PATRÍSTICA

A filosofia patrística surgiu como um resultado da obra dos primeiros mestres, ou pais, da Igreja, durante a fase histórica que vai do primeiro ao nono século. Três períodos podem ser assinalados na evolução dessa filosofia: O período de formação, o período de apogeu, e o período de transição.

No período de formação destaca-se a obra dos apologistas e polemistas na tarefa de difundir a doutrina cristã e de combater as heresias. Distinguem-se então os pais gregos, alexandrinos e africanos.

Como exceção dos mestres latinos, que condenaram a cultura greco-romana, a atividade principal dos primeiros pais da igreja teve como propósito conciliar a cultura pagã com os ensinamentos do Cristianismo.

A mais famosa de todas as escolas patrísticas foi a de Alexandria, onde tiveram atuação destacada Clemente, Panteno e Orígenes.

HERANÇA MORAL ADÂMICA

No período de apogeu, os filósofos patrísticos procuram esclarecer o sentido autêntico das verdades reveladas, aproveitando, para isso, a derrota do paganismo. Agostinho, representante do período de apogeu, foi o maior filósofo da época patrística e uma das mais profundas e luminosas inteligências de todos os tempos.

Além de ser o maior expositor da teologia conservadora ocidental, Agostinho tem sido também considerado um verdadeiro psicólogo. Os estudiosos de Agostinho geralmente afirmam que a única coisa que ele poderia aprender da psicologia moderna seria a sua terminologia.

Na sua luta contra o paganismo, Agostinho procura defender o conceito de Deus e da alma, servindo-se dos recursos intelectuais disponíveis, como a filosofia helenístico-romana. Ele afirmou que não se pode pregar o Evangelho sem as Sagradas Escrituras e sem uma fé viva nas verdades reveladas por Deus. Segundo esse filósofo, a regra a seguir é compreender para crer e crer para aprender.

A doutrina de Agostinho foi idealizada à luz da heresia pelagiana. Na opinião de Pelágio, em qualquer momento de sua vida o homem é completamente livre para escolher o bem e o mal, e não sofre qualquer efeito da queda de Adão. Agostinho refuta esse tipo de livre arbítrio e afirma que o orgulho humano é a fonte do pecado original, isto é, a fraqueza ou incapacidade que herdou de não conseguir praticar o bem.

No pensamento agostiniano destacam-se os seguintes pontos:

1. Adão não quis aceitar a sua posição de criatura.

2. O pecado de Adão foi passado aos seus descendentes de duas maneiras: pela origem sexual, ou transmissão biológica, e pela herança moral.

3. A teoria de Agostinho, que o levou à doutrina da predestinação, influenciou fortemente o calvinismo.

4. A tarefa dos filósofos patrísticos do período de transição foi, sobretudo, a conservação da cultura clássica no meio das guerras e convulsões que se produziram a partir da invasão dos bárbaros. Dentre os filósofos deste período destacaram-se Cassiodoro, São Isidoro de Sevilha, Beda e Boécio.

PERGUNTAS PARA REVISÃO

1. Quais os três períodos da evolução da filosofia patrística?
2. Qual foi a mais famosa de todas as escolas patrísticas?
3. Quem foi o principal filósofo do período de apogeu da filosofia patrística?
4. Que tipo de heresia procurou Agostinho refutar?
5. Em que escola atuaram Clemente, Panteno e Orígenes?

3 AS FILOSOFIAS MEDIEVAL E ESCOLÁSTICA

A FILOSOFIA MEDIEVAL

A cultura cristã se desdobra, na Idade Média, em quatro fases distintas: a apostólica, a patrística, a monástica e a escolástica. A falta de um bom discernimento de cada uma dessas fases tem produzido várias interpretações errôneas. Tais interpretações decorrem da confusão entre filosofia medieval e filosofia escolástica, entre filosofia escolástica e teologia, e entre filosofia escolástica e filosofia aristotélica.

Há quatro períodos na evolução da filosofia medieval: período de formação, período de apogeu, período de decadência, e período de transição.

No período de formação, a filosofia medieval se encontra muito longe das grandes sínteses do século XIII, por faltar-lhe equilíbrio e unidade. Vários tipos de escolas encontraremos nessa época: escolas paroquiais, escolas abaciais, escolas catedrais, escola palatinas e escolas municipais. Entre as correntes não escolásticas deste período se destacam a escolástica dissidente, inspirada no neoplatonismo, a filosofia árabe e a filosofia hebraica.

O período de apogeu, no século XIII, constitui uma das fases mais brilhantes e gloriosas da história do pensamento. Nesse século, a escolástica atinge a plenitude da sua força e do seu esplendor. Divide-se em: escola franciscana, escola de Santo Alberto e Santo Tomás, e nova escola franciscana. Sob o ponto de vista pedagógico, a escolástica pode ser considerada uma síntese da pedagogia tradicionalista com a humanista.

As universidades foram as instituições escolares que maior influência exerceram sobre a gênese e irradiação das doutrinas filosóficas do século XIII. Entre os filósofos dessa época se destacaram Alexandre de Hales, São Boaventura, Santo Alberto Magno, Santo Tomás de Aquino, e Duns Scoto.

Ao esplendor da escolástica sucede um período de rápida e progressiva decadência, cujas causas são tanto de origem externa como interna. As correntes escolásticas desse período têm como chefe Guilherme de Occam, e reagem contra o formalismo e dialetismo de Duns Scoto. As antiescolásticas se inspiram no averroísmo.

O período de transição abrange as correntes filosóficas do Renascimento, o qual deve ser considerado, não apenas como o início da Idade Moderna, mas, antes e sobretudo, como o fim da Idade Média. Ao contrário dos renascimentos anteriores, o Renascimento do século XVI renovou, não só os estudos, como os ideais da cultura greco-romana.

Entre as filosofias antiescolásticas do Renascimento se distinguem: os humanistas, os naturalistas, os juristas e os céticos. Entre as filosofias escolásticas, encontraremos: os dominicanos, os carmelitas e os jesuítas.

A FILOSOFIA ESCOLÁSTICA

O termo "escolástica" significou, a princípio, o conjunto do saber, como era transmitido nas escolas clericais. O escolástico era o mestre das sete artes liberais, ou o chefe das escolas monásticas ou catedráticas. Mais tarde foi dado o mesmo nome aos que escolarmente se dedicavam à filosofia e à teologia.

Tais escolásticas já não se propunham, como os pais da Igreja, a compreender e formular a doutrina cristã com o auxílio da filosofia grega, mas sim fundamentar e ensinar a doutrina da Igreja como sistema científico.

A vida espiritual na Idade Média se mantém numa atitude receptora frente à cultura antiga e se submete à autoridade dos pensadores clássicos; quer *ensinar* a *ciência* e a *filosofia,* e não investigar e filosofar por conta própria. Por isso o método característico da escolástica é o silogismo, apropriado para expor e apresentar verdades já encontradas, mas não apropriado para a descoberta de novas idéias.

Outro caráter da escolástica é a sua preocupação em resolver as condições existentes entre as autoridades reconhecidas, com o propósito final de mostrar que não existe conflito entre o saber e a fé, a filosofia e a teologia, a razão e a revelação.

Considerada sociologicamente, a escolástica é um tipo de vida intelectual, um estilo de pensar e filosofar que se estende por mais de seis séculos. Constitui o ponto culminante da filosofia medieval e tem seus representantes em alguns dos mais destacados pensadores de todos os tempos.

Em síntese, a escolástica teve como objetivo demonstrar e ensinar as concordâncias da razão com a fé pelo método dedutivo-silogístico, que se propõe a eliminar as possíveis contradições das verdades transmitidas, em matéria de dogma, pelos filósofos e teólogos oficiais do catolicismo romano.

OS UNIVERSAIS

O movimento escolástico só adquire seus claros perfis no século XII, com Santo Anselmo de Canterbury (1035-1109), que marca a passagem da imediação da fé à penetração racional. A fama desse pensador provém de sua célebre prova ontológica da existência de Deus, contida em seu escrito *Proslogium*.

O argumento ontológico é a tentativa de provar a existência de Deus, partindo de seu próprio conceito. Por Deus entendemos, segundo a definição, o mais perfeito, que, em geral possa ser pensado. Até o ateu possui esse conceito, mas o perfeito por excelência não pode existir apenas no intelecto, pois então deixaria de sê-lo, visto que existiria algo fora da consciência superior a ele. Por conseguinte, caímos numa contradição se não reconhecermos que Deus existe também fora de nós.

Esse argumento incorre num paralogismo, como já o fizera ver um contemporâneo de Anselmo, o monge Gaunilo. Existirá necessariamente, por exemplo, a ilha mais perfeita só pelo fato de se imaginá-la?

Quanto aos universais, a questão é esta: possui os significados gerais das palavras (os conceitos universais) realidade externa ou simplesmente são produtos da mente humana e, por isso, meros nomes? É Deus, por exemplo, uma realidade em si, ou mera generalização o nome das três pessoas divinas?

Santo Anselmo e os místicos tomaram um partido, e Roscelino (1050-1125) toma outro partido. Os primeiros dizem que os universais são coisas (em latim — *res*). Daí chamar-se realismo sua doutrina; o segundo não lhes dá outro caráter que o de nomes (em latim — *nomina*), e desta doutrina deriva-se a corrente dos nominalistas.

Talvez a primeira concepção realista dos universais tenha sido formulada por João Scott Erigena (810-880), que assinala que os conceitos gerais são realidades originárias que criam de si o particular. Os universais não são só substâncias, mas são também, com relação às coisas singulares, mais originários, produtores determinantes: são substâncias reais e, para dizer a verdade, tanto mais reais quanto mais gerais.

Essa doutrina se identifica assim como a antiga "teologia negativa", segundo a qual de Deus só se pode predicar o que não é. Mas o geral, por antonomásia, cria de si a totalidade das coisas, que, por conseguinte, não são outra coisa que sua manifestação, e que se conduzem com ele como os exemplares particulares com o gênero: estão nele e só existem com suas peculiares manifestações.

Assim se origina dessas suposições um panteísmo lógico: todas as coisas do mundo são "teofanias"; o mundo é Deus que se gera de si mesmo (Deus *explicitus*), que vai se desenvolvendo no particular. Deus e o mundo são um só e a mesma coisa. A mesma "natureza" (*physis*) é, como unidade criadora, Deus; como pluralidade criada, o mundo.

A LÓGICA AQUINENSE

Tomás de Aquino (1227-1274), teólogo e filósofo italiano, foi educado pelos monges beneditinos de Monte Cassino, mas tornou-se, mais tarde, dominicano. Foi discípulo de Santo Alberto Magno.

Considerado o mais brilhante filósofo da Idade Média e o maior pensador entre os católicos, Tomás de Aquino restabeleceu o prestígio da filosofia aristotélica e determinou claramente a diferença entre a Filosofia e a Teologia. Tratou isoladamente de cada questão, mas deu a todas elas um corpo único, realizando uma síntese perfeita. Sua escola é a do realismo metafísico.

Aquino, a quem o catolicismo romano deu o título de Doutor Angélico, tem sido considerado, ainda hoje, o mestre incontestável dos católicos. Sua influência faz-se notar mesmo fora dos domínios da igreja romana. Os que o seguem, denominam-se tomistas. Deixou, entre outras, as obras *Suma Teológica* e *Suma contra os Gentios*.

O sistema filosófico e teológico de Tomás de Aquino exerce ainda hoje muita influência nos adeptos do neotomismo. Também denominado filosofia cristã e filosofia perene, o tomismo foi várias vezes proclamado como doutrina quase oficial da Igreja Católica. Distingue-se da escolástica, termo genérico que abrange as diversas escolas medievais, e traduz mais um método do que uma doutrina.

O tema fundamental das meditações de Santo Tomás é o esclarecimento das relações entre a revelação e a filosofia, isto é, entre a fé e a razão. Segundo o filósofo, tais conceitos não se chocam nem se absorvem, mas permanecem íntegros em suas respectivas esferas, possibilitando assim a coexistência da Filosofia com a Teologia.

O conflito entre essas duas esferas só ocorre, de acordo com o teólogo, quando a razão é usada incorretamente, ou seja, quando tenta, sem o auxílio da fé, compreender o mistério-dogma religioso, inacessível em essência a quaisquer interpretações racionalistas, pois a razão deve ser apenas serva da fé.

Assim, Tomás de Aquino consegue estabelecer o equilíbrio entre a tradicional tendência mística e as novas diretrizes racionalistas.

Seguindo os passos de Aristóteles, Aquino afirma que o fim do homem é o aperfeiçoamento da própria natureza. Tal aperfeiçoamento, porém, só se cumpre em Deus, o que torna a última etapa do ser transcendente a ele. Para que a vontade seja boa, deve conformar-se com a lei moral, cujo fundamento metafísico é Deus.

Sendo Deus incognoscível, o homem não pode conhecer a lei eterna, bastando para regular sua conduta o conhecimento da lei natural, ou seja, a norma da consciência humana.

Na teoria do conhecimento de Aquino, o filósofo se identifica com o ponto de vista do realismo, como aquele que aceita a existência de uma realidade independente do sujeito cognoscitivo. Ele define a verdade como uma adequação da coisa (que se conhece) com o intelecto (que conhece).

Há hoje um movimento teológico católico que tenta reinterpretar a Idade Média, fazendo que esse período deixe de ser conhecido como uma longa "noite de mil anos".

PERGUNTAS PARA REVISÃO

1. Quais são as quatro fases da cultura cristã na Idade Média?
2. Distinga os quatro períodos na evolução da filosofia medieval.
3. O que significou no princípio o termo "escolástica"?
4. Quem determinou a diferença entre a Filosofia e a Teologia?
5. Segundo Tomás de Aquino, quais são as quatro virtudes cardeais de Aristóteles?
6. Quem formulou a primeira concepção realista dos universais?
7. O que é a "teologia negativa"?

4 A FILOSOFIA RENASCENTISTA

Em 1453, Maomé II toma Constantinopla; os sábios gregos emigram para a Itália com manuscritos de Platão, de Protino e de Aristóteles. Este é o ponto de partida, não só, como todos sabem, do Humanismo e da ressurreição da literatura antiga, mas também (do ponto de vista filosófico, o qual nos interessa mais especialmente) de um renascimento do platonismo, cuja influência será, de agora em diante, maior que a de Aristóteles.

A Reforma Protestante vem contestar a autoridade todo-poderosa da Igreja de Roma; ela transfere essa autoridade do papa para a consciência de cada um; da tradição católica para as Sagradas Escrituras. Os encarniçados conflitos entre as igrejas contribuíram para dar à Filosofia uma nova independência.

As grandes descobertas se acumulam. E não pensamos apenas, bem entendido, no descobrimento da América, mas sobretudo nas descobertas de caráter científico. Copérnico afirma o movimento da terra em torno do sol. Galileu confirma essa teoria e descobre as três leis do movimento dos planetas. Vesálio descobre a anatomia, enquanto Servet é o primeiro a conceber a idéia da circulação do sangue. Tartaglia resolve as equações de terceiro grau. Viète, antes de Descartes e Fermat, entrevê o princípio da aplicação da álgebra à geometria.

Se acrescentarmos a tudo isso a invenção da imprensa e a difusão da cultura que começa daí a resultar, compreenderemos a efervescência intelectual da época do Renascimento. Surge um novo desejo de felicidade e de liberdade no homem europeu.

Podemos citar a doutrina panteísta de Giordano Bruno e, anterior a esta, a filosofia de Nicolau de Cusa, que sonha com a tolerância religiosa, com a cultura de fundamento matemático e com a transformação do mundo por meio de técnicas racionais (1401-1464).

Três idéias-força do pensamento moderno surgem ou se desenvolvem no decorrer desse período:

A necessidade da separação entre Teologia e Filosofia — com a autonomia desta última.

A idéia de que as matemáticas são a escola da razão rigorosa por excelência.

A idéia do método experimental e do conhecimento objetivo dos fatos da natureza.

O renascimento chamado cristão, segundo a maioria dos historiadores, não foi obra dos séculos XV e XVI, mas do século que se abre com Inocêncio III e se encerra com Dante.

Esse mesmo período que viu Francisco de Assis e Antônio de Lisboa, Domingos de Gusmão e Tomás de Aquino, também viu o progresso da obra de Pedro de Bruys e Pedro Waldo, que possuíam muitos adeptos em quase todos os países da Europa.

Na Alemanha e na Itália homens e mulheres de todas as classes tinham seguido os seus ensinamentos e doutrinas evangélicas, desde os fidalgos até os camponeses, desde o abade de mitra até o monge de capuz; enquanto na Lombardia existiam em tal quantidade que um deles declarou que podia viajar de Colônia a Milão recebendo todas as noites hospitalidade em casa de irmãos.[3]

Na Renascença, a unidade real e potencial, que já assimilara em si mesma os bens espirituais e ideais da civilização antiga, estava agora em condições de colher os bens da nova civilização.

RESSURGEM ANTIGAS ESCOLAS FILOSÓFICAS

Uma das manifestações características da Renascença é a renovação das antigas escolas filosóficas. Na Idade Média, o pensamento clássico foi bem conhecido e valorizado. No entanto, tal conhecimento e valorização diziam respeito aos maiores filósofos gregos, em especial Aristóteles. E

Aristóteles era desenvolvido e valorizado teisticamente, para culminar na visão cristã do mundo e da vida.

De tudo isso falam as obras de Tomás de Aquino e Dante Alighieri, nas quais se evidenciam tanto o pensamento grego como o direito romano em defesa do catolicismo romano.

Estão representadas no renascentismo quase todas as escolas filosóficas antigas, como o platonismo, o aristotelismo, o estoicismo, o epicurismo e o ceticismo. Especialmente as duas primeiras e, entre estas, precipuamente a primeira.

O aristotelismo da Renascença exclui, naturalmente, a interpretação de Aristóteles dada por Tomás de Aquino, e sustenta, ou a interpretação naturalista de Alexandre de Afrodisia, ou a interpretação panteísta de Averroés.

Nessa época o platonismo se reveste das roupagens do neoplatonismo, por duas razões principais:

Assim se tinha fixado na Antigüidade e nesse sentido havia influenciado toda a Idade Média através de pseudo Dionísio Areopagita, Scoto Erígena, e Eckart.

A sua fundamental concepção panteísta e o seu potenciamento do espírito humano podiam melhor corresponder ao imanentismo e humanismo da Renascença.

Até podemos dizer que a tendência dominante na Renascença é o neoplatonismo panteísta sobre um fundo eclético.

POLÍTICA, CIÊNCIA E RELIGIÃO

No pano de fundo eclético-neoplatônico do pensamento renascentista se destacam algumas figuras de vulto, começando com Nicolau de Cusa e terminando com Giordano Bruno. É uma nova concepção filosófica do mundo e da vida, ainda não bem claramente esboçada, de que seus próprios autores, às vezes, não têm clara consciência. É uma época de transição, em que novo e velho se entretecem mutuamente.

Deixando de lado o alto valor da arte e da literatura, a maior conquista do pensamento da Renascença está na história humana e na ciência natural. Daí derivam, em seguida, a ciência política e a técnica científica, ou ciência aplicada, que tiveram o seu grande início. É o fruto do vivo interesse e da penetrante observação da experiência e do concretismo, quase desconhecidos do pensamento clássico e medieval, que por sua vez estavam absorvidos pelo universal e pela transcendência.

A expressão clássica da nova ciência política é Nicolau Maquiavel, que não era filosófico, mas teórico da técnica política, embora seu pensamento esteja alicerçado na metafísica do humanismo e do imanentismo renascentista. Galileu Galilei é a maior expressão da ciência nova. Ele também não foi filósofo, mas teórico e técnico da renovada ciência da natureza, mesmo que tenha valeidades e faça afirmações de alcance metafísico.

Dado o caráter imanentista e humanista da Renascença, não é logicamente possível uma religião verdadeira e própria, porquanto à religião é indispensável o conceito de um Deus transcendente e pessoal.

A Renascença teve, no entanto, a sua religião, ou um sucedâneo de religião. Tal sucedâneo pode procurar-se especialmente nas ciências ocultas — magia e astrologia —, que desfrutaram então de grande favor; pois em todas as épocas de descrença, a superstição toma fatalmente o lugar da religião.

Mas o Cristianismo não esteve ausente do pensamento da Renascença, e muito menos da vida transcendente e ascética, embora o renascentismo não se harmonize com o cristianismo católico romano da época, pois o verdadeiro cristianismo da Renascença pode ser representado pelo protestantismo, e, em especial, pelo protestantismo luterano.

O protestantismo, apesar de tantos de seus aspectos exteriores estarem em oposição com o espírito renascentista, exprime, no fundo, o mesmo ideal imanentista e individualista da Renascença.

Portanto, teremos de tratar da Reforma Protestante como sendo a religião da época nova, e, em seguida, da Contra-Reforma Católica como natural reação, ou melhor, como desenvolvimento lógico do cristianismo católico perante as duas novas tendências de pensamento e de vida.

Os ensinamentos da Reforma Protestante baseiam-se na Bíblia Sagrada e vão de encontro a diversos dogmas fundamentais do catolicismo. A Contra-Reforma é o movimento de reação e de renovação contra a Reforma e a Renascença. Culmina no Concílio de Trento (1546-1563), e tem como maior expressão a Ordem dos Jesuítas da Companhia de Jesus, então recentemente fundada (1534).

Do ponto de vista filosófico, a Contra-Reforma tem como característica fundamental a valorização do concretismo moderno, mas subordinado a uma reafirmação profunda e vigorosa da transcendência e do ascetismo.

Da Itália, berço do Humanismo e da Renascença, o renascentismo propagou-se por toda a Europa civilizada, que, aliás, estava preparada para receber estas novas formas de pensamento e de vida. Nas grandes nações européias o Humanismo e o Renascimento se interessam especialmente pelos problemas religiosos, que, entretanto, não despertaram na Itália demasiado interesse possivelmente em virtude da intolerância do catolicismo romano.

PERGUNTAS PARA REVISÃO

1. Durante o período renascentista surgiram três idéias-força. Quais são elas?
2. Qual foi uma das manifestações características da Renascença?
3. Quais escolas filosóficas antigas estiveram representadas na Renascença?
4. Qual foi a maior conquista do pensamento da Renascença?
5. Qual era a religião ou sucedâneo de religião da Renascença?

5 A FILOSOFIA MODERNA

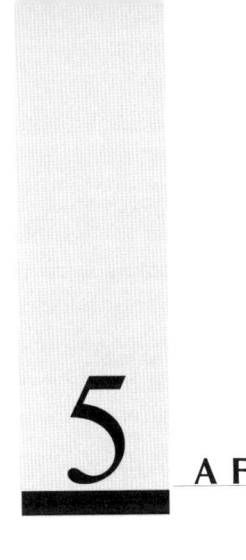

O RACIONALISMO

A partir do Renascimento, a Filosofia perde cada vez mais sua unidade de orientação, assumindo características de combate à Teologia, e de variedade de sistemas e doutrinas.

A filosofia moderna apresenta, em sua evolução, três períodos: filosofia anterior a Kant; filosofia de Kant, e filosofia posterior a Kant.

Duas correntes dominam o período anterior a Kant: a de Descartes e a de Bacon. Descartes, racionalista, pretendeu reconstruir a Filosofia, partindo da dúvida universal e utilizando o método dedutivo. Bacon, empirista, baseando-se na experiência externa, aconselhou o método indutivo como único meio para o conhecimento da realidade e progresso da ciência.

René Descartes (1569-1650), filósofo e matemático francês, latinizado Renatus Cartesius, tendo como ponto de partida a universidade da razão, identifica duas faculdades no intelecto: a intuição e a dedução. Através da primeira, podemos ter idéias claras, determinadas, distintas, simples e precisas; por intermédio da segunda, podemos descobrir conjuntos de verdades ordenadas racionalmente. Ao afirmar: "tudo o que percebo muito claro e distintamente é verdadeiro", considerou a verdade um atributo da razão.

Em sua obra *Discurso do Método*, afirma Descartes:

> Como existem homens que se deixam iludir em seus raciocínios e incorrem em paralogismos, ainda quando se trata da mais elementar noção de geometria, e acreditando-me também eu tão sujeito a

erros como os outros, rejeitei como sendo falsas todas as razões que anteriormente tomara por demonstrações.
Por fim, tendo em conta que os mesmos pensamentos que temos quando estamos acordados podem ocorrer-nos quando dormimos, sem que exista então um só que seja verdadeiro, tomei a decisão de fingir que todas as coisas que antes me entraram na mente não eram mais reais do que as ilusões dos meus sonhos.
Mas, logo depois, observei que, enquanto eu desejava considerar assim tudo como sendo falso, era obrigatório que eu, ao pensar, fosse alguma coisa. Percebi, então, que a verdade penso, logo existo era tão sólida e tão exata que sequer as mais extravagantes suposições dos céticos conseguiram abalá-la. E, assim crendo, concluí que não deveria ter escrúpulo em aceitá-la como sendo o primeiro princípio da filosofia que eu procurava.[4]

ALGUMAS DE SUAS DOUTRINAS:

A essência de Deus está na sua asseidade, ou seja, em a natureza de um ser que existe por si mesmo, não precisando de outro para existir;

A alma não é princípio de vida, mas consciência;

Certas idéias são inatas na mente, sem serem derivadas da experiência;

Não se pode confiar plenamente no valor do conhecimento.

Descartes é o fundador da teoria do conhecimento (epistemologia), com suas perguntas: "como sei?" e "como posso estar certo?"

Chama-se cartesianismo a influência de Descartes na filosofia moderna, rapidamente difundida na Europa. Combatido pelos teólogos e pelos aristotélicos, o cartesianismo encontrou alguns defensores religiosos, entre eles o padre Marin Mersenne (1588-1648), que se serviu desse sistema filosófico para combater o ateísmo.

Entre os discípulos de Descartes se distinguiram: Malebranche, Spinoza e Leibniz. E entre os discípulos de Bacon, se destacaram: Hobbes, Locke, Berkeley e Hume. A escola escocesa, chefiada por Reid, reagiu contra os excessos de Berkeley e Hume. Condillac acompanha a idéia de Locke, influindo ambos sobre os enciclopedistas.

Por ser o racionalismo um sistema baseado na razão, ele se contrapõe aos sistemas baseados na revelação ou no sentimento — como teoria da origem de nosso conhecimento. Ele contrapõe-se ao empirismo, que sustenta derivarem todas as nossas idéias da experiência. O racionalismo afirma que, mesmo se descobrirmos nossas idéias "em contato" com a experiência, elas continuam a se originar do espírito, e não simplesmente do hábito e da repetição das coisas. Tal é o ponto de vista de Platão, Descartes e Kant.

Mas o racionalismo contrapõe-se também ao voluntarismo, que vê um impulso irracional na origem de toda ação humana. Para o racionalismo, por exemplo, o artista que cria uma escultura reproduziria um modelo que haveria em seu espírito; para o voluntarista, não há modelo válido antes da criação, e os projetos só se desenvolvem a partir de um esboço.

No domínio religioso, finalmente, o racionalismo pretende que todas as verdades da fé sejam analisáveis e que se possa adquirir delas um saber perfeitamente claro.

As máximas racionalistas ocorrem freqüentemente na história do pensamento humano. O momento de sua maior intensidade e influência históricas aconteceu no século XVIII, quando elas eram uma característica essencial da ideologia da época do Iluminismo.

O racionalismo proclama o culto do conhecimento racional por oposição ao irracionalismo; o culto ao conhecimento obtido por fontes sobrenaturais; o culto ao intelecto por oposição à emoção. Entretanto, todas estas formulações são gerais, pouco tangíveis, e podem dar facilmente origem a mal-entendidos.

O racionalismo valoriza o conhecimento, principalmente o científico, ou, mais precisamente, os paradigmas da matemática e das ciências naturais. Rejeita o conhecimento baseado na revelação, em todas as adivinhações, prognósticos, profecias, quiromancias, etc. Não é fácil, no entanto, dizer o que distingue o conhecimento científico desses outros tipos de conhecimento.

Talvez o conhecimento científico possa ser melhor caracterizado enfatizando-se dois requisitos a que ele deve satisfazer.

O conhecimento científico é, em primeiro lugar, aquele conteúdo, e somente aquele, que pode ser comunicado literalmente aos outros por meio de palavras entendidas literalmente, isto é, sem metáforas, analogias e outros tipos de meias-medidas usadas na transmissão do pensamento.

Em segundo lugar, somente podem pretender ser conhecimento científico aquelas asserções acerca das quais qualquer pessoa que se ache nas condições externas apropriadas possa decidir em princípio sua correção ou incorreção. Em outras palavras, o conhecimento científico é aquele que é comunicável e controlável de maneira subjetiva. Esta subjetividade é exatamente o que parece caracterizar o conhecimento racional.

Proclama o racionalismo que podemos anunciar nossa convicção e exigir sua aceitação universal somente quando ela puder ser claramente formulada em palavras, e quando todas as pessoas podem, pelo menos em princípio, assegurar-se de sua correção ou incorreção.

O objetivo desse critério, em primeiro lugar, é proteger a sociedade da dominação de clichês carentes de significado, que têm freqüentemente forte ressonância emocional e influenciam pessoas de todos os grupos sociais. Em segundo lugar, proteger as pessoas da aceitação não crítica de concepções proclamadas por seus defensores, algumas vezes com toda força de convicção, mas que são inacessíveis ao teste por outras pessoas, e podem sofrer, portanto, a suspeita de serem falsas.

Tais postulados parecem tão razoáveis quanto a exigência da administração ferroviária que apenas permite que um passageiro viaje se possuir um bilhete válido, e não quando, embora tenha pago o bilhete, não queira mostrá-lo. Pagar a passagem corresponde a esta comparação, à verdade de uma asserção, e boa vontade em mostrar o bilhete corresponde à possibilidade de qualquer pessoa certificar-se se a asserção é válida ou não.

Em conclusão, o racionalismo é uma doutrina segundo a qual há verdades a priori, universais e necessárias, independente da existência, e que afirma que a razão é inata, imutável e igual em todos os homens. Estabelece a autoridade da razão e rejeita a revelação sobrenatural.

O EMPIRISMO

Para o empirismo, todo conhecimento humano resulta da experiência, ou de sensações exteriores ou anteriores, e não da razão do intelecto. Afirma ser o único critério de verdade constante na experiência. Francis Bacon (1561-1626), de nacionalidade inglesa, é um dos principais nomes do empirismo, e seu método visa a apresentar uma nova maneira de estudar os fenômenos naturais.

A descoberta de fatos verdadeiros não depende, segundo Bacon, de raciocínio silogístico, que é puramente mental, mas sim da observação, de experimentação gerada pelo raciocínio indutivo.

Bacon foi, a um só tempo, tanto racionalista como empirista, e encontrou discípulos nessas duas correntes.

Para Bacon, "o mundo é um labirinto, e o fio condutor para sua decifração é o método indutivo". Não imaginou a importância da dedução matemática para o avanço das ciências. Ele escreveu obras históricas e políticas.

Encontramos os temas fundamentais da escola empirista no inglês Hobbes (1588-1679). Ele afirma que a origem de todo conhecimento é a sensação, princípio original do conhecimento dos próprios princípios; a *imaginação* é um agrupamento indireto de fragmentos de sensação, e a *memória* nada mais é do que o reflexo de antigas sensações. Mas ele crê numa lógica pura, de um raciocínio demonstrativo muito perigoso. A filosofia de Hobbes é materialista e mecanicista.

Ensina Hobbes que o homem se distingue dos insetos sociais, como as abelhas e as formigas, e por isso não possui instinto social, e só é sociável por acidente. Para ele o "homem é o lobo do homem", e este, no seu estado natural, viveria em constante guerra de todos contra todos. Só poderia haver a conscientização do homem se cada um renunciasse ao direito absoluto que tem sobre todas as coisas.

Hobbes diz também que o homem tem medo de ser morto ou escravizado, e esse temor, que em última instância é mais poderoso do que o orgulho, é a paixão que dará palavra à razão. É o medo, portanto, que obrigará os homens a fundarem um estado social e a autoridade política.

John Locke (1632-1704) é considerado o real fundador do empirismo. Esta doutrina filosófica ensina que todo conhecimento, com exceção do lógico e matemático, deriva de experiência, e que não há verdade autônoma. Ele afirma que a mente é como uma página de papel em branco, vazio de quaisquer caracteres e sem idéia nenhuma, que recebe, de fora, as suas expressões. Eis alguns de seus principais postulados:

Todo conhecimento humano compreende ou "idéias" ou as reflexões da mente sobre as idéias. As idéias são impressões feitas na mente por objetos externos, como: amarelo, branco, quente, frio, suave, duro, amargo, doce, e tudo o que chamamos de qualidades sensíveis.

A *razão* é a descoberta de certeza ou probabilidades de tais proposições ou verdades, às quais a mente chega por dedução tiradas dessas idéias, que ele obteve mediante o uso de suas faculdades mentais, a saber, pelas sensações ou pela reflexão. Ele diz que não devemos autorizar o ateísmo, posto que a existência de Deus é demonstrável.

Locke afirma que a mais óbvia verdade que a razão pode descobrir é a existência de Deus. Sua evidência é igual à certeza matemática.

John Locke foi um perfeito representante da atitude intelectual de sua própria época, tendo moldado a atitude da época seguinte. Sua filosofia dominou o pensamento europeu durante mais de um século. O espírito com o qual ele tratou o Cristianismo é mais importante do que o que ele realmente disse a respeito.

Para Locke, as idéias complexas se reduzem a idéias simples, e todas elas provêm da experiência, através dos sentidos. Há duas fontes de conhecimento: a *sensação,* que nos faz conhecer objetos exteriores, e a *reflexão,* que nos revela as operações de nossa alma por intermédio do sentido interno.

Também para ele o homem tem direitos naturais imprescritíveis. Longe de crer como Hobbes que diz que a sociedade cria os direitos, Locke acha que a sociedade foi instituída para defender direitos que moralmente lhe preexistem. Tais direitos são o de propriedade justificado pelo trabalho, a autoridade do pai na família, e a liberdade pessoal.

O PLURALISMO MONÁDICO

Leibniz (1646-1716), notável filósofo e matemático alemão que descobriu, juntamente com Newton, o cálculo infinitesimal, desenvolveu a teoria do pluralismo baseada na mônada. A mônoda é unidade ou ente simples, imaterial, princípio último de uma coisa, substância e força representativa a refletir todo o universo.

Essa teoria ultrapassa a teoria das idéias inatas de Descartes, porquanto as idéias, princípios racionais, são a inteligência refletindo o universo inteiro. Na teoria de Leibniz, o desenvolvimento ocorre através das mônadas mais simples, no grau inferior dos corpos inorgânicos, passando pelas plantas e animais, para chegar aos homens e, dentre eles, aos de espírito superior.

O pluralismo monádico de Leibniz, ou seja, os graus ou escalonamento, das mônadas, tendo por meta o completo aperfeiçoamento, encontra em Deus a mônada absolutamente perfeita, harmonia preestabelecida, causa suprema e criadora de todas as coisas, que imprime ordem no cosmos, existindo sempre nas mutações perpétuas.

Esta explicação evolucionista leibniziana, de nítida influência eraclítica, conjuga-se com o raciocínio de Descartes. Afirma com Deus o princípio teológico da coordenação e com as idéias inatas o princípio lógico da responsabilidade. Assim, pois, é de interesse dos homens escolher o bem ao invés do mal, uma vez que a condição para o bem-estar de todos ou bem comum vem a ser a realização do máximo de bem e anular um mínimo de mal.

Em seu otimismo metafísico, que aceita um mínimo de mal, Leibniz explica ser a referida existência da maldade inseparável do mundo criado, possibilitando, pela vontade de Deus, que seja contrabalançado e até mesmo anulado pelo bem moral da liberdade, necessário à responsabilidade, que conduz à virtude e ao mérito.

Ao identificar a sabedoria e a virtude com a felicidade, Leibniz passa de sua filosofia moral para uma filosofia jurídica, distinguindo, no mundo ético, três categorias de bem: Deus, a Humanidade e o Estado, respectivamente considerados Justiça universal, Justiça distributiva e Justiça comutativa, correspondendo, cada um desses graus, a cada um dos três preceitos do Direito Romano: *Honeste vivere* (viver honestamente), *jus suum tribuere* (dar a cada um o que é seu) e *alterum non laedere* (não prejudicar a ninguém).

O ILUMINISMO

Representado por Voltaire, Rousseau e Diderot, o Iluminismo ensinava, em linhas gerais, que:

As relações entre os homens são reguladas por leis naturais, a exemplo das que regulam os fenômenos da natureza;

Os homens, em sua maneira de pensar, eram todos bons e iguais perante a natureza. As sociedades é que provocam a desigualdade existente entre eles;

A única forma de corrigir essa desigualdade é modificar a própria sociedade, dando a todos liberdade de expressão e de culto, a proteção contra a escravidão, a opressão, a injustiça e as guerras.

O progresso dos estudos científicos aliado à Revolução Francesa, com todas as suas conseqüências, despertou o interesse pelos estudos sociais, políticos e econômicos. Princípios considerados indiscutíveis até o século XVIII passaram a ser questionados. O conjunto desses princípios, que constituíam o antigo regime, inclui o absolutismo dos direitos divinos, os privilégios das ordens sociais, a intolerância religiosa, e os monopólios.

Vauban propôs que os impostos recaíssem sobre todos igualmente. Fénelon reclamou leis que regulassem o funcionamento do reino. Pierre Rayle pregou a liberdade de pensamento e a tolerância religiosa.

Podemos dividir os filósofos iluministas em dois grupos: os que se ocupavam de problemas políticos, sociais e religiosos, e os economistas, que procuravam uma maneira de aumentar as riquezas das nações.

O documento básico do Iluminismo foi a tolerância religiosa defendida por Voltaire:

> Não é aos homens que me dirijo, e sim, a ti, Deus de todos os seres, de todos os homens, e de todos os tempos (...). Observa com piedade os erros intrínsecos à nossa natureza; que esses erros não se tornem causa de calamidade.
>
> Tu não nos deste um coração para odiar, nem mãos para degolar, portanto, faz com que nos ajudemos mutuamente a suportar o fardo de uma vida penosa e passageira; que as pequenas diferenças existentes entre as vestimentas que cobrem nossos débeis corpos, entre os nossos idiomas insuficientes, entre os nossos ridículos usos, entre as nossas indiferentes leis, e entre as nossas opiniões insensatas (...) que todas essas pequenas nuances que distinguem os átomos chamados homens, não sejam sinais de perseguição, que aqueles que se contentam com a luz do teu sol, que aqueles que cobrem suas vestes de tecidos brancos para dizer que é preciso amar, não detestem mais aqueles que dizem a mesma coisa.
>
> Que seja a mesma coisa adorar em pregão de uma língua antiga ou de uma língua nova; que aqueles cuja vestimenta é vermelha ou roxa e que dominam uma pequena parcela de uma malta de lama

deste mundo (...) desfrutem sem orgulho disto que consideram grandeza; e que os outros os olhem sem inveja...

O IDEALISMO ALEMÃO

Emanuel Kant (1724-1804), filósofo alemão, constitui um marco na história do pensamento contemporâneo. Homem de grande erudição, conforme seria de esperar, Kant estudava muito. Champlin e Bentes escrevem acerca dele:

> *Despertava às cinco da madrugada e estudava durante duas horas; dava duas horas de preleção e retornava aos seus estudos até uma hora da tarde. Comia com freqüência em restaurantes, trocando freqüentemente de restaurante para não ser alvo de olhares curiosos. Uma parte de cada tarde era passada no preparo de suas preleções. Recolhia-se ao leito às nove ou dez da noite. Seu criado, que o serviu durante toda a vida, afirmou que, em trinta anos, nunca Kant deixou de acordar às cinco horas da madrugada. A cada manhã ele fazia uma caminhada, no que ele se mostrava tão regular que as pessoas eram capazes de acertar seus relógios conforme o momento em que ele passava diante de suas casas.*[5]

A filosofia kantiana, considerada na confluência do racionalismo, do empirismo inglês e da físico-matemática de Newton, influenciou muitíssimo a moderna filosofia alemã. Segundo Hegel, a força com que frutificou só pode ser comparada ao pensamento de Sócrates na história da filosofia grega. Dentro de apenas 12 anos após a publicação, em 1781, de sua obra *Crítica da Razão Pura*, mais de duzentos livros foram escritos sobre a Filosofia.

Eis aqui os principais conceitos de Kant acerca de Deus, do homem, da razão e da religião:

Não mais razão e revelação (duas fontes); mas fé e conhecimento (duas relações ao mundo);

A fé são convicções subjetivas;

Reduz as várias provas da existência de Deus (teologia, cosmologia) à ontologia, parte da metafísica que estuda o ser em geral e suas propriedades transcendentais;

A religião é moralidade em relação a Deus; o dever é um mandamento divino;

O conceito da suprema bondade é concebido apenas sob o conceito de Deus, que é a base do mundo e do ser humano;

Contradição fundamental no homem: embora orientado para o bem, tem de fato uma inclinação para o mal.

A experiência determinante, segundo Kant, serve para provar a existência de Deus, pelo fato de vermos em toda parte sinais de ordem e propósito realizados com grande sabedoria. Uma vez que estes elementos são estranhos ao mundo, surge uma causa inteligente, um ato supremo. Escreve o filósofo:

> A causa suprema da natureza, enquanto for ela um pressuposto para o sumo bem, é um ser que, por razão e vontade, constitui a causa (conseqüentemente, é o autor) da natureza, isto é, Deus.
> Por conseguinte, o postulado da possibilidade do sumo bem derivado (um mundo ótimo) é ao mesmo tempo o postulado da realidade de um sumo bem originário, isto é, da existência de Deus.
> Constituía um dever imposto a nós mesmos fomentar sumo bem; por isso, não só era um direito mas também uma necessidade arraigada ao dever, como exigência, pressupor a possibilidade deste supremo bem, o qual, ocorrendo apenas sob a condição da existência de Deus, congloba inseparavelmente a suposição do mesmo para com o dever, isto é, torna-se moralmente necessário admitir a existência de Deus.[6]

Prossegue o filósofo afirmando que uma vez que o homem não é causa do mundo ou de sua natureza, postula-se uma causa distinta que encerra inteligência e vontade, que é Deus, e que o fato de conhecermos uma nova moralidade, um dever que é imediato a todos, indica um autor transcendente, inteligente, justo, poderoso e com vontade expressa para a raça humana.

Em Kant, a tendência crítica iniciada por Descartes, desenvolvida por Locke e acentuada por Hume, torna-se a diretriz dominante da Filosofia. Em sua obra, *Crítica da Razão Pura*, ele analisa a razão especulativa; em *Crítica da Razão Prática*, analisa a razão em suas relações com a ação; e, em *Crítica do Juízo*, analisa a razão enquanto é capaz de apreender a finalidade e a beleza das coisas e experimentar emoções estéticas. Para Kant, não conhecemos a "coisa em si"; só atingimos a realidade através das formas a priori do espírito.

CRITICISTAS E POSITIVISTAS

A filosofia posterior a Kant compreende três correntes: a dos discípulos de Kant, a do positivismo e suas derivações e a do espiritualismo em suas diversas formas.

No que se refere ao positivismo, merece registro aqui os trabalhos de Luís Pereira Barreto (1840-1923), que defendem os princípios de Augusto Comte e afirma que o positivismo seria a única religião possível no futuro. Seguindo os passos de Barreto, Miguel Lemos (1854-1917) e Raimundo Teixeira Mendes (1855-1927) fundam no Rio de Janeiro, por volta de 1877, a Sociedade Positivista Brasileira, mais tarde transformada em Apostolado Positivista do Brasil.

Os discípulos alemães de Kant se dividem em dois grupos: idealistas ou realistas, conforme negam ou afirmam a existência da "coisa em si". Entre os primeiros se destacam: Fichte, Schelling e Hegel; entre os segundos: Herbart, Schopenhauer e Hartmann.

As contradições do cristianismo kantiano, os excessos do idealismo hegeliano e o desenvolvimento das ciências naturais foram as principais causas do retorno do pensamento filosófico do século XIX ao empirismo e ao fenomenismo, através de dois grandes movimentos: o positivismo de Comte e o evolucionismo de Spencer.

Ao lado das correntes criticistas e positivistas, vamos encontrar, no século XIX, um movimento espiritualista que assumiu duas formas: um grupo de tendências racionalistas, fora da influência direta da filosofia cristã, que constitui a escola eclética; outro grupo, com a orientação cristã, se desdobra em duas correntes: a do tradicionalismo e a do ontologismo. Mais tarde, verifica-se um retorno à tradição escolástica.

A IDÉIA ABSOLUTA

Georg W. F. Hegel (1770-1831), filósofo alemão, cursou durante cinco anos o seminário protestante de Tubingen, preparando-se para a carreira eclesiástica. Ao deixar o seminário, afastou-se da religião e produziu muitos trabalhos que refletem a influência do racionalismo de Kant.

Para Hegel, o objetivo principal da religião é o mesmo da Filosofia: Deus. O Cristianismo, como a religião absoluta, distinta das demais, possui como essência a idéia da encarnação, que representa a união do divino e do humano.

Hegel defende a idéia de que o fundamento para o conhecimento deve ser procurado na subjetividade do próprio sujeito. Criticando esse conceito de fundamento, Ernildo Stein escreveu:

> *A partir de Hegel podemos dizer que o sujeito é, ao mesmo tempo, totalmente sujeito e totalmente objeto. É o que Sartre questiona em O ser e o Nada. Como isso é possível, está na pergunta que se faz pela possibilidade de um sistema absoluto. Ele somente é possível se o sujeito for totalmente sujeito e totalmente objeto.*
> *O erro destes filósofos foi o fato de pensarem que a consciência poderia se constituir numa consciência transparente, plena e absoluta para produzir a racionalidade.*[7]

A unidade da escola hegeliana, mantida enquanto vivia o sábio, foi desfeita após sua morte em virtude da interpretação da idéia absoluta, o que provocou repercussões no plano político.

À direita de Hegel, reduzindo o hegelianismo à afirmação do Deus pessoal e da mortalidade da alma, ficaram Gans, Goschel e Gabler; o centro ficou representado por Rosenkrauz, Marchineke e Kal Michelet.

À esquerda de Hegel destacou-se Straus, famoso teólogo radicalmente crítico, que, em sua obra *A Antiga e a Nova Fé*, ataca de maneira rude e impiedosa as doutrinas e o próprio texto do Novo Testamento, aceitando a teoria da evolução e reduzindo a pessoa de Jesus a um mero homem. Sobre este teólogo voltaremos a falar posteriormente.

Ainda na esquerda hegeliana, temos Ludwing Feuerbach, que fundou o materialismo moderno, Karl Marx e Friedrich Engels, fundadores do socialismo, e Ernildo Stein.

A DIALÉTICA DA CONTRADIÇÃO

Johann Gottlieb Fichte (1726-1814), filósofo alemão, substituiu Reinhold na cadeira de Filosofia em Jena, mas foi denunciado como ateu, e demitido. Em 1809 foi nomeado diretor (reitor) de Universidade de Berlim, onde liderou o movimento nacionalista dos estudantes. Seu pensamento foi determinado pela filosofia kantiana e a Revolução Francesa.

Fichte introduz na filosofia alemã uma nova forma de idéia de Deus, que influi no pensamento de Schelling, Hegel e Schleiermacher. Em parte continua e em parte termina o Iluminismo.

Seu método dialético propõe a elucidação da essência do ser através da tese, antítese e síntese: o Eu se coloca (princípios de identidade e realidade); a antítese: o não-Eu, sem o qual não haveria um Eu (contradição e negação). Por opor-se a si mesmo, o Eu se limita e divide. A síntese será o Eu-total, destruição da contradição (razão e limitação). Assim, o momento decisivo dessa dialética é o da contradição. O *eu* de Fichte é, pois, abstrato, individual e finito, a partir do qual se torna impossível reconstituir o mundo.

No sistema de Fichte, Deus é um ser irrelevante, porque não há lugar de uma consciência de si mesmo fora do Eu. Deus não pode ser criador porque o próprio Eu cria o mundo. Fazê-lo criador do Eu seria extrínseco ao sistema. A realidade chamada "Deus" surge do sentimento e não da razão.

A teoria do Eu absoluto de Fichte coincide historicamente com a Revolução Francesa. Afirmando o eu abstrato como liberdade absoluta, a revolução desemboca no despotismo da liberdade e no terror.

O MARXISMO

Karl Marx (1818-1883) e Friedrich Engels (1820-1895) criam o socialismo científico valendo-se da dialética hegeliana, que consideram a aquisição mais importante da filosofia alemã. Ensinam que é o conjunto das relações de produção que constitui a estrutura econômica da sociedade, a base concreta sobre a qual se eleva uma superestrutura jurídica e política e à qual corresponde formas de consciência social determinadas.

Para esses filósofos, portanto, não é a consciência das pessoas que determina o seu ser, mas, pelo contrário, é o seu ser social que determina a sua consciência.

A filosofia marxista exerceu, e em certo sentido ainda exerce, muita influência nos rumos da teologia católica latino-americana durante a segunda metade do século XX, como veremos mais adiante nesta obra.

PERGUNTAS PARA REVISÃO

1. Quais os três períodos na evolução da filosofia moderna?
2. Quais as duas correntes que dominam o período anterior a Kant?
3. Em que está baseado o sistema racionalista?
4. Que tipo de conhecimento é valorizado pelo racionalismo?
5. Cite um dos principais nomes do empirismo.
6. Quais são as três categorias de bem, distinguidas por Leibniz?
7. Quais são os dois grupos de filósofos iluministas?
8. O que encontramos ao lado das correntes criticistas e positivistas no século XIX?
9. Qual é o objetivo principal da religião para Georg W. F. Hegel?
10. Quem é Deus no sistema de Fichte?
11. Quais foram os filósofos que criaram o socialismo científico?

6 A FILOSOFIA CONTEMPORÂNEA

A filosofia contemporânea se caracteriza pelo renascimento da metafísica e pela reação contra o positivismo e o materialismo, interessando-se, de preferência, pelos problemas relacionados com a ação, a vida, o espírito, os valores e a personalidade. Principais correntes: filosofia da ação, filosofia da vida, neo-idealismo, neo-realismo, fenomenologia, filosofia dos valores, filosofia existencial e neo-escolástica.

William James e o pragmatismo pretendem conciliar as correntes filosóficas, substituindo a inteligência pela ação e fazendo da utilidade o único critério para a determinação da verdade.

John Dewey (1859-1952), discípulo de William James, defende pontos de vista em que predominam o pragmatismo, o experimentalismo e o socialismo. Afirma sua obra *A Busca de Certeza*: "A essência do instrumentalismo pragmático é a de conceber o conhecimento e a prática como meios para tornar seguros na existência experimentada, os bens".[8]

Maurice Blondel (1861-1949), filósofo francês, afirma o primado da ação sobre a inteligência, distingue o conhecimento racional do conhecimento real e considera a verdade como uma adequação das nossas tendências à vida.

Guilherme Dilthey (1833-1911), filósofo alemão, parte da vida humana interpretada historicamente para construir uma Filosofia onde a Psicologia e a História se fundem numa síntese orgânica.

A FILOSOFIA DA VIDA

Henri Bergson (1859-1941) critica o materialismo e o cientismo, afirma o primado da intuição sobre a inteligência e explica a gênese da vida e da matéria pela tensão ou distensão do élan vital. Defendendo uma metafísica espiritualista e, por conseguinte, não mecanicista, Bergson ensina que o impulso vital existente em toda parte, como essência e alma do cosmo, encontra na consciência humana seu ponto mais elevado e livre.

O idealismo contemporâneo reage contra o materialismo e o positivismo do século XIX e desenvolve certas idéias do Cristianismo, na tentativa de reduzir a realidade ao pensamento. Possui representantes na França, Itália, Alemanha, Inglaterra e EUA.

O neo-realismo, influenciado pelo pragmatismo, foi uma reação contra o idealismo de Emerson e Rovce, nos EUA, e de Carlyle e Bradley, na Inglaterra.

Edmundo Hesserl (1859-1938), criador da fenomenologia, faz crítica do cientismo mecanicista e, utilizando o método da "redução fenomenológica" ou "intuição eidética", busca a "contemplação das essências".

Max Scheler (1874-1928) parte da fenomenologia para a conquista da natureza essencial dos valores da vida e do homem. Ensina que "os valores são qualidades objetivas das coisas, apreensíveis mediante atos do sentir intencional, eqüidistantes do psicologismo e do ligicismo".[9]

Martin Heidegger (1889-1976) ultrapassa a "análise das essências" de Hesserl, construindo uma "filosofia da existência". Invertendo a posição clássica da metafísica tradicional, Heidegger afirma que existir é encontrar-se no mundo, uma vez que o homem, por ser finito, tem a sua essência residindo na sua existência.

A RESTAURAÇÃO DA ESCOLÁSTICA

O movimento de restauração da escolástica, iniciado no século XIX e estimulado pela encíclica Aeterni Patris, se afirma vigorosamente no século XX. Numerosos pensadores procuram rejuvenescer e atualizar as teses da escolástica medieval através de três escolas: a escola histórica, a escola crítica, e a escola progressista.

O padre jesuíta, filósofo e teólogo brasileiro, Leonel França (1893-1948), doutor em Filosofia e Teologia pela Universade Gregoriana do Vaticano, foi defensor ardente do catolicismo romano, e sua linha filosófica se circunscreve ao neotomismo. Eis algumas de suas observações a respeito da possibilidade do homem conhecer a Deus, seguindo bem de perto o pensamento tomista:

> Entre Deus e o homem existe uma semelhança ontológica, uma afinidade real de natureza. Só entre o Infinito e o Nata a dessemelhança é total. O finito, por isto mesmo que é, não pode deixar de ser uma participação do Infinito, plenitude do Ser. Entre um e outro não há proporção mensurável, mas há uma certa comunhão de natureza, que se poderá chamar analogia com São Tomás, univocidade metaphysica com Scoto, mas, que, sob qualquer nomenclatura sistemática, lança uma ponte real entre o finito e o Infinito.
> Sem sair de si mesmo, só conhecendo a própria natureza, a sua inteligência, a sua liberdade, o homem pode chegar a rastrear algo da natureza divina. As idéias assim obtidas não representam evidentemente, em si e na sua propriedade, as perfeições divinas correspondentes, mas indicam a direção do pensamento em que elas se devem conceber realizadas em Deus, de modo infinitamente melhor.[10]

Concluímos aqui a parte propriamente histórica da Filosofia. Nos capítulos seguintes, de 8 a 11, analisaremos alguns dos temas mais relevantes da Filosofia, tomando como base a lógica, a ontologia e a metafísica.

PERGUNTAS PARA REVISÃO

1. Em que se caracteriza a filosofia contemporânea?
2. Contra o que reage o idealismo contemporâneo?
3. Quando se iniciou o movimento de restauração da escolástica?
4. Quais são as três escolas que se envolveram no rejuvenescimento e atualização da escolástica?

7 A LÓGICA FORMAL

Theobaldo M. Santos define *lógica* como sendo a ciência das leis ideais do pensamento e a arte de aplicá-las à pesquisa e à demonstração da verdade. Para Caldas Aulete, lógica é a parte da Filosofia que estuda as leis do pensamento e expõe as regras que se deve observar na invenção e exposição da verdade. É raciocínio encadeado, ligação nas idéias, e coerência entre os princípios e as conclusões.

Segundo Aurélio, a lógica, na tradição clássica aristotélico-tomista, é o conjunto de estudos que visam a determinar os processos intelectuais que são condição geral do conhecimento verdadeiro.

A criação da lógica é uma das maiores glórias de Aristóteles, cujo objetivo foi evitar os desregramentos lógicos e o subjetivismo do método filosófico de Sócrates e Platão. A filosofia de Aristóteles mostra-nos toda a natureza como imenso esforço da matéria bruta para se elevar até o ato puro, isto é, o pensamento e a inteligência.

No método aristotélico, a que Platão chamou dialético, parte-se de noções incertas, através da divisão dicotômica dos conceitos e de respostas positivas e negativas, para chegar-se às conclusões. Cria determinadas regras lógicas que levam a conclusões necessariamente certas, à maneira quase de um cálculo. São as regras do silogismo.

Um silogismo é um conjunto de três proposições das quais a terceira (a conclusão) deriva necessariamente das outras duas. Se se afirma — o homem é um animal racional; Sócrates é um homem; logo, Sócrates é um animal racional — tem-se um raciocínio com o mesmo formalismo matemático de: se A e B e C é A, conclui-se que C é B, cancelando-se o termo comum A. No silogismo pode-se chegar à mesma conclusão cancelando-se o termo médio e afirmando os termos opostos.

A lógica aristotélica exerceu no pensamento posterior grande influência. Renan referia-se à má educação do espírito que não se pautou direta ou indiretamente pela disciplina aristotélica. Houve, contudo, através dos tempos, uma supervalorização da sua lógica. Kant (1724-1804) a considerava uma ciência acabada e perfeita. Hoje, depois da adoção do método matemático na Lógica, a grande contribuição de Aristóteles passou a ter mais o valor de um trabalho pioneiro.

A lógica pode ser definida como a ciência das leis ideais do pensamento e a arte de aplicá-las à pesquisa e à demonstração da verdade. Divide-se em Lógica Formal, que estabelece a forma das operações intelectuais; Lógica Material, que determina as regras impostas pela matéria dos objetos a conhecer, e finalmente em Lógica Crítica, que estuda a verdade e o erro.

As lógica foi criada por Aristóteles, que formulou as suas leis, as quais têm sido adotadas por pensadores de todos os tempos. Apesar de resistidas por Bacon, Descartes e Stuart Mill, nota-se atualmente uma volta às leis aristotélicas.

Comparada com a Psicologia, percebe-se que esta descreve e explica os fenômenos psíquicos, enquanto a Lógica estuda o pensamento em si mesmo, procurando saber se ele é verdadeiro ou falso.

Embora cada um de nós possa pensar com os recursos naturais da sua própria inteligência, o conhecimento e a aplicação das regras da lógica dão ao nosso pensamento maior segurança e penetração.

DEFININDO A IDÉIA

A filosofia define a *idéia* como algo imaterial, abstrato, geral, e como uma simples representação intelectual de um objeto, e chama de *termo* a sua expressão verbal. Na Psicologia, é ela considerada em si mesma e pela sua aptidão para sujeito ou predicado numa proposição.

Constituem a idéia um conjunto de elementos chamados de *compreensão*. Ao conjunto de indivíduo a que a idéia se aplica chama-se *extensão*.

Quanto à perfeição, as idéias podem ser adequadas e inadequadas, claras e obscuras, distintas e confusas. Quanto à compreensão, podem ser simples e compostas, e quanto à extensão: singulares, particulares e universais. *Definição* é a análise da compreensão de uma idéia; *divisão* é a enumeração de todos os elementos que a idéia abrange. A divisão completa a definição, e ambas visam a tornar as idéias mais claras.

CONCEITOS DE IDÉIA

Segundo Michele Frederico Sciacca, tanto para o santo dos primeiros tempos, como para o "ateu" do século passado, de formação iluminista, negar as idéias como conhecimento em si, anteriores às coisas e objetos para julgá-las, é negar irreparavelmente Deus: ou a verdade que não deriva das coisas nem se põe a si mesma e então esta presença de algo imutável e necessário, iluminante e fecundo nos convence racionalmente de que Deus existe e é irracional dizer o contrário, ou se nega que há uma verdade de tal natureza e com ela se nega a presença de Deus e já não é possível pensar ou provar a existência do Ser transcendente, criador e providente.

Se tudo no homem é humano, produzido por ele e criado sem desenho, sinal, imagem ou vestígio divino, é impossível dar-lhe noção de Deus; o homem foi privado do quanto lhe é necessário para poder encontrá-lo e, à luz da razão, provar do Objeto que faz inteligente sua inteligência.

Deus haveria criado o homem não para si, mas sim para o homem mesmo, não para que o homem o buscasse, o amasse e o invocasse, mas para que se perdesse na finitude e contingência sua e do mundo, coisa entre as coisas. Por isso Platão, o metafísico das idéias, é o pai da metafísica da verdade, essencialmente teísta: Se existe a verdade, existe Deus; a verdade existe, logo Deus existe.

Desterrar as idéias como objeto imutável da mente é desterrar Deus do pensamento. Se a mente não conhece nada imutável e necessário, para ela não há nada inteligível ou verdadeiro: não há Deus.

O escritor afirma que Kant cometeu o erro de considerar a experiência sensível como o limite da razão, afirmação que se segue de redução das idéias ou verdades primeiras, intuídas pela mente e fundamento da veracidade de todo juízo, a formas a priori, a puras condições do conhecimento.

Kant nega o saber intuitivo da inteligência e por isso deve negar que se possa demonstrar a existência de Deus. Limitado o homem à sua cosmicidade, ele é feito prisioneiro do conhecimento racional e privado de Deus, que não é problema da razão, se antes não foi problema da inteligência. Assim, fica destruída qualquer possibilidade de demonstrar Deus, porque foram destruídas as idéias.

Em síntese, Kant nega a onticidade da idéia e o saber intuitivo: a experiência sensível é limite da forma "a priori" e, por isso, o limite do homem é sua impossibilidade de transcender a experiência, isto é: "o cosmos", a "ciência".

Para Kant, o *a priori* tem sua adequação no mundo na ordem natural, como "o céu estrelado" e "a lei moral". Em conseqüência disso, o mundo é a finalidade suprema do ser humano. Por isso Deus fica eliminado da ordem do pensamento e da ordem da realidade, e tampouco já se pode explicar como nascem da razão a existência de Deus e as idéias, elementos que não se justificam no sistema kantiano nem seguem como postulados da razão prática.

Locke é o primeiro sistemático e consciente destruidor da idéia no sentido do Idealismo objeto. Com efeito, como a palavra *idéia*, ele indica sensações, imagem, percepções, etc.; tudo o que é conteúdo da consciência. A idéia não é mais o objeto inteligível, imagem a priori do inteligível em si, mas sim a imagem do sensível: a alma conquista as idéias da experiência. Para Locke não existe a idéia como objeto da mente, pois tal idéia é apenas intuída pela mente, não produzida por ela, nem obtida na experiência.

Hume, contudo, é uma boa lição. Negada a objetividade da idéia, e negado Deus, já nada rege; nem o espírito, nem as coisas, nem a filosofia, nem a ciência. Neste sentido, o ultra-iluminista Hume, que desenvolve até o fundo o princípio ateu de que "o homem cria o homem e seu reino", é a crise do mito iluminista, enquanto representa a ratificação do real espiritual e corpóreo e de toda categoria do real.

Kant se apercebeu da ruína do conhecimento objetivo e da metafísica como ciência, em conseqüência da negação da idéia; e também o percebeu Rosmini. Eis aqui dois problemas colocados por eles: a objetividade do conhecimento e a restauração da metafísica como saber racional.

Kant vê claramente um aspecto do problema de Deus, que a prova cosmológica, como toda outra, no fundo depende da ontológica. Enquanto ele foi "platônico" (pré-crítico) considerou válida a prova ontológica; tornando-se "crítico", refutou-a porque, negadas as verdades primordiais dadas à mente e admitindo somente o que é conhecido, estava-lhe vedada a possibilidade de demonstrar racionalmente a existência de Deus.

Ao reconhecer a importância primária da prova ontológica em relação à cosmológica, Kant percebe que o problema da existência de Deus se insere na vida do ente espiritual mais do que na do mundo físico.

A verdade é que, para Kant, a idéia é sempre forma "vazia", que espera receber conteúdo da experiência sensível; a restauração da metafísica resulta-lhe completamente impossível. A idéia permanece injustificada em seu sistema. Se Deus fosse somente uma idéia da razão, no sentido kantiano, seria um puro possível; mas se Deus é só um possível, Deus é impossível; e tudo o que é se torna automaticamente impossível e inexplicável.

O JUÍZO

O Juízo, como o ato pelo qual o espírito afirma ou nega alguma coisa, compõe-se de três elementos: um sujeito, um atributo ou predicado, e uma afirmação ou negação. Os juízos podem ser afirmativos ou negativos, analíticos ou sintéticos.

A Proposição, que é a expressão verbal do juízo, compõe-se de dois termos: sujeito e predicado, e o verbo, chamado de liame ou cópula. As proposições podem ser gerais ou particulares, afirmativas ou negativas. Combinando a qualidade com a quantidade, temos quatro espécies de proposições: universal afirmativa, universal negativa, particular afirmativa e particular negativa.

As proposições podem opor-se entre si de várias maneiras. Daí quatro espécies de proposições: as proposições contraditórias, as contrárias, as subcontrárias e as subalternas.

As leis de oposição são quatro: a das contraditórias, a das contrárias, a das subcontrárias e a das subalternas. Conversão de uma proposição é a troca dos seus termos, de maneira que o sujeito passe para o predicado e este para sujeito, sem alteração da qualidade.

O RACIOCÍNIO

O raciocínio é a operação pela qual o espírito, a partir de uma ou de várias relações conhecidas, conclui outra relação. Esse raciocínio pode ser indutivo e dedutivo, e a dedução pode ser imediata ou mediata.

A dedução mediata se faz pelo silogismo, que é um raciocínio composto de três proposições, dispostas de tal maneira que a terceira, chamada conclusão, derive, logicamente, das duas primeiras chamadas premissas. A dedução imediata pode ser feita por meio da oposição e da conversão.

Tendo como princípio que duas idéias que convêm a uma terceira, convêm entre si, o silogismo se compõe de *matéria* (os três termos e as três proposições), de *forma* (relação lógica entre as premissas e a conclusão) e de *partes* (antecedente e conseqüente). Suas regras podem ser reduzidas às duas seguintes: 1) nenhum termo pode ser mais geral na conclusão do que nas premissas; 2) o termo médio deve ser tomado, pelo menos uma vez, universalmente.

Os silogismos podem ser irregulares ou compostos. Os principais silogismos irregulares são o entimena, o epiquerema, o possilogismo e o sorites. Os principais compostos são o silogismo condicional, o silogismo disjuntivo e o dilema.

Dentro da filosofia aristotélica e aquinense, o silogismo é considerado a mais segura demonstração da verdade, desde que as premissas sejam rigorosamente exatas.

PERGUNTAS PARA REVISÃO

1. Como o Dicionário Caldas Aulete define a Lógica?
2. Segundo este capítulo, qual é uma das maiores glórias de Aristóteles?
3. Como a Lógica pode ser definida?
4. Como a Filosofia define a idéia?
5. Quem foi o primeiro destruidor sistemático e consciente da idéia no sentido do Idealismo objeto?
6. Quais são os três elementos que compõem o Juízo?
7. Quais são as regras do silogismo?

8 O DESENVOLVIMENTO DA LÓGICA

A lógica é considerada uma ciência porque constitui um sistema de conhecimentos certos, baseados em princípios universais. Daí a razão pela qual a lógica filosófica se distingue da lógica espontânea ou empírica, que apresenta apenas uma aptidão natural do espírito para usar, com precisão, as faculdades intelectuais.

Pelo exercício espontâneo e habitual da nossa inteligência, podemos conhecer a verdade, mas somos incapazes de justificar, racionalmente, por meio de princípios universais, as regras do pensamento exato.

A lógica se apresenta como ciência normativa, já que seu objetivo não é definir o que é, mas o que deve ser, isto é, as normas do pensamento correto. Diz-se que ela é uma arte porque ao mesmo tempo que define os princípios universais do pensamento, estabelece as regras práticas para o conhecimento da verdade. Constitui, assim, uma arte de pensar.

O principal objetivo da lógica é o estudo da inteligência sob o ponto de vista do seu uso no conhecimento. Ela estabelece a forma correta das operações intelectuais, isto é, assegura o acordo do pensamento consigo mesmo, de tal modo que os princípios que descobre e as regras que formula são absolutos, universais e aplicáveis a qualquer matéria, porque derivam da própria natureza do entendimento. É ela que fornece ao filósofo os meios necessários para a investigação segura da verdade.

Mas, para conseguirmos atingir a verdade, é preciso raciocinarmos com exatidão e partirmos de dados exatos, a fim de que o espírito não caia em contradição consigo mesmo ou com os objetos, afirmando-os diferentes do que, na realidade, o são.

A lógica pode ser dividida em duas partes distintas: 1) Lógica material ou especial: determina as leis particulares e as regras especiais impostas ao pensamento pela matéria ou natureza dos diversos objetos a conhecer. Ela estabelece os métodos de estudo da Matemática, da Física, da Química, da Biologia e das ciências morais e sociais. Por isso é também chamada de metodologia. 2) Lógica crítica: estuda a verdade, seus caracteres e seu critério, assim como o erro, suas causas e seus remédios.

Como já vimos, Aristóteles foi o primeiro a investigar, cientificamente, as leis do pensamento. Suas pesquisas lógicas foram reunidas sob o nome de *Organon*, por Diógenes Laércio.

As leis do pensamento formuladas por Aristóteles se caracterizam pelo rigor e exatidão. Por isso foram adotadas pelos pensadores antigos e medievais e, ainda hoje, são admitidas por muitos filósofos. Com a decadência da escolástica no século XV, porém, se inicia o combate à lógica aristotélica. Bacon critica o Organon, ao qual contrapõe um Novo Organon baseado não no silogismo, mas na indução. Bacon, entretanto, apenas ampliou as regras da indução, pois Aristóteles já as conhecia e delas havia tratado.

Descartes propõe, em seguida, a reforma do método, mas não abandona de todo a lógica aristotélica, no que é seguido por seus discípulos de Port-Royal. Daí por diante a lógica perde a sua importância e passa a ser considerada como simples arte. Kant, entretanto, reabilita a lógica, concebendo-a como ciência formal e normativa. Mais tarde, Stuart Mill condena o silogismo e faz a apologia do método indutivo.

O PSICOLOGISMO

No século XIX há uma tendência para confundir a Lógica com a Psicologia. É o chamado psicologismo que faz depender a Lógica da Psicologia, e cujos principais defensores são Lipps, Wundt e Ziehen. Contra esse movimento surge o do idealismo lógico, inspirado em Kant, e admitindo a autonomia da Lógica.

Entre os representantes dessa reação antipsicologista, uns, como Herbart, põem em relevo, sobretudo, o aspecto normativo e funcional da

Lógica; outros, como Hussell e Pfânder, acentuam o seu aspecto descritivo, procurando estudar os "objetos lógicos" em si mesmos. Ultimamente, certos filósofos, como Bertrand Russell, têm aplicado à Lógica os métodos e as fórmulas de matemática.

A Lógica e a Psicologia. A Psicologia estuda as diversas formas de atividades do espírito e examina a gênese e o mecanismo dos fenômenos psíquicos. A lógica estuda o pensamento em si mesmo, abstraído das causas que o produzem e dos fatores que o condicionam. O que interessa, portanto, à lógica, não é descrever e explicar as operações intelectuais, mas apreciar o produto dessas operações. Não é saber como se realiza o pensamento, mas se o pensamento é verdadeiro ou falso. A lógica aprecia o valor das idéias, dos juízos de valor.

O valor da Lógica. Podemos atingir a verdade sem o auxílio da lógica científica, sobretudo quando as operações intelectuais não apresentam grande complexidade. Bastam-nos, então, nossos recursos lógicos naturais e espontâneos, cuja síntese é o bom senso. Mas, como acentua Jolivet, se o bom senso é sempre necessário, nem sempre é suficiente.

Se podemos empregar, espontaneamente, as regras do pensamento correto, com maior perfeição o faremos se essas regras nos forem conhecidas e familiares. Além disso, não se trata apenas de conhecer a verdade; é preciso ainda refutar os erros, e o simples bom senso muitas vezes fracassa.

A verdade é que o valor da lógica resulta da segurança e penetração que confere à inteligência, permitindo-lhe alcançar mais facilmente a verdade e justificar suas operações à luz de princípios universais.

A filosofia de Aristóteles abrange a natureza de Deus (metafísica), do homem (ética) e do Estado (política). Para Aristóteles, Deus não é o Criador, mas o Motor do Universo ou, ainda, o motor não movido. Exceto Deus, toda e qualquer outra fonte de movimento no mundo, seja uma pessoa, uma coisa, um pensamento, é um motor movido.

Assim, o arado move a terra, a mão move o arado, o cérebro a mão, o desejo de alimento move o cérebro, o instinto da vida move o desejo de alimento. Portanto, a causa de todo o movimento é o resultado de outro movimento.

O amo de todo escravo é escravo de algum outro amo. O próprio tirano é escravo de sua ambição. Somente Deus não pode ser resultado de alguma ação, não pode ser escravo de amo algum. Ele é a fonte de toda a ação, o amo de todos os amos, o instigador de todo o pensamento, primeiro e último Motor do Mundo.

As obras de lógica de Aristóteles são: *Sobre a Interpretação, Categorias, Analíticos, Tópicos, Elencos Sofísticos* e os 14 livros da *Metafísica*, que Aristóteles denominava *Prima Filosofia*. O conjunto dessas obras é conhecido pelo nome de *Organon*.

A LÓGICA TOMÍSTICA

A Lógica de Aquino. Filósofo mais brilhante da Idade Média, Aquino é ainda hoje considerado o maior pensador dentro do catolicismo romano. Por um lado ele restabeleceu o prestígio da filosofia aristotélica, e por outro determinou claramente a diferença entre a Filosofia e a Teologia.

O tomismo. Distinguindo-se da escolástica, termo genérico que abrange as diversas escolas medievais, o tomismo traduz mais um método do que uma doutrina.

Do mesmo modo que a *Veritas* de Santo Agostinho é a cristianização da idéia de Platão, o *Ser* de Santo Tomás é a transposição cristã da forma de Aristóteles. Aquino é, pois, o filósofo da metafísica aristotélica, pois o pensador grego, conquanto afirme que o real é o indivíduo concreto, permanece como o filósofo da essência (forma), enquanto Aquino, que introduz na metafísica aristotélica o conceito cristão de criação, é o filósofo da existência (ser).

Síntese da essência e da existência ("A essência é o que o ser é, e a existência, a maneira pela qual é"), o *ser* de São Tomás está assim mais próximo da *Veritas* agostiniana do que da forma aristotélica; apenas, no *ser*, a existência não se identifica inteiramente com a essência, o que só ocorre em Deus.

Portanto, o *ser* não tem intuição imediata da verdade: seu conhecimento começa pela sensação. A capacidade de conhecer é, sem dúvida, anterior à experiência sensível, mas não o conhecer em si. O entendimento é a sede das essências universais, que, segundo Aquino, se encontram nas coisas criadas, embora preexistam como formas ou modelos no pensamento divino. Para conhecer tais essências, é preciso que o ser as abstraia das coisas, desmaterializando assim a essência universal.

Partindo dessas formulações, Tomás elabora sua teologia natural, segundo a qual Deus é o princípio e o fim. Embora verdade revelada, a existência de Deus, ao contrário do que afirmava Santo Agostinho, pode ser demonstrada racionalmente, através de cinco argumentos que explicam a passagem do sensível ao absoluto inteligível (divino), e define Deus como:

Primeiro motor imóvel;
Causa primeira;
Ser necessário;
Ser perfeitíssimo;
Inteligência ordenadora.

As três primeiras provas, baseadas no princípio de causalidade, são também denominadas provas cosmológicas, enquanto as demais, por se fundarem no princípio de finalidade, chamam-se provas finalistas ou teológicas.

Concordando com Aristóteles, Tomás afirma que o fim do homem é o aperfeiçoamento da própria natureza. Tal aperfeiçoamento, porém, só se cumpre em Deus, o que torna a última etapa do ser transcendente a ele. Para que a vontade seja boa, deve conformar-se com a lei moral, cujo fundamento metafísico é Deus.

Sendo Deus incognoscível, o homem não pode conhecer a lei eterna, bastando para regular sua conduta o conhecimento da lei natural, ou seja, a norma da consciência humana.

Ao encerrar sua doutrina moral, Santo Tomás coroa as quatro virtudes cardeais de Aristóteles — prudência, fortaleza, temperança e justiça — acrescentando-lhe as três virtudes teologais do Cristianismo: fé, esperança e amor (1 Co 13.13).

A CIÊNCIA

A ciência procura conhecer o como e o porquê das coisas. Objetivamente, é ela um conjunto de verdades logicamente encadeadas, formando um sistema. Subjetivamente, é um conhecimento certo pelas causas e pelas leis. O conhecimento vulgar é ocasional, assistemático e superficial, enquanto o conhecimento científico é intencional, sistemático e metódico.

O conhecimento científico só se constituiu quando a inteligência humana se elevou acima do "pensamento místico" e do "pensamento utilitário" para organizar um saber positivo e desinteressado. No início, a Filosofia era a ciência universal, a síntese de todo o saber. Embora seja uma forma autônoma de conhecimentos, a ciência depende, de certo modo, da Filosofia. Os cientistas modernos procuram completar, com a interpretação filosófica, os resultados de suas investigações experimentais.

A ciência nos permite: 1) compreender e explicar as coisas; 2) prever os fenômenos; 3) agir sobre a natureza. Não existe, atualmente, uma ciência positiva universal, mas apenas ciências particulares, isto é, conjuntos de conhecimentos certos, gerais e metódicos sobre um determinado objeto.

As ciências podem ser classificadas mediante a determinação das relações que as unem, de maneira a mostrar sua posição natural no conjunto dos conhecimentos humanos. As primeiras classificações foram as de Aristóteles, de Bacon, de Ampère, de Augusto Comte, de Spencer e de Wundt.

A hierarquia das ciências é a ordem de subordinação dos diversos ramos do conhecimento, uns dos outros. Qualquer classificação das ciências pode ser aceita desde que respeite a natureza dos fenômenos e atenda à ordem e à dignidade das ciências.

O MÉTODO

Ao conjunto de processos que o espírito humano deve empregar para a investigação e demonstração da verdade chama-se método. Há três espécies fundamentais de método científico: métodos inventivos, métodos sistemáticos e métodos didáticos. Todo método deve atender a duas condições básicas: natureza do objeto a que vai ser aplicado, e o fim que se tem em vista.

Os métodos inventivos são empregados na investigação ou descobertas das verdades. Compreendem o método de autoridade e o método de razão. Os métodos sistemáticos são os que visam provar as verdades descobertas pelos métodos inventivos. São eles a definição e a classificação. E os métodos didáticos são os que visam ensinar as verdades ao educando. A finalidade desses métodos não é a transmissão das verdades ao educando, e sim fazer com que este aprenda as verdades pela atividade de sua própria inteligência.

Além dos métodos particulares, existe um método geral cujos processos são aplicáveis a qualquer ordem de conhecimento. Descartes estabeleceu as regras gerais a que se deve subordinar qualquer investigação científica. As regras de Descartes, inspiradas pela matemática, mostram a influência que as concepções do mundo têm exercido sobre os métodos científicos.

É indiscutível o valor do método na investigação, exposição e demonstração da verdade. É um fator de precisão e segurança para a inteligência. Exclui da pesquisa científica o capricho e o acaso, e coloca a razão no caminho da verdade.

MÉTODOS DAS CIÊNCIAS MATEMÁTICAS

As ciências matemáticas são as que estudam a quantidade, e são divididas em ciências dos números, que abrangem a aritmética e a álgebra, e ciências das figuras, que incluem a geometria, a geometria analítica e a mecânica racional. Portanto, os objetos matemáticos resultam, ao mesmo tempo, da razão e da experiência.

As ciências matemáticas utilizam o raciocínio dedutivo, através da demonstração, que pode ser analítica e sintética, ou direta e indireta. A demonstração possui três elementos: as definições, os axiomas e os postulados.

Diferentemente das ciências matemáticas, que são dedutivas, as ciências da natureza são indutivas e experimentais.

Embora úteis para o desenvolvimento intelectual, as ciências matemáticas não devem ser cultivadas com desprezo da realidade concreta, nem devem ser aplicadas, indistintamente, ao estudo de todos os assuntos.

MÉTODO DAS CIÊNCIAS FÍSICO-QUÍMICAS

As ciências físico-químicas são as que estudam os fenômenos dos corpos brutos ou inorgânicos, e se dividem em química e física, conforme estudam os fenômenos que alteram ou não a constituição da matéria. Tais ciências utilizam a observação, a hipótese, a experimentação e a indução.

As ciências da natureza, outrora descritas e classificadas como sendo indutivas e analíticas, são, atualmente, consideradas indutivo-dedutivas e sintéticas. Três passos são necessários ao pesquisador: a observação, a experimentação e a indução. Observar, que vem a ser o primeiro passo, é aplicar os sentidos ou a consciência num objeto. Essa observação pode ser externa ou interna, científica ou empírica, simples ou "armada" (de instrumentos).

No estudo de um objeto, o pesquisador pode partir de uma hipótese, que é uma explicação provisória dos fenômenos. Essa hipótese, por sua vez, pode ser lenta ou súbita, e resultar de analogias ou de deduções.

O segundo passo é o da experimentação, que é estudar um fenômeno provocado artificialmente. A experimentação completa a observação e verifica a hipótese.

O passo seguinte é o da indução, que é passar do conhecimento dos fatos ao das leis. A indução é, ao mesmo tempo, experimental e racional.

Na Lógica clássica, as teorias científicas são hipóteses que unificam várias leis. Elas sistematizam o saber científico e suscitam novas descobertas.

Exame crítico

Parece que o mais coerente dos pensadores citados neste capítulo foi Kant, que percebe que o problema da existência de Deus se insere na vida do ente espiritual mais do que na do mundo físico. Em certo sentido Kant concorda com Tomás de Aquino, que afirmou que a razão deve ser apenas serva da fé.

Partindo da premissa de que a queda do homem foi total, ou seja, espiritual, física e também intelectual, o homem perdeu totalmente a capacidade de conhecer a Deus através da razão, mesmo que se sirva do silogismo aristotélico. É exatamente o que o apóstolo Paulo afirma, que o homem, por sua própria sabedoria, nunca conhecerá a Deus.

PERGUNTAS PARA REVISÃO

1. Qual é o principal objetivo da Lógica?
2. Quem foi o primeiro filósofo a investigar cientificamente as leis do pensamento?
3. Qual é a diferença entre a Lógica e a Psicologia?
4. Que filósofo é ainda hoje considerado o maior pensador dentro do catolicismo romano?
5. Quais são as três coisas básicas que a ciência nos permite fazer?

9 A METAFÍSICA

Segundo Aristóteles, a Metafísica é a ciência das primeiras causas e dos primeiros princípios. O seu objeto é o ser enquanto ser. Ela compreende a crítica do conhecimento, a ontologia e a teodicéia. A palavra em si mesma significa "depois dos tratados da Física".

Aristóteles considera a Metafísica como a ciência dos primeiros princípios e das causas mais elevadas. Os filósofos medievais aceitaram esse conceito, mas os filósofos modernos reduziram o âmbito da Metafísica até negá-la inteiramente. Os filósofos contemporâneos procuram reabilitá-la, embora limitando a realidade à esfera das idéias ou recusando à inteligência o poder de penetrar na intimidade do ser.

A Metafísica se baseia na experiência, pois se serve dos dados sensoriais para, por meio do raciocínio, atingir o ser universal. Trata-se, portanto, de uma ciência autêntica, com objeto próprio e específico, que responde a uma exigência superior da inteligência humana de desvendar o mistério das coisas e a essência da realidade. Filosoficamente falando, as questões mais simples e materiais implicam princípios metafísicos.

CONCEITOS DA METAFÍSICA

A Metafísica é a ciência que estuda os problemas que transcendem as realidades materiais e sensíveis; ou seja, é a ciência do "ser" como "ser". Esta palavra foi empregada pela primeira vez por Andrônico de Roles, para designar aquilo que vinha depois da Física. Ela nos leva ao estudo das últimas conclusões dos seres e fenômenos, e por isso não se confunde com nenhuma das ciências, pois busca e estuda o transcendental, aquilo que está além da mente.

Já desde a Antigüidade se estudava a Metafísica como sendo "a ciência que estuda as verdades que estão além da Física". Aristóteles dizia que há uma ciência que não pode ser confundida com as chamadas ciências particulares, a qual investiga o ser e seus atributos essenciais, que pesquisa os primeiros princípios e as causas mais elevadas, e por isso merece ser chamada de "Filosofia Primeira".

Na Idade Média aceitava-se o conceito aristotélico de Metafísica, conceito que já era bem absorvido naqueles tempos, especialmente por abranger o "ser" imóvel e incorpóreo, princípio dos movimentos e das formas do mundo, bem como o mundo mutável e material, especialmente em seus aspectos universais e necessários.

Na Idade Moderna, Galileu começa a tendência da filosofia moderna, que se manifesta claramente no racionalismo de Descartes, Spinoza, Leibniz. Este conceito moderno veio reduzir a Metafísica à Física pela pretensão de explicar tudo matematicamente e considerar a ordem matemática como a ordem ideal da realidade.

Essa corrente filosófica racionalista tem sido considerada pelos defensores da metafísica aristotélica como sendo uma pretensão evidentemente infundada, pelo fato de não se poder reduzir o espírito, a divindade e a alma a simples quantidades. Alegam os não racionalistas que é mister que a ciência moderna adquira consciência de sua limitação, permanecendo entre os limites da experiência, e não pretendendo tornar-se Metafísica.

O conceito modernista foi quem "prejudicou" a metafísica tradicional, como assim evidenciou o processo de Galileu. E nesta eclosão das idéias racionalistas e enciclopedistas do século XVII a Metafísica foi relegada ao abandono, ao desprezo, em decorrência do descrédito quanto às verdades mais profundas, e à crença no transcendental.

Ainda na Idade Moderna, Augusto Comte quis eliminar o conceito transcendental da Metafísica, conceito que Emanuel Kant tentou reabilitar, porém negando a possibilidade do conhecimento objetivo.

Na Idade Contemporânea, muitos filósofos tentaram reintegrar a Metafísica à sua real dignidade, mas a reduzindo ao âmbito das novas idéias de Kant e às idéias fenomenais, e considerando o acesso ao conhecimento metafísico como sendo intuitivo.

Com o espantoso avanço na ciência, principalmente nos campos da Biologia, Astronomia e Tecnologia, houve realmente uma eclosão da ciência com as correntes filosóficas tradicionais. Surgiu então uma "mudança" nos conceitos filosóficos quanto à vida, ao mundo e a Deus.

Assim, surgem diversas correntes filosóficas baseadas na lógica e na razão, tendo as suas raízes na filosofia grega, como a teologia de Brunner, que descreve a busca da verdade por meio de debates com as opiniões contrárias, e a filosofia de Lessing, segundo a qual, "o ideal do homem é ser moral e potencial".

Por outro lado, a própria ciência, numa análise do ponto de vista neocrítico, passou a ser considerada como "destruidora" da vida, e não como portadora da verdade, sendo fortes exemplos as poluições químicas, a produção generalizada de bombas "A", "H", "N", etc., e a poluição sonora produzida pelas máquinas e pelos aparelhos em geral. Essa desmoralização do progresso da ciência, no que se refere à paz humana, provocou um erguimento da Metafísica.

A METAFÍSICA CONTEMPORÂNEA

Entre as tendências contemporâneas em favor da Metafísica, está a filosofia pragmática de William James, a filosofia da ação de Maurice Blondel, e a filosofia neo-escolástica.

James pretende conciliar as divergências existentes entre as correntes filosóficas, e principalmente ultrapassar as limitações impostas ao conhecimento humano pelo idealismo kantiano e pelo naturalismo positivista. Pretende ele construir uma metafísica pluralista do universo.

Maurice Blondel afirma o caráter transcendental e sobrenatural da revelação metafísica, e estabelece clara e distintamente as relações entre a razão e a fé.

A filosofia neo-escolástica, que iniciou no século XIX, foi impulsionada pelo apoio vigoroso e decisivo do papa Leão XIII na evolução cultural do século XX. De acordo com as diretrizes da encíclica Aeterni Patria, os filósofos, ao restaurarem a escolástica, deviam "purificá-la" das sutilezas inúteis e das teses em contradição com as descobertas científicas, e enriquecê-la com as verdades indiscutíveis que a filosofia moderna e a ciência experimental tivessem conquistado.

A neo-escolástica encontrou a ciência em grande progresso biológico e tecnológico, mas no sentido de satisfazer os anseios do homem, como prometera, a tal ciência não passava de um fracasso. Houve, de fato, um grande desenvolvimento, mas fugindo da crença no sobrenatural, no transcendental, na filosofia primeira — a Metafísica. E assim vem a eclosão da Metafísica na idade contemporânea, devido a um trabalho de crítica e esforço, coroado de realizações positivas.

HISTÓRIA DA METAFÍSICA

Ao conjunto de 14 livros filosóficos de Aristóteles, que vieram após a Física, e que tratam notadamente da origem do movimento e da causa primeira do mundo, deu-se o nome de Metafísica. Os livros de Aristóteles foram ordenados por Andrônico de Rodes, no ano 50 a.C.

Nessa edição que Andrônico fez das obras de Aristóteles, colocou os livros que tratavam da "filosofia primeira" depois dos livros da Física. E, desse modo, o que Aristóteles denominava de "filosofia primeira", passou a ser conhecido como Metafísica. "O que está depois da Física".

Aristóteles imaginava haver uma ciência que tivesse como meta primeira o estudo do "ser enquanto ser", e seus atributos essenciais. Essa ciência, que não seria similar a nenhuma outra das conhecidas "ciências particulares", seria a "filosofia primeira".

Enquanto as outras ciências enfatizariam, cada qual um aspecto particular do que existe — o ser enquanto físico, ou o ser enquanto móvel, ou o ser enquanto vivo, etc. —, a "filosofia primeira" inquiriria os primeiros princípios e as coisas mais elevadas da realidade, não se restringindo a uma determinação particularizadora do "ser", antes tentando compreender o "ser enquanto puramente ser".

Assim, dentro da tradição iniciada por Aristóteles, a Metafísica possui uma posição privilegiada: seria um saber anterior a todos os outros saberes, e seu objetivo teria primazia sobre todos os demais objetos. Nesse sentido, a Metafísica passou a ser considerada como fundamento de toda ciência, como também da própria Filosofia.

Aristóteles sustentava, como tese última da "filosofia primeira", a doutrina do "primeiro motor", incorpóreo e móvel, responsável na condição de causa final, por todas as transformações ocorridas no cosmos. Aristóteles determinava esse primordial "motor imóvel" de Deus, que deu à sua Metafísica, em última instância, a característica de uma "teologia racional".

O vínculo entre a Metafísica e a Teologia foi ressaltado durante a Idade Média, paralelamente às discussões sobre as relações entre Filosofia e religião, razão e fé.

Tomás de Aquino deu grande impulso à Metafísica na Idade Média, ao desenvolver as teses aristotélicas e adaptá-las aos dogmas e às exigências cristãs de então. Aquino concebeu a Metafísica como sendo o estudo do "ente enquanto ente real", ou seja, como ciência do "ser enquanto ser", e não ao modo do gênero supremo e, portanto, sob a espécie de mera abstração.

A conotação maior da construção tomista foi a distinção ontológica entre "essência e existência". Enquanto em Aristóteles "essência e existência" se distinguiram como modos diversos de se "indagar" ou pensar sobre a realidade, em Aquino elas passam a ser distinções inerentes à própria realidade, e por isso, ontológicas.

Essa inovação introduzida por Aquino na metafísica aristotélica foi fundamental para a tentativa de conciliação entre "verdade natural" e "verdade revelada", entre "razão" e "fé", uma das metas centrais do pensamento tomista.

Metafísica Moderna. Ao contrário da metafísica medieval, que era uma especulação baseada na confiança no poder do intelecto, mas auxiliada pela fé, a metafísica moderna procura sustentar-se apenas em verdades garantidas pela razão.

A partir do Cristianismo, a metafísica moderna desenvolveu-se principalmente em torno da análise da noção de substância, tendo como uma de suas sustentações a noção de idéias inatas (idéias que existiriam no intelecto humano, independentemente dos dados dos sentidos).

Spinoza e Leibniz discutiram sobre o problema da substância, assunto este que se tornou fundamental no interior do racionalismo moderno. Leibniz deu nova formulação ao inatismo, tentando conciliá-lo com o empirismo. Para ele, nada existiria no intelecto que antes não houvesse passado pelos sentidos, exceto o próprio intelecto.

O debate entre racionalismo e empirismo converge para a obra de Kant, que reformula completamente a posição da Metafísica, reconhecendo o valor da crítica empirística à metafísica tradicional, sobretudo como esta se havia apresentado através de Leibniz e Wolff.

Em sua obra *Crítica da Razão Pura*, Kant procura verificar como é possível o conhecimento científico matematica e fisicamente, e examina se é possível o conhecimento das entidades metafísicas, como Deus, alma, mundo, etc. Conclui que este conhecimento não é possível no nível da pura razão, pois todo conhecimento seria a síntese de dados dos sentidos com as condições "a priori" do sujeito e, no caso da Metafísica, não haveria base empírica para a constituição de seus objetos.

O positivismo, por sua vez, critica severamente a Metafísica. Para Comte, por exemplo, a Metafísica representava simplesmente um modo de saber próprio de determinada época da humanidade, destinada a ser completamente superada pelo conhecimento científico, ou seja, o positivismo, baseado no estabelecimento de leis referentes dos dados da sensação.

As referências antimetafísicas de origem positivista vão culminar, no início do século XX, no neopositivismo e no empirismo lógico.

No pensamento contemporâneo, a investigação metafísica adquiriu grande impulso na obra de Heidegger, que procura, através do pensar metafísico dos antigos gregos, particularmente os pré-socráticos, recuperar a genuína concepção do ser.

A NATUREZA DA METAFÍSICA

Tanto a filosofia da natureza como as ciências experimentais e as ciências matemáticas estudam, cada uma delas, um ponto de vista especial do ente, como o seu aspecto sensível ou quantitativo. Será que essas ciências esgotam tudo o que pode ser conhecido no ente?

Não. Há outro aspecto no ente que não é encarado por nenhuma destas ciências, e é capaz, por conseguinte, de originar outras ciências. Em vez de considerar se o ente é sensível ou quantitativo, uma ciência há que trata do ente, não enquanto sensível, não enquanto quantitativo, mas sim do ente enquanto ente (ser). Esta ciência é a Metafísica. Seu objeto é universal, é transcendental.

Todas as ciências, inclusive a Metafísica, estudam o ente; é o objeto material, comum a todas as ciências. Ora, neste objeto material cada ciência toma um ponto de vista especial, aquilo que os filósofos chamam de objeto formal. Só a Metafísica pode estudar o ente enquanto ente. Portanto, o objeto formal da Metafísica é o ente enquanto ente.

René Descartes (1596-1650), vendo a universalidade do ente enquanto ente, mas não distinguindo o objeto formal da Metafísica, pensou que ela absorvia todas as ciências. Logo, para ele, existe uma única ciência: a Metafísica. Augusto Comte (1798-1857), pelo contrário, atordoado pela transcendentalidade da Metafísica e não distinguindo o objeto formal do objeto material, chegou à conclusão de que não existe Metafísica, devorada que esta ficou pelas ciências. Logo, para estes, só existem as ciências experimentais e as ciências matemáticas.

A teoria dos três graus de abstração serve para explicar a noção da Metafísica. No primeiro grau, próprio das ciências experimentais e da filosofia da natureza, a inteligência estuda o ente sensível, isto é, o ente sem as propriedades individuais, mas com as qualidades sensíveis, como a cor, o som, o movimento local, etc.

As ciências matemáticas, num grau superior de abstração, o segundo, nem positivamente inclui nem positivamente exclui a quantidade real e, por isso mesmo, difere da quantidade puramente fictícia e imaginária, que é o ente de razão.

Enfim, o último grau de abstração, o mais elevado das ciências especulativas, é a Metafísica, que estuda o ente, não enquanto sensível ou quantitativo, mas enquanto ente. Ela faz abstração de tudo, para só considerar o ente; isto, porém, é justamente abranger absolutamente tudo: Deus, almas, animais, vegetais, minerais, entes de razão, pois tudo é ente, ainda que cada um o seja a seu modo. De modo que, mesmo o nada é abrangido pela Metafísica. Ela é com razão a rainha das ciências e o coração da Filosofia.

A Metafísica defende todas as ciências e só ela pode fazer isso, pois a base e o princípio das ciências encontram-se nela. Assim, a existência da quantidade, base das matemáticas, é provada e defendida pela Metafísica; a existência do movimento, do mundo real, dos primeiros princípios, base de qualquer ciência, é demonstrada pela Metafísica. Por isso, a Metafísica, e só ela, é livre de todas as ciências.

PROPÓSITOS DA METAFÍSICA

Quando comparamos entre si as definições da Metafísica e as concepções do absoluto, podemos perceber que os filósofos, apesar de suas divergências aparentes, todos eles concordam em distinguir duas maneiras profundamente diferentes de conhecer uma coisa: a primeira é que rodeemos essa coisa; a segunda, é que entremos nela.

A primeira maneira depende do ponto de vista em que nos colocamos e dos símbolos pelos quais nos exprimimos. A segunda, não se prende a nenhum ponto de vista e não se apóia em nenhum símbolo.

Acerca da primeira maneira de conhecer, diremos que ela se detém no relativo; quanto à segunda, onde ela é possível, diremos que ela atinge o absoluto.

Vejamos o exemplo de uma personagem de romance cujas aventuras me fossem contadas:

O romancista poderá multiplicar os traços de caráter, fazer falar e agir seu herói tanto quanto queira. Tudo isto não valerá o sentimento simples e indivisível que eu experimentaria se coincidisse um instante com a própria personagem. Então as palavras, os gestos e as ações me pareceriam correr naturalmente, como da fonte. Já não seriam acidentes acrescentados à idéia que eu fazia da personagem, enriquecendo-a sempre mais e mais, sem nunca completá-la.

Assim, mediante um contato real com a personagem eu a receberia de uma vez, integralmente, e os acidentes que a manifestam, em lugar de se acrescentarem à idéia e enriquecê-la, eles se destacariam dela, sem entretanto esgotá-la ou empobrecer sua essência.

Avancemos um pouco mais. Todos os traços pelos quais me descrevem uma personagem, e que só podem fazer com que a conheça através de comparações com pessoas ou coisas já conhecidas, são sinais pelos quais a exprimimos mais ou menos simbolicamente. Símbolo e pontos de vista me colocam, pois, fora dela; apenas me fazem conhecer dela o que tem em comum e que não lhe pertence propriamente.

Mas o que é propriamente ela, o que constitui sua essência, não poderia ser percebido de fora, pois é, por definição, interior, nem ser expresso por símbolos, pois é incomensurável como qualquer outra coisa. Descrição, história e análise me deixam, pois, no relativo. Somente a coincidência com a própria pessoa me daria o absoluto.

É nesse sentido somente que absoluto é sinônimo de perfeição. O absoluto é perfeito no sentido de que é perfeitamente o que é. É pela mesma razão que freqüentemente se identificou o absoluto com o infinito.

Mais um exemplo. Quando levantamos o braço, realizamos um movimento de que temos interiormente a percepção simples; mas exteriormente, para alguém que observa, nosso braço passa por um ponto, depois por outro, e entre estes dois pontos haveria ainda outros pontos, de tal maneira que, se ele começar a contar a operação, esta não terá fim.

Visto de dentro, um absoluto é, pois, coisa simples; mas considerando de fora, torna-se complexo em relação aos sinais que o exprimem. Ora, o que se presta ao mesmo tempo a uma apreensão indivisível e a uma enumeração inesgotável é, por definição, um infinito.

Portanto, um absoluto só poderia ser dado numa intuição, enquanto o restante é objeto de análise. Chamamos aqui intuição a simpatia pela qual nos transportamos para o interior do objeto para coincidir com o que ele tem de único e, conseqüentemente, de inexprimível. Ao contrário, a análise é a operação que reduz o objeto a elementos já conhecidos, isto é, comum a este objetivo e a outro.

Analisar consiste em exprimir uma coisa em função do que não é ela. Toda análise é, assim, uma tradução, um desenvolvimento em símbolos, uma representação a partir dos pontos de vista sucessivos, em que notamos outros tantos contatos entre o objeto novo, que estudamos, e outros, que cremos já conhecer.

A análise, em seu desejo eternamente insatisfeito de abarcar o objeto em torno do qual ela está condenada a dar voltas, multiplica sem fim os pontos de vista para completar a representação sempre incompleta, e varia sem cessar os símbolos para permitir a tradução, que é sempre imperfeita. A análise se desenvolve, pois, no infinito. Mas a intuição, se esta é possível, é um ato simples.

Não é difícil notar que a ciência positiva tem por função habitual analisar. Ela trabalha, antes de tudo, com símbolos. Mesmo as mais concretas das ciências da natureza, das ciências da vida, se atêm à forma visível dos seres vivos, de seus órgãos, de seus elementos anatômicos. Comparam as formas umas com as outras, reduzem as mais complexas às mais simples. Enfim, estudam o funcionamento da vida naquilo que dele é, por assim dizer, o símbolo visual.

Se existe um meio de possuir uma realidade absolutamente, em lugar de a conhecer relativamente, de colocar-se nela em vez de adotar pontos de vista sobre ela, de ter a intuição em vez de fazer a análise, enfim de a apreender fora de toda expressão, tradução ou representação simbólica, a Metafísica é este meio. A Metafísica é, pois, a ciência que pretende dispensar os símbolos. A Metafísica vai da realidade aos conceitos e não dos conceitos à realidade.

Para Martin Heidegger, a Metafísica também é determinada como a questão do ente enquanto tal e no todo. A Metafísica é ontoteologia. A Metafísica é teologia, uma enunciação sobre Deus, porque Deus vem para dentro da Filosofia.

SCHOPENHAUER E A METAFÍSICA

Em seu livro *A Necessidade Metafísica*, o cético Arthur Schopenhauer mostra que somente o homem admira-se de sua existência, e traz indagações à sua mente do como e do porquê desta existência. Já que somente o homem possui a razão, ele pode pensar na existência da morte e também na limitação da nossa existência, sendo a morte o final de todas as coisas. Dessa reflexão e desse espanto nasce a necessidade metafísica de que somente o homem sofre.

O homem é realmente um animal metafísico. Schopenhauer diz que quando o homem começa a ter quase nenhuma consciência das coisas, mesmo assim ele, o homem, supõe ser algo perfeitamente compreensível. Mas essa ilusão dura pouco. Já com as primeiras reflexões produz-se aquele assombro que, sem dúvida alguma, constitui a origem mesma da Metafísica.

Schopenhauer afirma que é a consciência das coisas e também a morte e a consideração dos padecimentos e da miséria da existência que levam à reflexão filosófica e a uma explicação metafísica do mundo. Para ele, se o mundo fosse bom e não houvesse amarguras, o homem não se interessaria em saber por que o mundo existe e por que ele possui uma natureza tão peculiar. Antes, muito pelo contrário, todas as coisas se compreenderiam facilmente por si mesmas, e ninguém perguntaria nada.

Sobre as religiões, diz Schopenhauer que todas elas defendem a existência de deuses, mas este ainda não é o maior problema. O que se poderia considerar pior é a defesa da imortalidade: aliam à vida de todo dia um dogma de imortalidade. Se demonstrássemos a absoluta impossibilidade de outra vida, não existiriam as religiões. O homem não teria interesse pela existência de deuses. Esta necessidade metafísica do homem pode ser vista nos templos religiosos que vem logo após as necessidades físicas.

As idéias que foram inculcadas no homem para explicar a sua existência não são muito importantes. O que interessa mesmo é que estas idéias constituíram explicações satisfatórias de sua existência, e bases para a sua moralidade. Para Schopenhauer, esta necessidade metafísica fez surgir religiosos exploradores.

Além dos religiosos, Schopenhauer cita outro grupo, menos numeroso, constituído por indivíduos que exploram a necessidade metafísica da humanidade para viverem da Filosofia. Entre os gregos chamavam-se sofistas, e entre os modernos são os professores de Filosofia. Schopenhauer expõe em sua obra algumas diferentes maneiras de satisfazer a necessidade metafísica, que para este filósofo é tudo o que tiver a pretensão de constituir um conhecimento que ultrapasse a experiência, um conhecimento que pretenda demonstrar que existe antes da natureza algo que a torne possível.

De acordo com Schopenhauer, não seria possível uma única e mesma metafísica para todo o mundo, já que as inteligências humanas são muito variadas originalmente devido a diversidade de formação exigente de largo tempo e de muitos cuidados. Nos povos civilizados encontramos duas espécies principais de metafísica diferenciando-se uma da outra: uma traz em si mesma sua justificação, e a outra fora de si seus fundamentos.

A primeira dessas duas espécies de metafísica seria adquirida através da cultura, grandes estudos, meditação acurada, reflexão. Esse sistema se restringe a poucos homens, e é somente possível em civilizações ultra-avançadas. A outra seria utilizada pelas massas, incapazes de pensar. As massas não vão além da crendice e da subserviência face às autoridades. Não raciocinam livre e elevadamente.

Dentro desta última categoria, Schopenhauer deixa claro que os menos incautos são os cristãos. Diz que a Verdade é-lhes revelada exteriormente e se manifesta através de prodígios e milagres. Seus argumentos são ameaças de penas eternas e temporais, endereçadas aos incrédulos.

Schopenhauer diz que a metafísica da massa (religião) assegura uma durável posse das consciências, pois começam a inculcar os ensinamentos desde a sua primeira infância. Através de seus dogmas, criam no ser humano como que uma segunda consciência.

Estas duas qualidades de metafísica são, para Schopenhauer, Doutrinas de Fé e Doutrinas de Razão, as quais afirmam que somente as religiões são donas absolutas da vida, e cada qual em seus domínios. As filosofias são apenas toleradas. O povo carece de uma religião, já que é um benefício inestimável.

Todavia, afirma Schopenhauer, quando as religiões se erguem como obstáculos ao progresso da inteligência humana, devemos afastá-las. Pedir que um gênio, um Shakespeare ou um Goethe, engula os dogmas de uma religião qualquer será pedir que um gigante calce os sapatos de um anão.

METAFÍSICA, CIÊNCIA DIVINA?

A professora de Filosofia Adísia Sá, em seu livro *Metafísica, para quê?*, faz um apanhado geral sobre Metafísica. Para ela, Metafísica é a parte da Filosofia que trata das coisas que ultrapassam a experiência sensível. Não é sinônimo de Teologia; apenas procura eternizar uma etapa do pensamento, ou seja, a busca do absoluto em forma de Deus.

Metafísica não é estudo de Deus nem sinônimo de Deus, como não é mundo ou sinônimo de mundo. Deus e mundo é que são facetas do objetivo da Metafísica, ou seja, o Ser, em realidade. Ela parte da afirmação de Schopenhauer: "o homem é um animal metafísico", e diz que para ele devem voltar-se nossas atenções.

Observa Adísia Sá que o homem é um animal real, que existe no mundo real. O homem e o mundo são os elementos que nos interessam, porque constituem o cerne da Metafísica. O homem não é abstrato. Vive e pensa, existe e idealiza no mundo. O mundo não é uma abstração: existe, é real.

O homem e o mundo são entidades indissoluvelmente unidas. A Metafísica nada mais é do que a visão do mundo, pelo homem, o qual, tomando a seu cuidado o mundo, o organiza como mundo.

Para Adísia Sá, a ojeriza à Metafísica vem de Descartes, passa por Kant, e é aprofundada por Comte. Segundo a autora, Descartes defendia a Metafísica como gnosiologia do absoluto, considerando-a como "a raiz da árvore" da ciência, tendo como objeto "entes imateriais", como Deus e alma: conhecimento advindos da "razão humana". Ou, dito de outro modo, a aceitação do objetivismo absoluto ideal de Platão.

Para Kant, a Metafísica é uma ciência independente das outras, e faz dos seus problemas as questões essenciais e fundamentais do homem, como o reino da moral, Deus, liberdade e imortalidade.

Comte, por sua vez, viu a Metafísica como uma etapa da história do homem: uma idade do conhecimento ou estado metafísico (lei dos três estados). No fundo, uma visão gnosiológica da Metafísica.

Adísia Sá faz um parêntese para dizer que a Metafísica não nasceu com Aristóteles, uma vez que buscar e investigar sempre foram tarefas do homem. Só que essas tarefas não haviam sido antes batizadas. Observar e investigar o ser são inclinações naturais do homem, não conseqüências de nomes ou batismos.

METAFÍSICA E COSMOLOGIA

A fase primeira da Filosofia foi chamada de Cosmologia. Com os cosmológicos podemos ver, inicialmente, a preocupação humana com o desenvolvimento agrícola, a navegação e a colonização. Os interesses especulativos estavam voltados para os fenômenos naturais, meteorológicos e físicos: observação das estrelas como guia dos navegantes. A filosofia de então era cosmológica e naturalista. O mundo exterior e seus fenômenos eram o que interessava.

Aristóteles trata esses filósofos como naturalistas. A Filosofia, e conseqüentemente a Metafísica, custaram a livrar-se da confusão original, como a filosofia da natureza, ou cosmologia. A libertação ocorreu na fase socrática e sofística da Filosofia. A primeira fase, a cosmológica, era condicionada às forças externas, materiais, da natureza. A segunda, a sofista, recebeu pressões de ordem social, econômica e política, pois pertenceu ao período subseqüente à guerra contra os persas e à imediata invasão das cidades gregas. A Filosofia neste período era considerada como sinônimo de ética, moral e política.

Na terceira fase, já na Idade Média, a preocupação teológica se interpôs à Filosofia. Alguns consideravam a Filosofia como escrava da Teologia. A Metafísica começava a ser oficialmente considerada como sinônimo de Teologia. Era uma apropriação da colocação aristotélica, ou seja, do primeiro motor.

Adísia Sá diz que a Metafísica não é propriedade da cosmologia, da Teologia, da gnosiologia, da ética. Ela transcende a proprietários. A Metafísica é descompromissada. O que ela tenta encontrar, partindo do visível, é o *ser*, que se encontra e é buscado em todas as realidades. Essa busca do *ser* tem usado os seguintes métodos: 1) Especulativo, através da Física experimental dos pré-socráticos; 2) Dialético — heraclitianos e cientistas, de um modo geral, do mundo contemporâneo; 3) Crítico — sofistas; e 4) Analítico — Aristóteles.

Kant, ao considerar a Metafísica um método, a vê como um conhecimento puro, a priori, de três objetos: o mundo como totalidade, a alma, e Deus. Dentro desta visão, a Metafísica se torna especulativa e impossível, pois os seus objetos são puras essências, inatingíveis pela razão.

A CRÍTICA DO CONHECIMENTO

Embora tivessem os filósofos da Antigüidade e da Idade Média se ocupado com os problemas do conhecimento, a crítica do conhecimento, como disciplina autônoma, só surgiu de fato na Idade Moderna, tendo Kant como o seu principal sistematizador.

A crítica do conhecimento, ao procurar determinar a natureza, os limites e as possibilidades do conhecimento, procura saber, em primeiro lugar, se somos capazes de conhecer a verdade, e, em segundo lugar, qual a extensão desse conhecimento.

Ao longo da história, percebemos que o homem sempre tem buscado resolver a questão do conhecimento da verdade, valendo-se de uma dessas quatro doutrinas: o dogmatismo, o ceticismo, o probalismo e o pragmatismo.

O dogmatismo afirma que a verdade existe e que podemos conhecê-la. É uma doutrina de realismo e de bom senso que a razão e a experiência confirmam. O ceticismo afirma que não podemos ter certeza de coisa alguma, e que a única atitude do espírito deve ser a dúvida universal.

O probalismo afirma que só podemos atingir a verossimilhança, mas nunca a verdade, uma vez que os nossos juízos são apenas prováveis, mas nunca certos. O pragmatismo afirma que não cabe à inteligência conhecer as coisas, e sim nos mostrar a utilidade das mesmas. Assim, a verdade se caracterizaria pela utilidade ou pela eficácia que possa ter para a ação.

De todas essas doutrinas, a única filosoficamente aceitável é a do dogmatismo moderno, que admite certa relatividade na aquisição da certeza.

Quanto ao problema do âmbito do conhecimento, há três doutrinas que buscam a sua elucidação: o sensualismo ou empirismo, o idealismo e o racionalismo.

O sensualismo aceita que todas as nossas idéias provêm unicamente dos nossos sentidos. O idealismo admite que só podemos atingir as idéias, uma vez que o mundo não passa de uma simples representação de idéias. Já o realismo defende a realidade do mundo exterior e admite a existência do objeto como sendo distinto do sujeito. Para os realistas, a razão, a expressão e o senso comum atestam a veracidade da sua tese.

Exame crítico

Concordo com Kant quando afirma que o conhecimento de entidades metafísicas, como Deus, alma, etc., não é possível no nível da pura razão.

Se todo conhecimento não passa de uma síntese dos dados fornecidos pelos sentidos, é fácil perceber que esse caminho não basta, necessariamente, para levar o homem a Deus.

É claro que a contemplação da natureza contribui parcialmente para o conhecimento de Deus, como declaram tanto Davi, no Salmo 19, como Paulo, em Romanos 1.20: "Os céus declaram a glória de Deus; o firmamento proclama a obra das suas mãos". "Pois os atributos invisíveis de Deus, desde a criação do mundo, tanto o seu eterno poder, como a sua divindade, se entendem, e claramente se vêem pelas coisas que foram criadas, de modo que eles são inescusáveis".

Ao contemplar as obras de Deus, o homem pode perceber, mediante o uso da razão e do bom senso, a diferença entre as coisas criadas e o Criador, o que deve preveni-lo para não cair na cega idolatria.

Embora insuficientes para revelar o Criador, o universo físico e visível é uma prova da sabedoria, do poder, da glória e das leis desse Deus Criador. Por isso Davi, no referido Salmo 19, mostra a necessidade dessa revelação ser complementada pelas Escrituras (vv. 7-11) e pela experiência da alma em comunhão íntima com Deus (vv. 12-14).

PERGUNTAS PARA REVISÃO

1. Segundo Aristóteles, o que é a Metafísica?
2. Em que se baseia a Metafísica?
3. O que prejudicou a metafísica tradicional?
4. Do ponto de vista neo-crítico, como a ciência passou a ser considerada?
5. Entre as tendências contemporâneas, o que está em favor da Metafísica?
6. Qual é a teoria que explica a noção da Metafísica?
7. Qual é a função habitual da ciência positiva?
8. Como é determinada a Metafísica para Martin Heidegger?
9. Como foi chamada a primeira fase da Filosofia?
10. Quais são as quatro doutrinas que buscam resolver a questão do conhecimento da verdade?

10 A ONTOLOGIA

A ontologia pode ser definida como a ciência do ser enquanto *ser*. Ela estuda, em suas razões fundamentais, o que é ou pode ser. Tanto na Antigüidade como no período medieval, a ontologia foi considerada como a ciência do ser como tal, mas Kant, Hussell, Heidegger e Nicolai Hartmann não aceitaram essa definição tradicional da ontologia.

O estudo do ser divide-se em quatro partes: sua natureza, sua extensão, suas causas, e seus valores. Essas quatro partes incluem a idéia, a existência, o ato, a susbstância, os acidentes, as categorias, a causa e os valores do ser.

Em resumo:

A idéia de ser é a mais universal que se pode conceber. É una, transcendental e análoga.

A existência é o ato de existir. Essência é aquilo por que uma coisa é o que é.

Ato é perfeição. Potência é a capacidade de perfeição. Toda mudança é uma passagem da potência ao ato, uma atualização de uma potência anterior.

Substância é o ser que pode existir em si próprio. Acidentes são as maneiras de ser da substância que não podem existir em si mesmas.

Categorias são as modalidades do ser, ou ente. Há dez categorias ou predicamentos: "substância", qualidade, quantidade, relação, ação, paixão, localização, posição, situação no tempo, hábito.

Causa é aquilo que influi na existência ou na produção de um ser. Há quatro espécies de causa: eficiente, material, formal e final.

Valores são qualidades que apreciamos nas coisas. As coisas valiosas chamam-se bens. A axiologia, ou ciência dos valores, teve início no século XX. Para uns, os valores são atributos subjetivos, para outros objetivos. Max Scheler distingue o valor do ser. Mas valores nada mais são, na realidade, do que modalidades do ser.

O ENTE ENQUANTO ENTE

A parte da Metafísica que estuda o ente enquanto ente, em si mesmo, na sua essência, é chamada de ontologia, do grego *ontos* = ente. *Ente* parece traduzir bem a transcendentalidade do *ontos* grego, que tanto abarca o ente real como o ente possível e o ente de razão.

A ontologia é, portanto, o âmago da Metafísica, pois esta tem como base a evidência imediata e os primeiros princípios do senso comum cientificamente estabelecidos em relação ao ente. Somente de posse do conhecimento do ente e de suas propriedades essenciais é que se pode deduzir conclusões.

Antes, porém, de se estudar o ente enquanto ente, é necessário saber se a inteligência é capaz de conhecer, de fato, este ente enquanto ente. Portanto, neste caso, o ente enquanto ente é encarado não já diretamente em sua essência, como na ontologia, mas sim enquanto é conhecível, enquanto é capaz de ser conhecido e apreendido realmente pela inteligência humana.

No que se refere à existência de Deus, a ontologia responde às seguintes proposições:

A mente humana pode apreender por intuição um tipo de verdade que não é a verdade em si, ou Deus, mesmo quando essa verdade seja similar à verdade, ou a Deus.

Nosso conhecimento de Deus decorre da imagem dEle refletida no espelho de nossa alma, mas não podemos conhecer sua íntima essência. Portanto, é imagem de Deus; não é Deus. Essa imagem de Deus faz com que Deus mesmo, com natureza distinta da criatura, não seja um fim separado do homem, mas comunicável por obra do próprio Deus à inteligência e à vontade do homem. Por meio dessa imagem o homem volve ao Criador através da presença deste naquele, cumprindo assim um ato que tem uma relação essencial com Deus.

Há, em nossa mente, uma verdade primordial que vem de Deus e que, portanto, é algo divino, pela qual o ente pensante está unido ao Criador através do intermediário que é a verdade. Segue-se, pois, que o espírito que busca a verdade busca a Deus. Quem pensa a verdade, na realidade pensa em Deus e o tem como fim. Nesse sentido, o pensamento humano é de natureza teísta.

A presença imediata da verdade à mente não significa presença imediata de Deus, intuição de sua essência ou contato direto da mente. Significa só presença de imediato da verdade como é dada à mente por Deus, e não da verdade como está nEle, isto é, não é presença de Deus mesmo.

Não há divisão imediata de Deus, nem conhecimento na ordem natural de sua essência, e o ontologismo entendido como conhecimento direto de Deus é um erro. O verdadeiro ontologismo, que é distinto do falso e o refuta, não exclui a intuição de verdades inteligíveis, interiores à mente humana. É a presencialidade da verdade no homem e perante o homem.

Mas "ver" e "intuir" a verdade que está em nós não significa absolutamente "ver" ou "intuir" Deus. Nós não conhecemos a Verdade em si mesma, mas sim o que dela está refletido no "espelho" de nossa alma. A mente "participa" da verdade divina não diretamente, mas sim mediatamente, através do intermediário da verdade refletida nela, pelo que a verdade não está nela como está em Deus: é reflexo divino sem ser Deus, que, não agora, mas logo veremos face a face. A verdade, luz e vida da mente humana, possui os caracteres divinos de imutabilidade e absolutismo, mas não é Deus: "é o seu mais esplêndido reflexo".

A "AUTO-IMERSÃO" DE FÍLON

Filósofo alexandrino, Fílon viveu entre 20 a.C. e 40 d.C. Embora educado no helenismo, possuía uma instrução superficial do judaísmo e algum conhecimento da Bíblia derivado da Septuaginta.

Talvez em virtude de sua simpatia pela filosofia platônica e de seu conhecimento bíblico, Fílon ensina que Deus criou o mundo de substância eterna, mas não influi nele diretamente, e que o logos é mediador entre Deus e o mundo. A alma humana, segundo Fílon, deriva da Fonte Divina e é, pois, capaz de atingir uma concepção da natureza da divindade, não por meio de percepção espiritual, mas por meio de auto-imersão na meditação mística ou no espírito de profecia. Esta deve ser, segundo o filósofo, a finalidade última do esforço do homem no sentido da própria elevação moral.

Na concepção de Fílon, o judaísmo possui o instrumento que permite ao homem alcançar a perfeição moral e filosófica — a Torah, que abre o caminho da união com a divindade.

Esse caminho é alegórico, pois as narrações de conteúdo não moral que aparecem no Pentateuco mostram as ásperas paixões do gênero humano que devem ser evitadas, ao passo que as outras narrações pintam alegoricamente o bem pelo qual se deve lutar. De modo geral, Fílon acredita que a lei judaica é a mais pura revelação de Deus.

Exame crítico

Como já vimos anteriormente, à luz da teologia bíblica a queda do homem no Éden foi uma queda absoluta, que incluiu a sua intelectualidade e o incapacitou de assimilar a Verdade. Por isso, por mais que raciocinemos, por nós mesmos não podemos chegar ao conhecimento de Deus. É, como disse Jesus, que Deus Pai ocultou as verdades espirituais aos sábios e inteligentes, e as revelou aos pequeninos, aos humildes (Mt 11.25-30).

O apóstolo Paulo afirma a mesma verdade de que Deus considera louca a sabedoria deste mundo, razão por que "aprouve a Deus salvar os crentes pela loucura da pregação (1 Co 1.21).

Por si mesma, portanto, a Filosofia não pode guiar o homem a Deus. Esta tarefa foi confiada unicamente à pessoa do Espírito Santo, que o faz unicamente por meio daquEle que disse: "Eu sou o caminho, e a verdade, e a vida. Ninguém vem ao Pai, senão por mim" (Jo 14.6).

PERGUNTAS PARA REVISÃO

1. Qual é a definição de Ontologia?
2. Quais são as quatro partes em que se divide o estudo do ser?
3. Por que a ontologia é o âmago da Metafísica?
4. Por qual filosofia mais simpatizava o filósofo alexandrino Fílon?
5. Qual o caminho aberto pela Torah, segundo a concepção de Fílon?

11 A TEODICÉIA

A *teodicéia*, que a princípio significou uma justificação de Deus em virtude de admitir como fato a existência dEle servindo-se da razão, foi mais tarde considerada sinônimo de teologia natural, ao aplicar-se ao estudo de Deus por meio da razão. Mas a teodicéia não é nem uma ciência experimental nem uma ciência *a priori*, pois embora estude Deus mediante o raciocínio, ela parte dos efeitos desse Deus, isto é, da observação dos fatos.

O estudo da teodicéia divide-se em três partes: a) a existência de Deus, b) a natureza e os atributos de Deus, e c) as relações de Deus com o mundo. Pelo fato de apresentar diversas provas da existência de Deus, provas essas consideradas necessárias e possíveis, os adeptos da teodicéia diferem dos ontologistas, que proclamam que não é necessário demonstrar tal existência, por ser ela evidente por si mesma.

Entre os que discordam da teodicéia estão os fideístas e os agnósticos. Os primeiros negam a razão e só admitem a fé como meio de resolver o problema dessa existência, e os agnósticos negam a razão e a fé, só admitindo a experiência sensível.

Partindo dos efeitos sensíveis de Deus, podemos, entretanto, pelo raciocínio, atingir a natureza divina. As provas da existência de Deus podem ser metafísicas ou morais. As provas metafísicas são a existência do mundo, a existência do movimento, a existência da vida, e a existência da ordem do universo. As provas morais são a existência da lei moral, o mérito e o demérito, o consentimento universal, as aspirações da alma humana, e a experiência mística.

De acordo com a teodicéia, o homem pode elevar-se, por meio da sua inteligência, ao conhecimento da natureza divina. Para isso, utiliza os efeitos dessa natureza na realidade universal. Mas seu conhecimento de Deus será sempre incompleto e imperfeito, pois sua inteligência é relativa e limitada.

OS ATRIBUTOS DE DEUS

A teodicéia descreve os atributos de Deus como sendo entitativos, operativos e morais.

Os atributos entitativos são: simplicidade, infinidade, unicidade, imensidade, imutabilidade, e eternidade. Os atributos operativos são a inteligência e a vontade. Os atributos morais são a sabedoria, a bondade e a justiça. Na explicação das relações de Deus com o mundo é necessário evitar os erros do dualismo, do panteísmo e do antropomorfismo.

As relações entre Deus e o mundo são explicadas de maneira racional pela doutrina da criação e da providência. Esta doutrina afirma que Deus é imanente e transcendente ao mundo, isto é, está unido ao universo que criou, mas dele se distingue como realidade independente. Deus possui uma personalidade autônoma, inteligente e livre.

Exame crítico

Embora não haja no Novo Testamento nenhuma doutrina sistematizada dos atributos de Deus, há, entretanto, muitíssimas alusões à santidade dEle, à sua ira presente e futura, ao seu poder e à sua glória. Em grande parte tais alusões se encontram em expressões de oração e de fé, e nas descrições dos atos divinos.

Acerca do poder de Deus, por exemplo, há demonstrações dele em toda a Bíblia. O apóstolo Paulo afirma que cada pessoa, mesmo desconhecendo as Escrituras, pode reconhecer a existência invisível de Deus por meio das coisas criadas por Ele, razão por que tais pessoas serão consideradas inescusáveis diante de Deus, se nEle não crerem.

Mas há um tipo especial de poder possuído apenas por aqueles que crêem em Jesus como dizem as Escrituras. Esse poder é descrito como sendo um tesouro excelente conservado em vasos de barro, ou seja, em nós (2 Co 4.7).

Paulo ora para que os crentes sejam fortalecidos com esse poder no homem interior, em conformidade com as riquezas da glória de Deus, até ao ponto de serem cheios de toda a plenitude de Deus, que é o alvo da fé, do conhecimento e do amor (Ef 3.16-19).

PERGUNTAS PARA REVISÃO

1. O que significou no princípio a teodicéia?
2. Quais são as três partes em que se divide o estudo da teodicéia?
3. Quais os grupos, entre outros, que discordam da teodicéia?
4. Como a teodicéia descreve os atributos de Deus?
5. Como a teodicéia explica a relação entre Deus e o mundo?

SEGUNDA PARTE

TEOLOGIA CONTEMPORÂNEA

12 TEOLOGIAS PRÉ-CONTEMPORÂNEAS

A palavra *Teologia* (do gr. *Theos* "Deus" e *logos* "estudo") foi inicialmente adotada pela igreja grega com o sentido inicial de reflexão sobre Deus, o estudo e a contemplação do próprio Deus, pesquisas sobre as coisas divinas, etc. Hoje o termo significa ciência da religião e das coisas divinas.

Para uma melhor compreensão da Teologia Contemporânea é imprescindível conhecer as principais correntes ou tendências teológicas, desde os dias apostólicos, as quais podem ser assim classificadas:

A *Teologia Bíblica* procura conhecer a Deus, seus atributos e sua vontade, através de uma reflexão a respeito dos temas presentes tanto no Antigo como no Novo Testamento, considerados como infalível Palavra de Deus;

A *Teologia Católica*, por sua vez, corresponde às teologias moral (orienta o comportamento humano em relação aos princípios religiosos), dogmática (estuda os elementos da fé, ou seja, as doutrinas), bíblica (estuda o caráter de Deus, seus atributos e sua vontade a nosso respeito, com base na Bíblia) e patrística (estuda a religião de acordo com a interpretação dos pais da Igreja, da tradição e do magistério);

A *Teologia Protestante* enfatiza o retorno às origens e à reinterpretação das Escrituras, tendo Cristo como única perspectiva. Seus temas principais são: somente a Escritura, somente Cristo, somente a fé, somente a graça;

A *Teologia Natural*, ou *Teodicéia*, busca o conhecimento de Deus baseando-se na razão humana;

A *Teologia Especulativa* tem por fundamento o estudo sintético dos textos sagrados, apoiado nos conhecimentos filosóficos do homem. Nesta categoria pode ser classificada a teologia tomística, de Aquino. A Teologia Contemporânea origina-se diretamente do método especulativo, e desde a Reforma Protestante tem tomado várias direções, conforme as designações recebidas: Teologia modernista, teologia neomodernista, teologia da esperança, teologia do evangelho social, teologia do cristianismo sem religião, teologia da morte de Deus etc., conforme veremos no decorrer desse estudo;

A *Teologia Mística* fundamenta-se na experiência religiosa que permite ao iniciado supor-se imediatamente relacionado com a divindade, sendo sinais dessa união as visões, os êxtases, as profecias e os estigmas.

MÍSTICA E TOMÍSTICA

A partir do século segundo da era cristã, quando ainda o cânon do Novo Testamento não estava definido, a filosofia grega ameaçou toda a estrutura do Cristianismo, tentando helenizar as doutrinas apostólicas, ou seja, contextualizá-las à luz da cultura grega.

A controvérsia tornou-se mais acentuada em relação à divindade de Cristo e ao valor do Antigo Testamento nas igrejas. Contra essa tentativa reagem Justino, Irineu, Clemente, Orígenes, Atanásio, Cirilo, Basílio e outros, definindo, por meio de concílios, os dogmas da Trindade e da Encarnação.

Na Idade Média, embora as luzes da cultura grega perdessem a sua intensidade no Ocidente, o catolicismo romano inclinou-se, todavia, para o outro extremo, aceitando dezenas de doutrinas antibíblicas, por causa da influência da sua nebulosa tradição patrística.

Entre os séculos VI e XII, floresce a tal ponto no Oriente a teologia mística, influenciada pela cultura grega, que os místicos chegaram a considerar-se "noivas" do Redentor e a usar mesmo uma linguagem erótica. Entre estes estão os ocidentais Bernardo de Clairvaux e os místicos S. P. Victor. São Boaventura chegou a identificar sua vida com a paixão de Jesus.

Existindo também no islamismo, no judaísmo e em todas as religiões não cristãs, a mística é muito mais rica no cristianismo do Oriente, herança de Bizâncio, onde Gregório Palamas (1296-1359) revivifou, no século IV, sua teoria e prática. De Bizâncio (mais tarde Constantinopla e atualmente Istambul) a mística atingiu a Rússia, conseguindo ali seus adeptos, os staretz, entre os quais o monge Serafim de Sarov (1759-1833). Dostoievski, nos seus romances, fala desses religiosos.

Enquanto a cristandade oficial paganizava-se cada vez mais, grupos dissidentes, mesmo limitados pelas cruéis perseguições e dispondo, muitas vezes, de apenas fragmentos das Escrituras, procuravam ser fiéis às doutrinas dos apóstolos, praticando, assim, o que se poderia chamar de teologia bíblica. Alguns desses grupos foram os donatistas, os paterinos, os paulicianos, os cátaros, os anabatistas, os petrobusianos, os arnoldistas, os henricianos, os albingenses e valdenses.

A *patrística*, que compreende os escritos dos pais da Igreja do período subapostólico, foi considerada a filosofia dos cristãos até 312 d.C., época em que Constantino passou a favorecer o Cristianismo. Em sua luta contra o paganismo, os cristãos se ultilizaram da filosofia grega, particularmente do platonismo, na defesa dos dogmas cristãos. Tratava-se de uma patrística apologética.

Com Tomás de Aquino, no século XII, ressurge a teologia especulativa, mas com outras vestes. Esse famoso doutor do catolicismo procurou explicar racionalmente os dogmas cristãos, e acabou invertendo o princípio bíblico de que "pela fé entendemos", ao afirmar que o conhecimento conduz à fé. É o pai não apenas da teologia tomística, mas também da filosofia tomística, como já vimos.

REFORMA E CONTRA-REFORMA

Com o advento da Reforma Religiosa no século XVI, a *tradição* católica foi desafiada pelos reformadores. Estes apegaram-se às Escrituras Sagradas e trouxeram à lume os grandes fundamentos da fé cristã, como: a autoridade suprema da Bíblia, a justificação pela fé, o verdadeiro significado dos sacramentos, o sacerdócio universal dos crentes, etc. As divisas protestantes tornaram-se célebres: *Solus Cristus, Sola Scriptura, Sola fide, Sola gratia*.

A Igreja Católica, ao ver-se ameaçada, organizou a sua contra-reforma principalmente através da convocação do concílio de Trento, que se reuniu durante 18 anos, de 1545 a 1563. Nesse célebre concílio ficaram confirmados pela Igreja Católica todos os dogmas anteriormente aceitos. A *tradição* foi considerada de valor igual ao da Bíblia, e ainda juntaram-se ao cânom do Antigo Testamento os livros e aditamentos apócrifos.

Do século XVI ao XIX, poucas tentativas ocorreram no sentido de liberalizar a teologia romana. Com a revolução industrial e a alta crítica da Bíblia, em fins do século XIX, essa teologia passa por profunda renovação, mas retorna à teologia tomística, doutrina escolástica de Tomás de Aquino, caracterizada pela tentativa de conciliar o aristotelismo com o cristianismo, como já vimos.

Segundo o tomismo, as verdades do Cristianismo estão de tal maneira distribuídas em ordem lógica que umas podem explicar as outras. Nesta escola é possível conciliar a fé com a razão e mostrar serem os dogmas suscetíveis de demonstração silogística, ou seja, provados verdadeiros mediante a argumentação e a conclusão.

O silogismo, segundo definem os dicionaristas, é uma dedução formal tal que, postas duas proposições chamadas premissas, delas se tira uma terceira, nelas logicamente implícita, chamada conclusão.

Embora Aristósteles ensinasse a eternidade do mundo e negasse a imortalidade pessoal, possuía em sua filosofia alguns pontos em comum com a teologia do catolicismo romano medieval. Tomás de Aquino modificou os conceitos aristotélicos acima referidos e adotou em sua teologia os seguintes pontos do grande pensador grego:

A doutrina de substância e acidente;
A teoria hilomórfica, ou seja, doutrina que define a essência dos corpos como resultado da união de dois princípios, chamados respectivamente de matéria e forma;
A distinção entre ato e potência, essência e existência;
A alma é a forma do corpo.

Para provar a existência de Deus, Tomás de Aquino não parte da idéia de Deus, mas dos efeitos por Ele produzidos, formulando desta maneira os seus famosos cinco argumentos, que são:

O movimento existe e é uma evidência para os nossos sentidos; ora, tudo o que se move é movido por outro motor; se esse motor, por sua vez, é movido, precisará de um motor que o mova, e, assim, indefinidamente, o que é impossível, se não houver um primeiro motor imóvel, que move sem ser movido, que é Deus;

Há uma série de causas eficientes, causas e efeitos, ao mesmo tempo; ora, não é possível remontar indefinidamente na série das causas; logo, há uma causa primeira, não causada, que é Deus;

Todos os seres que conhecemos são finitos e contingentes, pois não têm em si próprios a razão de sua existência, são e deixam de ser; ora, se são todos contingentes, em determinado tempo deixariam todos de ser e nada existiria, o que é absurdo. Logo, os seres contingentes implicam o ser necessário, ou Deus;

Os seres finitos realizam todos os determinados graus de perfeição, mas nenhum é a perfeição absoluta. Portanto, há um ser sumamente perfeito, causa de todas as perfeições, que é Deus;

A ordem do mundo implica que os seres tendam todos para um fim, não em virtude de um acaso, mas da inteligência que os dirige; logo, há um ser inteligente que ordena a natureza e a encaminha para seu fim. Esse ser inteligente é Deus.

Tomás de Aquino se serve do argumento da perfeição divina para combater o politeísmo. Afirma ele:

> *Deus compreende em si mesmo a plena perfeição do ser. Se existissem muitos deuses, eles necessariamente difeririam um do outro. Alguma coisa pertenceria a um que não pertenceria a outro. E se essa coisa fosse uma privação, um deles já não seria absolutamente perfeito; pois não possuiria uma perfeição. Assim, é impossível que muitos deuses existam.*
> *Assim também os antigos filósofos, compelidos pela verdade em si, estabeleceram um princípio infinito como se houvesse apenas um único princípio.*[11]

DESCONFIANÇA ROMANISTA

Ao raiar do século XVI, e ao mesmo tempo em que irrompia na Europa um extraordinário renascimento das artes e uma contagiante sede de conhecimento, o mundo religioso foi palco de uma das suas maiores revoluções. De um lado, alastrava-se por toda parte a Reforma Protestante, empunhando a bandeira da justificação pela fé e do livre exame das Escrituras. De outro lado, empenhava-se o romanismo numa intolerante contrareforma, servindo-se, para tanto, de manobras políticas e dos terríveis tribunais da inquisição.

Assustado com a rápida expansão das doutrinas reformadas, o clero romano passou a opor-se cegamente a toda e qualquer inovação que parecesse contrária ao seu credo.

Convém salientar que durante a Idade Média, a educação, tanto teológica como secular, estivera quase que exclusivamente em mãos católicas, mas agora os tempos estavam mudados. As cruzadas haviam colocado o Ocidente em contato com a cultura oriental superior e, por isso, muitos europeus preferiam estudar nas modernas universidades árabes, onde o ensino era mais aprimorado, principalmente nas disciplinas de matemática e astronomia.

Assim, sentindo-se usurpados no magistério, as autoridades católicas fecharam os olhos aos progressos científicos conseguidos fora dos conventos e abadias e, em seu fanatismo, tornaram-se opositores gratuitos da ciência. É evidente que houve algumas exceções a esta regra, como o próprio Copérnico e vários outros padres ilustres.

Esse estado de beligerância entre clérigos e cientistas trouxe incalculáveis prejuízos a ambas as partes. Se, de um lado, a religião se amesquinhava na perseguição de ilustres doutores, de outro, eram os homens de ciência desestimulados em seus misteres, temendo a infâmia, a miséria, a prisão e até mesmo a morte.

O ressurgimento de uma velha teoria, mas com roupagem nova, a respeito da situação da Terra em relação ao Universo, pode ser considerado um dos principais pomos de discórdia entre "gregos e troianos".

O padre polonês Nicolau Copérnico (1473-1543), formado em Medicina, Leis e Astronomia, influenciado pela renascente cultura greco-romana e inconformado com as complicadas teorias geocêntricas ensinadas principalmente por Cláudio Ptolomeu e consideradas a base do ensino astronômico por longos séculos, voltou-se para as idéias de Pitágoras, Heráclides do Ponto e Aristarco de Samos, admitindo o heliocentrismo, no qual a Terra era destronada de centro do Universo para girar ao redor do Sol como os demais planetas.

Apesar de Copérnico haver escrito o seu *Pequeno Comentário Sobre a Hipótese de Constituição do Movimento Celeste*, em 1505 ou 1507, por precaução só em 1530 veio ele a público. Até mesmo a palavra "hipótese" foi ali colocada com o fim de atenuar o choque de suas idéias (das quais estava plenamente convencido) com as crenças tradicionais. Em 1543 aparece a obra definitiva do astrônomo polonês: *Sobre a Revolução dos Orbes Celestes*.

As "hipóteses" copernicanas encontraram logo veemente oposição: a Igreja Romana incluiu-as no *Index* — listagem de obras condenadas — e até mesmo Lutero teceu duras críticas ao astrônomo. Era o resultado da consagração das hipóteses do referido Ptolomeu, o último dos grandes cientistas gregos que viveu no segundo século d.C., e em cuja obra principal, o *Almagesto*, adota o sistema geocêntrico: a Terra encontra-se no centro do Universo e em torno dela giram Mercúrio, Lua, Vênus, Sol, Marte, Júpiter e Saturno.

Ptolomeu aceita a opinião do astrônomo Hiparco e, quanto às órbitas desses "planetas", segue Platão e Aristóteles.

GALILEU E A INQUISIÇÃO

O golpe de Copérnico à teologia tradicional foi secundado por Galileu Galilei (1564-1642), ao refutar este definitivamente, em seu livro *Diálogo Sobre os Dois Máximos Sistemas do Mundo*, todos os antiquados conceitos astronômicos até então em voga. Sua obra foi considerada pelo Santo Ofício como sendo mais perigosa que as de Lutero e Calvino.

Acusado de perjúria e heresia pelos clericalistas, o grande físico, já com 70 anos, foi citado a comparecer perante o Tribunal da Inquisição, em Roma. Na manhã do dia 22 de junho de 1633, ajoelhado ante seus inimigos, Galileu, para salvar a vida, abjura seus "erros e heresias" e "renega" todas as suas sensacionais descobertas. Segundo a lenda, depois da retratação, o velho sábio teria batido o pé no chão, gritando: "E purse muove..." (continua movendo-se). Ele estava vencido, mas não convencido.

Hoje, depois de mais de 300 anos de observações astronômicas confirmando de forma indiscutível o sistema heliocêntrico, surge no seio do romanismo um movimento pela reabilitação de Galileu. Em 1968 o cardeal Franz Koenig, arcebispo de Viena, referiu-se, perante uma assembléia de detentores do Prêmio Nobel em Lindau, Alemanha, à possibilidade de se criar uma comissão para rever o processo contra o sábio, que foi excomungado.

Nos círculos do Vaticano acreditou-se que Paulo VI apoiaria iniciativa nesse sentido, formalizando uma reabilitação decidida de fato desde 1964, quando a Academia Pontifícia de Ciência, sob a direção de D. Michele Miccarone, publicou um livro sobre a *Vida e Obra de Galileu Galilei*, de autoria do mons. Pio Paschini.

Foi nos dias de Galileu, quando mais se digladiavam teólogos que pretendiam ser cientistas e cientistas que pretendiam ser teólogos, que o papa Urbano VIII, pontífice de 1632 a 1644, assinou o seu infalível (!!!) decreto: "Em nome e pela autoridade de Jesus Cristo, cuja plenitude reside em Seu vigário, o Papa, declaramos que a afirmação de que a terra não é o centro do mundo e de que ela se desloca com um movimento diurno é coisa absurda, filosoficamente falsa; e errônea, quanto à fé".

Conhecendo os desmandos da Inquisição e temendo cair vítima das mesmas desgraças sucedidas aos dois ilustres astrônomos, o renomado René Descartes (1596-1650) evitou publicar sua obra *O Mundo*, da qual apenas chegou até nós uma súmula feita por ele em *Discurso do Método*, já referida por nós no quinto capítulo deste livro.

No entanto, a dificuldade dos líderes religiosos em acompanhar a evolução científica não se fez sentir apenas em relação à astronomia. O jurista e matemático Viète (1540-1603), fundador da álgebra moderna, conseguiu em poucos dias decifrar criptogramas da Espanha, quando esta estava em guerra contra a França. Apesar de fiel católico, Viète, acusado de necromante e feiticeiro, foi intimado pelo papa Xisto V a comparecer perante os inquisidores!

A BÍBLIA, A VÍTIMA

A posição medievalista da Igreja Católica nos primeiros séculos da Idade Moderna, em relação ao desenvolvimento da cultura, trouxe males sem conta a ela mesma, pois à medida em que a ciência começou a provar os "absurdos" condenados pela religião, esta começou a ser contestada por eminentes escritores, porém secularistas e irreverentes, a cujos olhos o romanismo não passava de um mal social e um entrave ao progresso dos povos.

A mais grave de todas as divergências foi expor a Palavra de Deus ao cerrado ataque dos partidários da evolução científica, como se fosse a Bíblia a base da teologia medieval.

A Escritura Sagrada, todavia, jamais apoiou os erros de que estava eivada a doutrina romanista, pois hoje, incólume, é ela o livro por excelência de milhões de pessoas em mais de duas mil línguas e dialetos, inclusive de luminares do saber que forjam a nossa era espacial nos sofisticados centros de pesquisas.

Como infalível Palavra de Deus, a Bíblia não apenas está ao lado, mas à frente da ciência moderna, pois esta, como tudo que é humano, está rodeada de limitações. O homem culto e honesto conhece as fronteiras do seu próprio saber. O médico não deixa a faculdade conhecendo tudo sobre o corpo humano, pois se desejar especializar-se num ramo específico da medicina, terá de continuar estudando. As bibliotecas do mundo inteiro guardam dezenas de milhares de livros científicos que se desatualizaram apenas algumas décadas depois de escritos! É a evolução natural do conhecimento humano.

Das 50 mil publicações do século XVII, apenas 59 foram reeditadas. Mas a Bíblia foi completada há dezenove séculos e permanece atual — moral, teológica e cientificamente! Na realidade, ela nunca apoiou as teorias absurdas dos vaidosos cientistas ou filósofos do passado e do presente, e muito menos os "dogmas" dos escolásticos dela divorciados.

Inúmeras verdades relacionadas com a terra, sobre as quais não se admite hoje a menor objeção por estarem plenamente confirmadas, estão registradas no Livro dos livros, destacando-se, dentre elas, as seguintes:

> As pequenas dimensões da Terra, em relação ao Universo visível a olho nu, são uma prova da impossibilidade do geocentrismo (Jó 26.14);
> Os céus e a Terra foram criados na mais remota Antiguidade (Gn 1.1);
> A Terra é redonda, ou esférica, coisa negada pelos antigos (Is 40.22);

O globo terrestre está suspenso sobre o espaço vazio (Jó 26.7);
A crosta da Terra está assentada sobre um fogo interior (Jó 28.5);
Esta crosta saiu das águas, sob as quais esteve muito tempo (Gn 1.9);
A Terra está envolvida numa atmosfera (Gn 1.7);
As maiores montanhas do globo foram empurradas do interior da Terra pelo fogo (Sl 104.6-9);
Os céus não são uma abóboda sólida, nem um firmamento, mas "a expansão" (Gn 1.7).

Além destas, eis aqui mais algumas extraordinárias antecipações científicas da Bíblia:

A luz existia e dava vida à vegetação do período primário (Gn 1.5);
O ar, apesar de impalpável, tem peso (Jó 28.25);
Os ventos andam em circuitos e voltam sempre ao ponto de partida (Ec 1.6);
As estrelas são incontáveis, apesar de os antigos não enumerarem mais do que alguns milhares (Gn 22.17);
Os astros são corpos materiais e não exercem quaisquer influências sobre os destinos de homens e nações, e não são divindades, como afirmavam os astrólogos do passado (Sl 8.3);
As plantas existiam antes do homem (Gn 1.21);
Os animais do mar e do ar foram criados antes que os da terra (Gn 1.21,22);
As aves são contemporâneas dos peixes e dos animais marinhos, portanto anteriores aos quadrúpedes e mamíferos (Gn 1.20);
O homem apareceu muito tempo depois das plantas, das aves, dos animais marinhos, insetos, répteis e outros animais terrestres (Gn 1.26);
A vida do corpo está no sangue (Lv 17.11);
A diferença biológica e citológica entre os vários grupos de seres vivos (1 Co 15.39).

OS NEÓLOGOS

Antes de considerarmos alguns nomes do liberalismo teológico, convém ressaltar os principais responsáveis pela transição do escolasticismo protestante para a teologia liberal, ocorrida no período de 1740 a 1800. Por suas novas idéias, foram eles chamados de neólogos.

Johann Salomo Semler (1725-1791), teólogo luterano alemão, desenvolveu os princípios da crítica textual da Bíblia e procurou distinguir duas religiões: uma privada e outra pública, sendo a primeira uma questão de consciência e a segunda assunto de natureza política. Semler escreveu 171 obras, nas quais defende uma reforma radical na teologia, exigida pela Ciência. Foi o primeiro a distinguir entre religião e teologia.

G. Ephraim Lessing (1729-1781), dramaturgo e teólogo alemão, ensinou que o ideal para o homem não é ser moral, e sim desenvolvido ao máximo de seu potencial. Este alvo é alcançado apenas quando o homem liberta-se de inibições devido a preconceitos e idéias. A influência de Lessing foi determinante pelo fato de ocorrer justamente quando se formava o espírito nacional da literatura alemã.

Lessing conclui que a particularidade de qualquer religião, inclusive do Cristianismo, é a superstição. Suas últimas obras revelam sua fé no progresso da humanidade por uma igreja humanitária, além do Cristianismo. Lessing não se definiu entre o racionalismo e o anti-racionalismo e viveu sempre em busca da verdade que considerava inatingível.

Johann Gottfried Herder (1744-1803), escritor, teólogo e filósofo alemão, é considerado o mais importante precursor do romantismo. Filho de um tecelão e discípulo de Kant, Herder acreditava no cristianismo como sendo a verdadeira religião da humanidade, mas fazia a distinção clara entre dogma e religião, entre doutrina e piedade. Antecipou conceitos da crítica racionalista das histórias evangélicas.

Para Herder, o ideal para o homem é perseguir a verdade, só por ser verdade, defendendo, assim, a completa liberdade para o espírito humano.

ALTA CRÍTICA: ATACANDO OS FUNDAMENTOS DA FÉ CRISTÃ

O liberalismo teológico não é uma religião ou uma organização ideológica possuidora de templos, funcionários ou sociedades. Ele é, simplesmente, uma tendência de ajustar o Cristianismo aos conceitos da Alta Crítica da Bíblia, da ciência e das filosofias modernas. Esta tendência apresenta-se hoje sob diversos outros títulos, como modernismo, racionalismo, nova teologia, etc.

Por seu próprio caráter, o liberalismo encontra relativa facilidade para influir nas seitas e religiões de todos os credos, desagregando-lhes as estruturas doutrinárias, particularmente nos arraias evangélicos, onde a liberdade para estudar e interpretar as Sagradas Escrituras, segundo a compreensão individual do leitor, é apanágio de que não se abre mão.

Os fundamentos históricos dessa tendência remontam, de acordo com a maioria dos autores, ao ano de 1753, quando Jean Astruc (1684-1766), francês incrédulo e professor de medicina em Paris, publicou anonimamente, em Bruxelas, em francês, o livro *Conjecturas Sobre as Memórias Originais que Parece Terem Sido Usadas por Moisés na Composição do Gênesis*.

Nesse livro Astruc, que foi médico do rei da Polônia e de Luís XV, da França, duvida da origem mosaica dos cinco primeiros livros do Antigo Testamento e aventa a hipótese de existirem duas fontes literárias — jeovista e eloísta — partindo-se dos nomes usados para se referirem a Deus. Antes dessa data, muito raramente alguém ousava criticar assim a Palavra de Deus, lançando dúvidas sobre a sua historicidade tradicionalmente aceita.

Em 1780, o hebraísta alemão Eichrodt aceitou a hipótese de Astruc e afirmou que os referidos documentos tinham características, estilos e expressões distintas um do outro. Ilgen, em 1798, também alemão, julgou ter descoberto, dentro do documento Eloísta do Gênesis, diversas características de estilo e expressões. Por isso foi ele considerado o descobridor do segundo documento Eloísta.

Na Escócia, o padre católico romano, Alexander Gaddas, anunciou ter encontrado no Pentateuco diversos documentos (1798-1800).

Por ser demasiadamente extensa a lista dos principais nomes que veicularam até nós o criticismo bíblico nos últimos 150 anos, deixamos de nos referir a eles, observando apenas que quase todos, partindo do mesmo princípio de Astruc, ampliaram muito as pesquisas anteriores e chegaram às mais fantasiosas e dissonantes conclusões. Esses duzentos anos de cansativas buscas resultaram no surgimento de diversas hipóteses, destacando-se:

Fragmentária (De Wette e outros) — segundo a qual o Pentateuco teria surgido de inúmeros fragmentos, sem quaisquer planos ou unidade;

Germinante ou *Complementar* (E. Wald, E. Schrader) — sugere um documento Eloísta como base, revisto pelo documento Jeovista, e que recebeu inúmeros acréscimos, seções e anotações, formando assim o documento Deuteronomista, mais recente.

Documentária (Hupfeld, Graf-Welhausen) — ensina ter havido quatro documentos originais, ou seja Eloísta, Jeovista, Deuteronomista e Sacerdotal.

Para o pesquisador R. Pfeiffer, o documento Jeovista, que segundo outros críticos teria surgido em 650 a.C., e o Eloísta, da mesma forma datado de 650 a.C., foram combinados por um redator no mesmo ano. A esse teria sido juntado, em 550 a.C., o documento Deuteronomista, que outros críticos datam de 621 a.C.

A hipótese chamada Graf-Welhausen é a mais aceita pelos críticos das Escrituras. Ela afirma que alguém, depois do cativeiro babilônico, compilou o Pentateuco, que foi então publicado pelo sacerdote Esdras. Dessa forma Moisés não teria escrito nada!

Os mesmos métodos de desintegração aplicados ao Antigo Testamento foram também aplicados, de maneira violenta, ao Novo, lançando descrédito sobre o seu valor histórico e resultando, em alguns casos, no completo desaparecimento da pessoa divina de Jesus Cristo, para instalar em seu lugar apenas um profeta destituído de todos os seus atributos sobrenaturais.

Do emaranhado dessas teorias nasceu o movimento liberalista, hoje presente nas artes, na música, nos costumes sociais e, como vimos, na própria Teologia. É ele o principal responsável pelo relaxamento dos padrões éticos, em virtude da sua atitude irreverente em relação à Divindade e das dúvidas acerca da inspiração das Escrituras, que lança nos corações. Sem a poderosa influência moralizada da Palavra de Deus, os homens se embrutecem, como descreve o apóstolo Paulo no capítulo 2 da sua Carta aos Romanos.

PERGUNTAS PARA REVISÃO

1. Quais foram as principais correntes teológicas desde os dias apostólicos?

2. Como Tomás de Aquino prova a existência de Deus?

3. Qual foi a grande ameaça da Filosofia ao Cristianismo na Idade Moderna?

4. Qual a causa da renovação da teologia católica do século XIX?

5. O que admitia o padre e astrônomo Nicolau Copérnico sobre a terra?

6. Como a Igreja Católica Romana recebeu a descoberta do sábio Galileu Galilei?

7. Dê provas de algumas antecipações científicas da Bíblia.

8. Qual o conceito de Descartes sobre a verdade?

13 O LIBERALISMO TEOLÓGICO

NOMES PRINCIPAIS

Vejamos agora alguns nomes implicados no liberalismo teológico, responsáveis pelos novos rumos tomados pelo protestantismo:

Friedrich Schleiermacher (1768-1834). Teólogo e filósofo alemão, embora anti-racionalista, ensinou que não há religiões falsas e verdadeiras. Todas elas, com maior ou menor grau de eficiência, têm por objetivo ligar o homem finito com o Deus infinito, sendo o Cristianismo a melhor delas.

Ao harmonizar as concepções protestantes com as convicções da burguesia culta e liberal, Schleiermacher foi considerado radical pelos ortodoxos, e visionário pelos racionalistas. Na verdade, o seu pensamento filosófico-teológico, embora considerado liberal, está mais perto do transcendentalismo de Karl Barth.

Johann David Michalis (1717-1791). Teólogo protestante alemão, foi o primeiro a abandonar o conceito da inspiração literal das Escrituras Sagradas.

Adolf von Harnack (1851-1930). Teólogo protestante alemão, defende em sua obra principal *História dos Dogmas*, a evolução dos dogmas do Cristianismo pela helenização progressiva da fé cristã primitiva. Para ele, o cristão tem todo o direito de criticar livremente os dogmas, que são a tradução intelectual do evangelho. Em outra obra, *A Essência do Cristianismo*, reduziu a religião cristã a uma espécie de confiança em Deus, sem dogma algum e sem cristologia.

Albrecht Ritschl (1822-1889). Teólogo alemão, ensinou que a Teologia não pode seguir Georg Hegel, filósofo alemão tributário da filosofia grega, do racionalismo cartesiano e do idealismo alemão. Ritschl ressaltou o conteúdo ético da teologia cristã e afirmou que esta deve basear-se pricipalmente na apreciação da vida interior de Cristo.

David Friedrich Strauss (1808-1874). Foi o teólogo alemão que maior influência exerceu no século XIX sobre os não eclesiásticos. Tornou-se professor da Universidade de Tubingen com apenas 24 anos. Quatro anos mais tarde, em 1836, foi furiosamente afastado do cargo em virtude de sua obra *Vida de Jesus*, criticamente estudada.

No ano de 1841 lançou, em dois volumes, *Fé Cristã — Seu Desenvolvimento Histórico e Seu Conflito com a Ciência Moderna*, negando completamente a Bíblia, a igreja e a dogmática. Em 1864, publicou uma segunda *Vida de Jesus*, quando procurou então distinguir o Jesus histórico do Cristo ideal segundo a maneira típica dos liberais do século XIX. Em sua *A Antiga e a Nova Fé*, publicada em 1872, procurou mostrar a impossibilidade do Cristianismo no mundo moderno, propondo então a sua substituição por um materialismo de cunho evolucionista. Suas obras exerceram grande influência sobre os intelectuais da época.

Para Strauss, Jesus é mero homem. Insiste em que é necessário escolher entre uma observação imparcial e o Cristo da fé. Ensinou que é preciso julgar o que os Evangelhos dizem de Jesus pela lei lógica, histórica e filosófica, que governa todos os eventos em todos os tempos. Não achou e não procurou um âmago histórico, mas interessou-se apenas em mostrar a presença e a origem do mito nos evangelhos.

Segundo seu conceito, não somos mais cristãos, mas simplesmente religiosos. Seu conceito do mundo é o de matéria subindo para formas cada vez mais altas. À pergunta: "Como ordenamos nossas vidas?" — responde: autodeterminação, seguindo a espécie.

Nas obras de Strauss não há lugar para o sobrenatural. Os milagres são mitos, contados para confirmar o papel necessário de Jesus, daí as referências ao Antigo Testamento. Em resumo, Jesus não é uma figura histórica, e da vida dele nada sabemos, sendo tudo mito e lenda.

Considerado o mais erudito entre os biógrafos infiéis de Jesus, Strauss encerra o último capítulo da sua segunda *Vida de Jesus* com estas palavras:

> Os resultados da nossa pesquisa aparentemente aniquilaram a maior e mais importante parte daquilo que o cristão se acostumou a crer concernente a Jesus; desarraigaram todos os encorajamentos que ele tem tirado de sua fé e privaram-no de todas as suas consolações. Parece que se acham irremediavelmente solapados os inesgotáveis depósitos de verdade e vida que por dezoito séculos têm sido o alimento da humanidade; o mais sublime atirado ao pó, Deus despido de sua graça, o homem despojado de sua dignidade, e o laço entre o céu e a terra rompido.
> Recua a piedade em horror diante de um ato tão temeroso de profanação, e, forte como é na impregnável evidência própria de sua fé, ousadamente conclui que — não importa se um criticismo audaz tentar o que lhe aprouver — tudo o que as Escrituras declaram e a igreja crê acerca de Cristo subsistirá como verdade eterna; nem sequer um jota ou um til será removido.[12]

Philip Schaff comenta que Strauss professa admitir a verdade abstrata da cristologia ortodoxa, "a união do divino e humano, mas perverte-a, emprestando-lhe um sentido puramente intelectual, ou panteísta. Ele nega atributos e honras divinas à gloriosa Cabeça da raça, mas aplica os mesmos atributos a uma humanidade acéfala.

Destarte, Strauss substitui, partindo de preconceitos panteístas, uma viva realidade por uma abstração metafísica; um fato histórico por uma mera noção; a vitória moral sobre o pecado e a morte por um mero passo na Filosofia e em artes mecânicas; o culto do único vivo e verdadeiro Deus por um culto panteísta de heróis, ou própria adoração de uma raça decaída; o pão nutriente por uma pedra; o Evangelho de esperança e vida eterna por um evangelho de desespero e de final aniquilamento."[13]

Sorem Kierkegaard (1813-1855). Teólogo e filósofo dinamarquês. Filho de um homem rico torturado por dúvidas religiosas e sentimentos de culpa, Kierkegaard adquiriu complexos de natureza psicopatológica e possíveis deficiências somáticas. Estudou Teologia na Universidade de Copenhague, licenciando-se em 1841.

Atacou a filosofia de Hegel e afastou-se mais e mais da Igreja Luterana, por julgá-la muito pouco cristã. Para o teólogo dinarmaquês, entre as atitudes (fases) estética, ética e religiosa da vida, não há mediação, como na dialética de Hegel, e não há entre elas transição, no sentido de evolução. Para chegar da fase estética à fase ética ou desta à religiosa é preciso dar um salto (ser iluminado, converter-se instantaneamente) que transforme inteiramente a vida da pessoa.

Para Kierkegaard, só o cristianismo é capaz de vencer heroicamente o mundo, sendo o panteísmo cultural de Hegel impotente contra a consciência do pecado e contra o medo e temor. Criticou o hegelianismo em sua acomodação ao mundo profano, por não ser capaz de eliminar a angústia e admitir a existência de contradições irresolúveis entre o Cristianismo e o mundo, cabendo ao homem escolher existencialmente entre esta e aquela alternativa: ser cristão ou ser não-cristão.

São profundos os conceitos de Kierkegaard sobre os estágios da vida, a diferença entre ser e existir, o subjetivo e o objetivo, o desespero, os critérios positivos para a verdadeira existência, etc.

Eis alguns deles:

No estágio estético, o homem leva uma existência imediata e não refletida, faltando a diferenciação entre ele e o seu mundo; no estágio ético, o homem assume a responsabilidade pelo seu próprio ser, procura alcançar-se a si — o que não pode fazer; no estágio religioso, reconhece a impossiblidade de viver conforme gostaria e descobre que o pecado é não ser o que Deus deseja que seja, e que só se alcança este estado proposto por Deus através de algo que vem de fora — o próprio Deus;

O tempo (e espaço) trata do que o homem é, da sua existência; e a eternidade significa que, embora o homem viva no tempo e no espaço, ele não está totalmente determinado por estes elementos; a existência fala de liberdade, possibilidade, do ideal, da obrigação; o momento de decisão é quando a eternidade intercepta o tempo;

O objetivo cultural é aquilo que é, enquanto o homem fica entre o que é e o que ele pode e deve ser. A ciência limita-se ao estudo do que é, o que ela chama "a verdade"; mas os fatos claramente aceitos jamais encerram a verdade;

A essência do ser humano aparece quando traz a eternidade para dentro do tempo. Cada homem há de sofrer porque vive numa realidade muito física: liberdade *versus* tempo;

O único que realmente resolveu o paradoxo do tempo e da eternidade foi Jesus Cristo. Ele mesmo foi um paradoxo: Deus e homem; limitado e ilimitado; ignorante e conhecedor de tudo.

Kierkegaard foi redescoberto na Alemanha por volta de 1910, e é considerado o precursor da teologia transcendental, de que Karl Barth, no século XX, seria o principal representante.

Champlin e Bentes apontam seis posições liberais em relação ao cristianismo:

Foi posta em dúvida a natureza única do Cristianismo;
Foi promovida a dessupervalorização do Cristianismo;
Foram evocadas filosofias correntes para explicar a natureza do Cristianismo, com a apresentação de argumentos antimetafísicos;
Veio à tona a distinção entre o Jesus teológico e o Jesus histórico;
A historicidade do Cristianismo foi atacada, e seus ensinos sem igual foram salientados como a sua verdadeira contribuição;
Mudaram as atitudes concernentes ao pecado e à salvação.[14]

Exame crítico

Foi a partir de meados do século XIX, como conseqüência da grande vitalidade intelectual e reorientação do pensamento, que nasceu a teologia liberal. Foi esta uma época de renascimento religioso em geral e, em particular, de expansão do protestantismo, institucional e geograficamente, caracterizada pelas missões e surgimento das sociedades bíblicas.

O liberalismo teológico, em sua essência, procura libertar as consciências cristãs das suas amarras escolásticas, apontando-lhes as exigências da razão. Realça a pessoa de Deus como a fonte de toda a verdade e enfatiza a necessidade de uma certeza sincera na busca da verdade, embora reconheça a impossibilidade do ser humano alcançar um conhecimento pleno da verdade absoluta.

A maioria dos teólogos da atualidade considera hoje insustentável essa premissa liberalista de que o espírito humano não possa mover-se em regiões para além do alcance dos sentidos, além do raciocínio mais brilhante.

Para Platão, o intelecto tem idéias supersensíveis, inexplicáveis à luz da razão, sendo que é neste reino que residem os característicos principais e distintivos da alma humana. Modernamente, é cada vez maior o número dos que conhecem uma área essencialmente metafísica, portanto fora do alcance dos meios físicos, na qual o espírito obedece às leis de sua própria natureza.

Segundo os teólogos liberais, o protestantismo precisa "incorporar à sua teologia os valores básicos, as aspirações e as atitudes características da cultura moderna, ressaltando, dentre outros, o imperativo ético do Evangelho."[15]

Dessa pregação nasceu o evangelho social, onde a mensagem de Cristo deixa de ser o poder de Deus para a salvação e regeneração do homem, para tornar-se apenas uma fórmula social, impotente.

A Igreja transcende os métodos e as fórmulas humanas. Ela produz aquela vida plena de riqueza, que é o espírito livre e nobre em ação; pensa os melhores pensamentos; aceita os mais elevados ideais e os reveste de uma linguagem irresistível. Assim ela infunde um poder criador na sociedade de espíritos humanos...

Não há fórmula suficientemente boa para tornar boa uma sociedade, se não for executada por homens bons. O Cristianismo não elabora fórmulas, mas cria os homens capazes de insuflar força moral em qualquer fórmula.[16]

O movimento liberalista não reivindicou apenas amplas liberdades para o exercício da razão, mas pregou a tolerância entre as denominações protestantes, aproximando-as, através da minimização das diferenças doutrinárias.

O ressurgimento da intolerância religiosa no seio do catolicismo romano, nas primeiras décadas do século passado — o que resultou na prisão e morte de protestantes em diversos países, especialmente na Estônia, Lituânia, Letônia, Turquia, Pérsia, Portugal e Espanha —, contribuiu também para aproximar entre si as denominações evangélicas.

A organização, em 1846, da Aliança Mundial Evangélica, em Londres, foi uma resposta ao estado de insegurança em que se achavam várias correntes do protestantismo. Essa Aliança muito fez pela liberdade de culto em todo o mundo.

Mas o espírito liberal reclama ainda respeito pela ciência e pelos métodos científicos de pesquisas, o que implica a aceitação franca do estudo, tanto do mundo material como da crítica bíblica e da história da Igreja.

Foi valendo-se desse estado de espírito favorável que Darwin publicou a sua célebre obra *A Origem das Espécies*, através de meios de seleção natural, em 24 de novembro de 1859, provocando violentas e intermináveis polêmicas.

O liberalismo teológico aceita também o princípio da continuidade, ou seja, considera mais importantes as semelhanças do que os contrastes, admitindo-se a idéia da evolução para superar os abismos existentes entre o natural e o espiritual, entre o homem e seu Criador, enfatizando mais a imanência do que a transcendência de Deus; o liberalismo prega ainda a confiança do homem no futuro, gerada pelas grandes conquistas em todos os campos da ciência.

Não há dúvida de que o sonho liberalista do século passado mostra a cada dia mais impossibilidade de materializar-se. A teoria da evolução está hoje negada pelos principais cientistas, e as conquistas da ciência moderna têm trazido, ao lado do seu inegável progresso, resultados catastróficos. A confiança do homem no futuro desvanece-se hoje à luz dos fatos atuais e a exemplo de amargas experiências recentes.

Quanto à imanência de Deus, sugere esta ênfase que a Divindade está identificada com a totalidade das existências, afirmando, panteisticamente, que tudo é Deus e Deus é o tudo. Elimina-se, desta maneira, toda a concepção da personalidade divina e, em conseqüência, considera-se o homem um irresponsável.

Quando se nega o conceito de Deus, como Criador onipotente que está acima de todas as coisas que criou, corre-se o risco de cair no fatalismo, característico dos cultos orientais e, infelizmente, em expansão no Ocidente. Sinais da presença do fatalismo em nossos dias são os horóscopos, o fetichismo e até mesmo os biorítmos, rejeitados como anticientíficos por grande número de médicos renomados.

Ainda em relação à ênfase dada pelo liberalismo à imanência de Deus em tudo, há uma implicação séria, quando se trata do problema do pecado. Despersonalizando a divindade, é o homem colocado no centro de tudo, como a medida de tudo. Isso significa que o fim do homem é estar satisfeito consigo mesmo, com seus horizontes, etc.

John A. Mackay afirma que o pecado, como fator na existência humana, é terrivelmente real, e é coisa que os filósofos balconizados sempre trataram de fazer desaparecer por meio de argumentos arrazoados. Com a expressão balconizados fazia ele referência a Aristóteles e Renan, como símbolos daqueles para quem "a vida e o universo são objetos permanentes de estudo e comtemplação".[17]

Outras doutrinas liberais:

Os credos primitivos são arcaicos e sem realidade para o mundo moderno;
A mente do homem é capaz de raciocinar segundo os pensamentos de Deus;
A mente deve estar aberta à verdade independentemente da fonte;
As doutrinas cristãs são símbolos de verdades racionais conhecidas pela razão humana;
A divindade de Jesus era uma declaração simbólica do fato de que todos os homens possuem um aspecto divino;
O conceito bíblico da revelação de Deus na história era ingênuo e pré-filosófico;
As três últimas posições revelam a influência do idealismo absoluto de Hegel e Letze. Os demais itens justificam plenamente alguns dos títulos do liberalismo: modernismo e racionalismo.

Como vimos, para o liberalismo Deus está presente em todas as fases da vida e não apenas em alguns eventos espetaculares. Assim, o método de Deus é o caminho da mudança progressiva e da lei natural, e o nascimento virginal de Cristo não condiz com a realidade, pois Deus está presente em todos os nascimentos.

Defendendo assim a imanência de Deus, o liberalismo podia aceitar a teoria da evolução, não negando a Deus, todavia, um ato criador, ou seja: Ele teria criado a primeira célula viva, da qual vieram todos os seres viventes, inclusive o homem.

O liberalismo reage contra o evangelho individualista, capaz de salvar o homem do inferno e não da sociedade corrompida, e insiste em que o reino de Deus não é além-túmulo e nem milênio, mas sim a sociedade ideal edificada pelo homem com o auxílio de Deus.

Na busca de uma *sociedade ideal* muitos teólogos se têm inclinado para uma espécie de socialismo cristão, envolvendo-se em movimentos subversivos por acreditarem que as doutrinas de Marx e Engels, se destituídas de seu ateísmo, estariam em melhores condições de atender aos reclamos dos povos pela justiça social do que a própria mensagem evangélica.

SUA ATUAÇÃO NO BRASIL

A entrada do liberalismo no Brasil remonta ao segundo decênio deste século, quando a Imprensa Metodista editou *Pontos Principais da Fé Cristã*, livro que nega a doutrina da expiação. Depois surgiram inúmeras obras modernistas, inclusive *Religião Cristã*, traduzida do Italiano pelos reverendos Alexandre Orechia e Matatias Gomes dos Santos.

As primeiras vítimas da teologia liberal em nossa pátria, segundo o falecido reverendo Raphael Camacho, apareceram por volta de 1930, na Faculdade Evangélica de Teologia, no Rio de Janeiro. Muitos livros adotados nesse estabelecimento de ensino religioso eram modernistas, como também o eram quase todos seus professores.

Segundo Raphael Camacho, Othoniel Motta, professor de Geografia Bíblica, costumava dizer em classe: "Eu sou o pai dos hereges... Eu oro pelos mortos." Epaminondas do Amaral, professor de Exegese do Antigo Testamento, negava tudo o que há de sobrenatural na Bíblia.

Bertolaze Stela escreveu que todos os manuscritos da Bíblia foram contaminados por grandes modificações, e que não há esperança de se encontrar entre eles um texto que esteja próximo dos originais,[18] e que "somente as palavras de Jesus constituem os ensinos e a religião de Cristo... a Bíblia contém a palavra de Deus." E fez suas as palavras de Miguel Rizzo Jr., em *A Nossa Mística*:

> *Para uns a suprema autoridade está na Igreja (Católica Romana); para outros, nos espíritos do além (espíritas); para outros nas Escrituras (evangélicos), mas para nós está em Cristo.*[19]

Eis aqui a heresia chamada cristicismo, que desassocia Cristo da Bíblia e afirma que somente as palavras ditas por Cristo é que são inspiradas.

Em 1938 os modernistas se manifestaram mais publicamente, de modo especial no seio da Igreja Presbiteriana Independente, sendo então resistidos pelos fundamentalistas, liderados pelo rev. Camacho. Travou-se acirrada luta doutrinária, luta que levou o rev. Camacho a desligar-se dessa Igreja e a organizar, em 11 de fevereiro de 1940, a Igreja Presbiteriana Conservadora.

Também o ex-padre Humberto Rohden faz uma dura arremetida contra o evangelismo bíblico do Brasil e uma exposição das teorias modernistas do pastor batista norte-americano, Harry E. Fosdick. Falando da multiplicidade das denominações evangélicas resultante do livre exame das Escrituras, afirma o ex-padre:

> *O Brasil é um país original e jovem, digno de melhor sorte. Não deve copiar e imitar obsoletas ideologias passadistas, que, a seu tempo, talvez tenham tido uma função razoável, mas hoje em dia são ineficientes e prejudiciais.*
> *Essas ideologias teológico-exegéticas deram o que podiam dar e não dão mais. O melhor uso que delas se pode fazer é não usá-las, ou, se alguém preferir, guardá-las no museu devidamente acondicionadas com naftalina. São flores mortas, são fósseis e múmias exâmines.*[20]

PERGUNTAS PARA REVISÃO

1. Que teólogo foi considerado radical pelos ortodoxos e visionário pelos racionalistas?

2. Que teólogo reduziu a religião cristã a uma espécie de confiança em Deus, sem dogma algum e sem cristologia?

3. Que ressaltou Ritschl na teologia cristã?

4. Em que obra Strauss procurou mostrar a impossibilidade do Cristianismo no mundo moderno?

5. Na opinião de que teólogo só o CXristianismo é capaz de vencer heroicamente o mundo?

6. De acordo com Kierkegaard, em que estágio da vida o homem leva uma existência imediata e não refletida?

7. Segundo John A. Mackay, quais são os filósofos balconizados, para os quais a vida e o universo são objetos permanentes de estudo e comtemplação?

8. Como se chama a heresia que desassocia Cristo da Bíblia e afirma que somente as palavras ditas por Cristo é que são inspiradas?

14 O NOVO MODERNISMO

UM NOVO ORTODOXISMO?

Esta teologia é comumente conhecida por barthianismo, por ter como seu principal autor Karl Barth (1886-1968), considerado o maior teólogo do século XX. Este sistema possui ainda vários outros nomes: teologia dogmática, teologia da crise, neo-ortodoxia, teologia transcendental, modernismo-negativista e teologia de Lund.

Este último nome se deve às doutrinas de alguns professores da Universidade de Lund, na Suécia. Os principais discípulos de Barth, embora dele divirjam em alguns pontos, são Emil Brunner, de Zurique, e Reinhold Niebuhr, de Nova York.

O adjetivo "transcendental", aplicado à teologia de Barth significa sua divergência tanto com o cristianismo histórico como com o modernismo tradicional. A teologia barthiana, de fato, ocupa uma terceira posição que reúne e concilia as outras duas, possuidoras de características antagônicas.

Karl Barth nasceu na Suíça, lecionou teologia nas universidades de Gottingen, Munique e Bonn, mas foi demitido deste último posto pelo governo hitlerista, em 1935. E, por resistir às tentativas do ditador de nazificar a Igreja Reformada da Alemanha, teve seus diplomas de teologia anulados. Com a derrota do nazi-fascismo, recupera sua cátedra em Bonn, de onde mais tarde se transfere para Basiléia. Aposentou-se em 1961 e iniciou a elaboração da sua teologia.

Assentando suas conclusões teológicas na síntese, Barth recebe as contradições com naturalidade, havendo muitas delas em suas obras. Abandonou o terreno firme da lógica e ingressou no mundo fabuloso do pragmatismo, doutrina que considera a ação superior ao pensamento e aceita o valor prático como critério da verdade.

Como à tese opõe-se naturalmente a antítese, Hegel, em vez de seguir as leis da causa e do efeito para a determinação da verdade, encerrou esta mesma verdade na síntese, que corresponde ao grau intermediário entre a tese e a antítese. Barth, ao aplicar esta fórmula ao cristianismo histórico, considerou-o como a tese, o modernismo como a antítese e o novo modernismo como a síntese.

Dentro deste esquema coexistem pacificamente doutrinas antagônicas: o certo e o errado, a verdade e a mentira. Daí a sua denominação de teologia dialética ou da crise. Violando dessa maneira as regras pelas quais se estabelece se uma tese é verdadeira ou não, o barthianismo acabou negando o caráter absoluto da verdade.

Não se pode deixar de reconhecer que, sob vários aspectos, a teologia de Barth foi um retorno, embora aparentemente, às várias doutrinas bíblicas desprezadas pelo liberalismo, como a Trindade, o nascimento virginal de Cristo, as duas naturezas de Cristo unidas numa só pessoa, conforme aceita pelo Concílio de Calcedônia (ano 451) e pela Reforma Protestante, a salvação somente pela graça e a justificação unicamente pela fé. Em virtude destes pontos de vista, foi o barthianismo chamado também de neomodernismo e neo-ortodoxia.

A respeito da pessoa de Jesus, é interessante ler o que Barth escreveu em 1960, em um tempo de revisão da sua própria teologia:

> *Nesses anos tive que aprender que a doutrina cristã precisa ser exclusivamente e de forma conseqüente, em todos os seus enunciados, direta ou indiretamente, doutrina de Jesus Cristo como da palavra viva de Deus dita a nós, se é que ela deve fazer jus ao nome que tem bem como edificar a igreja cristã no mundo tal qual ela pretende ser edificada como igreja cristã.*
> *Olhando em retrospecto para os meus estágios anteriores, fico me perguntando como foi possível que não aprendi nem disse isso já muito antes. Quão lenta é a pessoa humana, justamente quando se trata das coisas mais importantes!*[21]

Mas a teologia de Barth possui falhas seriíssimas: a Bíblia não é a Palavra de Deus, apenas a contém. Por isso pode ela ser criticada à vontade. Estabelece um falso contraste entre a autoridade espiritual da Igreja, por ele aceita, e a sua autoridade legal, que rejeita. Assim, deixou a porta aberta à discussão acerca de doutrinas.

Segundo esta teologia transcendental, o mundo está cheio de contradições, inclusive na religião. Por isso os seguidores desta escola admitem sistemas que se excluem mutuamente. Conforme declarou um dos seus líderes, em face do modernismo e da fé histórica, não se deve dizer um *ou* outro, mas um *e* outro. Isto equivale a aceitar a doutrina de que Jesus é o único mediador entre Deus e o homem e ao mesmo tempo admitir a mediação de Maria. Um transcendentalista, portanto, assemelha-se a um balconista que vende exatamente o produto que o freguês deseja, seja este freguês cristão histórico ou liberal.

Francis A. Schaeffer narra o desabafo de um ateu sueco, Dr. Hedeinus, professor de Filosofia da Universidade de Uppsala, que chamou os teólogos transcendentalistas de "ateus, disfarçados em bispos e pastores. Se tal é o cristianismo, não o quero; os seus conceitos não são nem claramente definidos, nem mesmo definíveis; a posição dos seus defensores é mais vacilante do que a minha."[22]

CRISTO: ABSOLUTO E RELATIVO?

Emil Brunner (1889-1966). Teólogo suíço; exerceu grande influência no protestantismo dos Estados Unidos, país onde proferiu diversas preleções. Suas obras foram traduzidas para o inglês antes mesmo que as de Barth.

A teologia de Brunner, também conhecida por "dialética" e "da crise", descreve a busca da verdade por meio de debates entre as posições contrárias. Nela a revelação divina relaciona-se ao conhecimento humano de maneira tal que ele jamais seja cumprimento pleno das expectativas do homem com referência a Deus.

Brunner acha que há alguma revelação fora da Bíblia, embora não acredite que a teologia natural inclua a teologia revelada, discordando nesse ponto do liberalismo de Barth. Entende que a Bíblia é o único critério pelo qual podemos julgar a verdade e a suficiência do conhecimento acerca de Deus, que se encontra em outros lugares. Para ele a Bíblia é e não é a Palavra de Deus. Aquela é apenas o veículo para outra, ou uma palavra sobre A Palavra. Por isso ela não é a base da fé cristã, e sim o seu meio. Por intermédio dela o homem torna-se contemporâneo com a Palavra.

Diferentemente de Barth, Brunner admite que se pode achar verdade no filósofo, no ateu ou no adepto de seitas não cristãs, assim estabelecendo diálogo com eles, mas reconhecendo que eles não podem possuir suficiente e completo conhecimento verdadeiro de Deus.

Acerca, ainda, da revelação, Brunner procura solucionar o problema passando pelo idealismo, que admite a verdade na história, e pelo positivismo, que nega a transcendência e baseia-se nos fatos e na experiência, voltando-se para a vida prática. Concorda com Kierkegaard na distinção entre o tempo e a eternidade e considera Jesus Cristo como o Absoluto e o Relativo (depende de certas condições históricas) em tangência.

Na teologia brunniana, o dogma de Jesus sem pecado é ato de fé e não base de fé. "Cremos que ele é sem pecado por crermos nele. Não é que cremos nele por causa de Ele ser sem pecado."

Brunner nega, além de outros, o nascimento virginal de Cristo, os 40 dias pós-ressurreição, e a ascensão física do Senhor.

As questões acima apresentam implicações seriíssimas: ao admitir que Jesus Cristo pode ser conhecido historicamente, Brunner faz perder tudo.

Reinhold Niebuhr (1892-1971). Teólogo norte-americano, formou-se em 1915 e, cheio de convicções liberalistas, foi pastorear uma pequena igreja de operários em Detroit, quando percebeu a ineficácia da sua teologia.

Inclinou-se depois para o marxismo, mas, a partir de 1940, converteu-se à nova ortodoxia. Seus ensinos principais são:

A relação do homem com Deus não pode ser expressa em termos racionais e lógicos, mas apenas em termos de mitos;

Qualquer tentativa para provar a revelação está errada;

Acerca do pecado, nega a herança de culpa de Adão, aceitando apenas a queda individual;

O cristão deve ser um eterno revolucionário, não se conformando com as reformas sociais, sempre imperfeitas;

O amor de Cristo revela o amor humano, que é possibilidade impossível;

A queda não modificou a natureza e estrutura essenciais do homem, assim como a cegueira não retira o olho do corpo;

No momento em que a pessoa se transcende, surge a memória da perfeição original.

Paul Tillich (1886-1965). Teólogo alemão, foi professor de Teologia nas universidades de Berlim, Malburg e Leipzig. Em 1933, com o advento do nazismo, emigrou, ajudado por Reinhold Niebuhr, para os Estados Unidos, onde lecionou em Nova York, Harvard e Chicago.

A posição teológica de Tillich tem sido considerada como entre o liberalismo e o neomodernismo. Ele insiste em que a religião deve ser submetida ao exame da razão e o Cristianismo pode ser compreendido pelo conhecimento secular, mas conclui que o critério final de toda revelação está em Jesus como o Cristo.

Para Tillich, Deus não existe. Ele não é nem natural e nem sobrenatural. Deus transcende o homem como o fundamento da sua existência. Deus não é um ser, mas é o poder de ser, o fundamento de todo o ser, porém não objetivo e não sobrenatural, mas um incondicionado impessoal, enquanto Jesus revela a realidade última como aquele que reúne em si mesmo o homem-essência e o homem-existência, e preenche plenamente a condição finita e trágica da humanidade.

Tillich aproxima-se, no conceito de Deus, do panenteísmo, ou seja, sistema filosófico criado pelo alemão Karl Christian Friedrich Krause (1781-1832), que vê todos os seres em Deus e Deus em todos os seres. (Diverge de panteísmo: adoração da natureza, por admitir que Deus está em toda a natureza).

Tillich rejeita como antiquado o teísmo bíblico, reduz o amor, a misericórdia e o julgamento divinos a expressões vazias de significado bíblico.

A fé é o estado de ser possuído por uma preocupação última, que se preocupa com o nosso "donde" e nosso "para onde".

Alguns contrastes entre Tillich e o Novo Testamento:

A frase-chave de Tillich é "preocupação última", enquanto Jesus adverte que não estejamos preocupados. A confiança em Jesus traz paz ao coração, descanso para a alma (Lc 12.24; Mt 11.28);

O ponto de partida de Tillich é de que a vida está sem sentido, a despeito do que nos cabe uma atitude de afirmação. O Novo Testamento ensina que fomos chamados para "sermos para louvor da sua glória, nós, os que primeiro esperamos em Cristo". E isto significa que o cristão vive realmente com um propósito sublime e claramente definido;

A teologia de Tillich prega a nossa afirmação própria. O Senhor Jesus ensinou diferentemente: "Se alguém quer vir após mim, negue-se a si mesmo, tome cada dia a sua cruz, e siga-me" (Lc 9.23).

PREPARANDO O CAMINHO A HITLER

Por mais curioso que possa parecer, considera-se a teologia transcendental um dos principais responsáveis pela deflagração da Segunda Guerra Mundial. A infiltração dessa tendência nas igrejas protestantes da Alemanha, a pátria da Alta Crítica, acelerou o desenvolvimento do niilismo, doutrina que rejeita toda e qualquer crença e nega, em absoluto, que o homem possa atingir a Verdade. Essa "filosofia do desespero", nascida da Alta Crítica, preparou o caminho a Hitler. Este fato, plenamente reconhecido do ponto de vista filosófico, dá-nos uma idéia da influência perniciosa do modernismo na vida prática de nossos dias.

Apoiados em sua falsa autoridade, os discípulo de Barth se julgam os únicos capazes de resolver os mais cruciantes problemas do mundo atual. Assumem, assim, por conta própria, a posição de conselheiros das nações. Possuindo tal convicção já deram um grande passo nesse sentido, ao contribuírem para a criação do Conselho (ou Concílio) Mundial de Igrejas (CMI).

Através dessa poderosa organização ecumênica, a política internacional vem sofrendo a influência dessa teologia, pois seus adeptos são proeminentemente políticos de idéias avançadas, aspiradores por nada menos que um governo mundial. Vejamos:

"Por seu convênio a CIQI (Comissão das Igrejas sobre Questões Internacionais) está autorizada a manter aqueles contatos com as Nações Unidas e outros corpos internacionais que contribuam para o desenvolvimento progressivo e para a codificação da lei internacional, e para o desenvolvimento progressivo de instruções supranacionais".[23]

"Para estarem à altura do seu papel na vida internacional, as Nações Unidas precisam contar com o constante apoio de todos os seus membros... As igrejas deveriam exortar os governos a que se desincumbissem da totalidade de suas responsabilidades para que se preparassem para aumentar seus esforços em prol da causa comum da paz e do progresso ordeiro.

"Mas deve ser dito às nações mais novas, bem como às mais antigas que a evolução de uma ordem internacional requererá de todos certa proporção de rendição de autonomia e soberania em favor da comunidade mundial."[24 e 25]

"A Comissão das Igrejas sobre Questões Internacionais, reunida na Índia, resolveu por voto unânime que nós, seu Presidente e Diretor, déssemos a V. Excia. a certeza do apoio e das orações enquanto V. Excia. se desincumbe de seus altos deveres sob o convênio. Ao retornar da Assembléia do Concílio Mundial de Igrejas em Nova Délhi, o Diretor espera fazer uma visita de cortesia a V. Excia. para informá-lo sobre as ações relacionadas com as questões internacionais."[26]

Ninguém mais poderá duvidar de que tem sido grande a influência desses teólogos na política internacional. Esse mesmo Dr. Nolde trabalhou durante quase cinco anos nas Nações Unidas e a ele se deve, em grande parte, a elaboração da Declaração Universal dos Direitos do Homem.

ACEITAÇÃO DA HIPÓTESE DARWINISTA

No campo religioso, por negarem a autoridade da Bíblia e edificarem sobre o nada a sua própria autoridade, os neoliberalistas se apresentam com posições doutrinárias dissonantes acerca do homem, do universo e de Deus. Aceitam geralmente a antibíblica teoria da evolução, na sua versão darwinista, segundo a qual o homem descende do macaco. Vêem na ordem maravilhosa do universo nada mais que um amontoado de partículas rodopiantes, sem nenhuma relação entre si, e, quanto a Deus, um neomodernista de renome chegou a afirmar que Ele é, simplesmente, um elemento da alma humana.

A influência dessas teorias tem originado os mais contraditórios e ininteligíveis quadros de pintura moderna, os mais embrutecidos ritmos e melodias etc., como um reflexo confuso e sem significado que muitos vêem no mundo das artes.

Saliente-se, entretanto, que é a teologia bíblica que mais sofre a sua influência deletéria, pois nesse campo o movimento é ardorosamente atuante. Seus adeptos vêem nas religiões pagã e cristã apenas autoritários instrumentos que devem influenciar diretamente a política mundial. Eles estão vivamente empenhados em falar aos governantes em nome de todas as religiões, muitas das quais já integrantes do CMI, de orientação neomodernista.

REBAIXANDO CRISTO

Os adeptos do neomodernismo procuram rebaixar Cristo a ponto de ligar seu nome ao de Buda, Maomé, Confúcio, etc., considerando o Cristianismo, desta forma, semelhante às religiões pagãs do Oriente.

É isso o que se depreende de um relatório acerca das missões estrangeiras, financiado por Rockfeller. Entre outras coisas diz o referido documento:

> *Se não houvesse no âmago de todos os credos um centro de verdades religiosas, nem o cristianismo nem qualquer outro credo teria qualquer coisa sobre quem edificar-se. Dentro da religiosidade do povo comum de cada terra, impregnado de superstições, como geralmente está, e rebaixado pelos interesses individuais vulgares em suas negociações com os deuses, existe este germe, o da intuição religiosa inalienável da alma humana.*
> *O Deus desta intuição é o verdadeiro Deus. Quanto a isto, a religião universal não precisa ser estabelecida, ela existe. A tarefa do cristianismo não é argumentar com o islamismo, ou o budismo, mas com o materialismo, o sectarismo e o naturalismo. Não se*

trata mais de: Que profeta? ou, Que livro? Trata-se de saber se qualquer profeta, livro, revelação, rito, igreja merece confiança.

Mais adiante, conclui o documento:

Os evangelistas locais e outros trabalhadores leigos na Ásia raramente são competentes para levar avante o nosso programa, que é difícil, lento, e requer sabedoria; eles estão, em sua maioria, sem preparo adequado, sua mensagem é formulada doutrinariamente e sem base suficiente sobre o significado humano: ela carece do cabedal de idéias necessário a uma profunda influência sobre a vida...
Acreditamos, pois, que a ocasião chegou de os aspectos educacionais e filantrópicos do trabalho missionário serem libertos da responsabilidade organizada para com o trabalho de evangelização cônscio e direto. Devemos estar desejosos de dar muito sem qualquer pregação...[27]

Na Conferência Mundial Missionária, realizada em 1928, em Jerusalém, pelo Conselho Internacional de Missões, foram feitos diversos acordos importantes, que declaravam, entre outras coisas, o seguinte: "Incitamos os seguidores das religiões não cristãs a permanecerem firmes em suas crenças num mundo eterno e invisível e a darem mãos conosco numa batalha intensa contra todos os males que são engendrados pela civilização moderna."[28]

Diante de tais afrontas à fé cristã, e de tão furiosos e falsos ventos doutrinários, os evangélicos não têm alternativa senão a de se firmarem ainda mais na Rocha Inabalável — a Bíblia — a fim de não serem levados às areias movediças do "cristianismo" apóstata, pregado pelos "lobos devoradores" do neomodernismo.

A NEGAÇÃO DO CARÁTER ABSOLUTO DA VERDADE

Emergindo das teorias da Alta Crítica, o neomodernismo, da mesma maneira como o seu predecessor movimento liberal, nega verdades básicas do Cristianismo, a começar pela rejeição das Escrituras como divinamente inspiradas por Deus. Alega que a composição literária da Bíblia assemelha-se a uma "colcha de retalhos", dada a variedade de documentos juntados "desordenadamente" através dos séculos para a sua formação.

Esta hipótese, assim como todas as outras levantadas pela Alta Crítica, não aceita a Bíblia como Palavra de Deus e repudia sua historicidade.

Desprezando verdades fundamentais da fé cristã, o neomodernismo não passa de um frio negativismo, bem mais perigoso que o materialismo ateu. Aliás, seus adeptos seriam mais honestos e menos nocivos aos evangélicos se tirassem de sobre si a capa de cristianismo que ostentam e mostrassem logo que são ateístas disfarçados em cristãos, ou seja, lobos devoradores vestidos de ovelhas.

Nas palavras de um estudioso das Escrituras, pastor N. M. Angelin, "é uma hipocrisia, realmente, quando um modernista se chama cristão. Ele não é cristão. Que cristianismo é esse que renega a Cristo? Pois não crendo no Cristo segundo as Escrituras, pregam outro Jesus (1 Co 11.4). O Jesus deles não tinha preexistência, não foi gerado pelo Espírito Santo, não nasceu de uma virgem, não morreu uma morte substitutiva, não ressuscitou dos mortos. Portanto, nenhum sacrifício, nenhum sangue, nenhuma redenção. Um triste negativismo: não! não! não...!"

Para o neoliberalista, o pecado não é um ato revoltoso contra Deus, que exige perdão divino, mas alguma coisa que o psiquiatra pode arrancar do subconsciente. O sentimento de culpa não passa de um impulso psíquico, que deve ser suprimido, pois, ficando na alma, cria complexos.

Quanto à salvação, entendem os neoliberais que esta se trata apenas um ato intelectual de aceitação de um conjunto de idéias e ideologias dissonantes. Resumindo, Cristo não passa de um exemplo a ser imitado. Este, que seria o único ponto positivo do neomodernismo, é apenas mais uma utopia, pois para imitar a Cristo eles não recorrem a Ele, mas lutam na força da vontade.

Os pontos cardinais desse sistema:

As maravilhas da Bíblia são incríveis;
O Deus do Antigo Testamento foi somente um Deus tribal, tão corrupto como os seus adoradores;

O texto bíblico é simplesmente a forma com que certos homens exprimiram suas experiências;

Cristo morreu a morte de um mártir, e não uma morte substitutiva por nós;

Não há ressurreição dos mortos: o corpo de Jesus foi transportado do túmulo de alguma maneira, mas não ressurgiu;

Cristo não era todo-poderoso.

Em toda a sua volumosa obra, Barth defende ainda os seguintes pontos de vista contrários aos ensinos claros da Bíblia:

Deísmo-filosófico — Deus está no céu, e nada nos é possível saber acerca dEle;

A Bíblia é, de capa a capa, palavras humanas falíveis. O homem, que tem errado em toda palavra, com essa mesma palavra falível tem pronunciado a Palavra de Deus. A Bíblia não é a Palavra de Deus, mas a contém;

Jesus não teve um nascimento virginal, o que eqüivale a dizer que não é Deus, mas um homem como Moisés, Confúcio ou Buda;

Jesus morreu em desespero e mostrou, com sua morte, que nenhum homem pode chegar-se a Deus. A morte de Jesus não foi vicária; Ele não cumpriu a justiça divina;

A ressurreição de Cristo é um mito. Ele não saiu do túmulo, não apareceu aos discípulos, não ressuscitou. Barth concorda com D. F. Strauss quando este afirma que a ressurreição de Cristo não passou de um embuste histórico;

Não haverá segunda vinda de Cristo. Para Barth, é egoísta o cristão que alimenta a esperança de uma vida melhor após a morte. Ele, quando é verdadeiramente crente, não precisa da imortalidade da alma, nem do juízo final nem do céu.

Finalmente, a opinião do Dr. David Hedegard:

> *Quando consideramos o que Karl Barth ensina sobre Deus e sobre a revelação de Deus, precisamos chegar à conclusão de que ele fala acerca de um deus desconhecido. Como os homens de Atenas (At 17.23), ele também erigiu um altar ao deus desconhecido. Ora,*

visto que sabemos isso, é claro que Karl Barth não é profeta. Os profetas do Antigo Testamento proclamavam: "Assim diz o Senhor". Mas o título que deveria ser posto sobre os escritos de Karl Barth deveria ser: "Assim diz Karl Barth".[29]

Ideologicamente, o neomodernismo é também uma negação do caráter absoluto da verdade. Não aceitando a autoridade da Bíblia, compreenderam que era preciso descobrir uma nova autoridade, mas sem renegar as teorias hipotéticas da Alta Crítica, fonte de muitos males. Muito embora violando a regra geral pela qual se estabelece se uma idéia é verdadeira ou falsa, Karl Barth conseguiu criar uma autoridade suspensa no vácuo entre o céu e a terra.

Essa nova autoridade originou-se da fusão de dois elementos extremamente adversos: o cristianismo histórico e o conjunto de hipóteses da Alta Crítica. Como esses elementos são reconhecidamente irreconciliáveis, a lógica recomenda que se aceite um e rejeite outro. Tal, porém, não foi e não tem sido a atitude dos neomodernistas. Eles aceitam e negam a ambos, ao mesmo tempo, servindo-se de uma linguagem dúbia e subjetiva que nunca define coisa alguma, para que os incautos não percebam tais absurdos.

Nesta base uma idéia pode ser, paradoxalmente, verdadeira e falsa ao mesmo tempo. Verdadeira do ponto de vista religioso e falsa do ponto de vista histórico. No dizer do Dr. Francis A. Schaeffer, "neste sistema recebem-se as contradições com complacência, e saúdam-se com alegria tanto as variantes do pensamento como os próprios paradoxos. As palavras dos neomodernistas parecem bastante profundas, mas vistas na justa perspectiva, revelam-se mais próximas da loucura que do gênio".[30]

PERGUNTAS PARA REVISÃO

1. Cite outros nomes do neomodernismo.
2. Que significa o adjetivo "transcendental" aplicado à teologia de Barth?
3. Como Brunner define o dogma de Jesus sem pecado?
4. Segundo Niebuhr, o que sucede à pessoa no momento em que ela se transcende?
5. De que maneira Tillich se aproxima do panenteísmo?
6. Dê uma definição do niilismo.
7. Como os neomodernistas vêem o problema do pecado?
8. Como Barth encara a ressurreição de Cristo?

15 NOVAS CORRENTES TEOLÓGICAS

A TEOLOGIA DO MITO

A teologia do mito tem como um de seus principais criadores o teólogo alemão Rudolf Bultmann (1884-1976), que em 1941, numa conferência intitulada "O Novo Testamento e a Mitologia", disse que esta parte das Escrituras está cheia de mitos, à luz dos quais se deveriam examinar a pessoa de Cristo e o comportamento da igreja apostólica.

Para Bultmann, todos os escritores do Novo Testamento pensavam e escreviam tendo em vista uma visão global do mundo antigo, no qual havia três divisões: a superior ou invisível, habitada pelos anjos, o mundo sobrenatural de Deus; o mundo inferior, escuro, habitado pelos demônios; e o nosso mundo, que fica entre os outros dois.

Numa de suas conferências, afirmou Bultmann que hoje "não se pode utilizar a luz elétrica e os aparelhos de rádio, apelar para medicamentos e clínicas modernas quando se está enfermo, e ao mesmo tempo crer nos milagres do Novo Testamento."[31]

> *De acordo com esse processo de determinação, pode-se crer em Jesus Cristo e aceitá-lo como Deus e Salvador sem a necessidade de acreditar no nascimento virginal, na encarnação, no túmulo vazio, na ressurreição e na segunda vinda. Todos estes elementos seriam derivados da mitologia judaica e do gnosticismo helenístico. Segundo Bultmann, a desmitificação dos evangelhos não significa a eliminação do mito, como procurou fazer a teologia liberal, mas*

a sua interpretação através de uma hermenêutica particular, sendo eles necessários por oferecerem ao homem condições de perceber o enigmatismo do mundo. Assim, através da sua reinterpretação, o mito seria utilizado como instrumento auxiliar na compreensão da existência humana.

Percebemos, na teologia do mito, que Bultmann sofreu a influência de diversos filósofos e teólogos, inclusive do ateu francês C. F. Dupuis, que a partir de 1795 começou a interpretar a Bíblia do ponto de vista místico. São os seguintes os conceitos herdados por Bultmann de outras escolas: existencialismo, de Martin Heidegger; gnosticismo, de Reitzenstein, e religião helênica, de Wilhelm Bousset.

Outros ensinos de Bultmann:

A Escritura não explica a si mesma, conforme ensina a hermenêutica da Reforma Protestante, mas está sujeita aos métodos modernos da ciência autônoma e às pressuposições filosóficas;

O Cristianismo não é uma religião histórica positiva;

O Evangelho de João está eivado de temas gnósticos, sendo alguns deles a noção do cosmos, a sua cristologia, segundo a qual Jesus é uma revelação de Deus.

Bultmann rejeita, por considerá-los mitológicos, os conceitos neotestamentários de que o reino escatológico está prestes a irromper na história; de que o mundo atual está governado por elementos demoníacos, e de que o sobrenatural intervém no mundo, manifestando-se através de milagres.

Exame crítico

Algumas observações críticas à teologia bultmaniana:

Na sua reinterpretação do evangelho, elimina o sentido original dos termos e torna ininteligível a mensagem;
O problema do homem é o seu pecado, segundo o Evangelho, e a solução é o sacrifício de Cristo. Para Bultmann, tal problema é a sua finitude;

O uso da filosofia contemporânea para formular a fé cristã pode distorcer o ensino cristão, introduzir idéias estranhas ao Cristianismo através da reinterpretação da terminologia tradicional, e acomodar a fé cristã à filosofia tradicional;

Ao ensinar que a teologia existencialista é antropocêntrica, concorda com Fenerbach de que a teologia tornou-se antropologia;

Depois do programa de desmificação dos evangelhos, o Jesus que sobra é tão débil que jamais chamaria a atenção de alguém, e muito menos motivaria a sua lealdade. Um Jesus assim insignificante tem sido o tema de peças teatrais profanas e irreverentes, como a "Jesus Cristo Superstar", na qual Judas Iscariotes é o verdadeiro herói e Cristo não passa de uma figura covarde, que duvida a todo momento da sua missão;

Bultmann ignora por completo o papel do Antigo Testamento na formação do Novo, ao considerar este eivado de mitos e influenciado pelo gnosticismo ou helenismo;

A "Sola fide" de Bultmann nada tem de semelhante à de Lutero, que se baseava no testemunho bíblico.

A TEOLOGIA DA ESPERANÇA

Wolfhart Pannenberg e Jürgen Moltmann são os principais promotores dessa utópica corrente teológica, que deriva da dialética hegeliana de um conceito otimista do homem.

A teologia da esperança constitui uma reação ao barthianismo antiescatológico, pois procura levar a sério a história e o futuro considerando este dependente daquela, reagindo assim ao existencialismo de Barth e Bultmann, que enfatiza o *aqui* e o *agora*.

Pannenberg e Moltmann situam o problema do mistério de Deus em termos de futuro escatológico, numa tentativa de evitar o que consideram falácia do ontologismo divino. Para eles, o caráter misterioso de Deus estaria no fato de que ao longo da história o homem recebeu apenas as promessas de salvação futura. Assim, Deus não estaria no passado, nem em algum espaço, pois ele seria o poder do futuro, chamando tanto o homem como a história para a sua complementação. Nessa direção interpretam-se as categorias tradicionais da teologia cristã.

Nesta escola, Jesus significaria o penhor da realização futura, aquele que leva o cristão para o reino de Deus que ainda não veio.

Mais algumas pressuposições da teologia da esperança:

Na ressurreição de Jesus o futuro foi revelado prematuramente e Deus, através dela, vindica as reivindicações de Jesus antes de sua morte;

Até o final da história, apenas podemos falar da ressurreição de Jesus em termos metafísicos;

O homem tem possibilidade de apressar a vinda do futuro;

O poder da promessa divina não está na fidelidade de Deus, mas na obediência do homem.

Como uma reação ao desespero existencialista, a teologia da esperança é caracterizada pela fé no futuro e pelo otimismo, pois a esperança baseia-se na promessa divina e o cristão suporta as contradições do presente porque vive na expectativa do futuro. Cabe ao homem viver ativamente neste interregno entre a promessa e seu cumprimento, contribuindo mesmo para trazer o cumprimento.

Na teologia da esperança, o tempo que aponta para o futuro é a substância da realidade. Para Pannenberg, não se pode basear a fé em Jesus sobre a reivindicação feita por ele antes da ressurreição. A importância desta é demonstrada pelos fatos seguintes:

Assinala o início do fim do mundo;

Deus confirmou a autoridade reivindicada por Cristo;

A ressurreição permitiu aos discípulos de Jesus identificá-lo como o Filho do Homem;

Foi uma motivação para que o Evangelho fosse levado aos gentios;

O significado da ressurreição é o próprio Jesus ressurrecto.

Para Moltmann, a ressurreição de Cristo, efetuada pelo Deus de Abraão, mostra que este Deus é o mesmo do êxodo, da promessa e do futuro. Da ressurreição de Jesus Cristo procede a esperança cristã, por reconhecer neste evento o futuro de Deus para o mundo.

Moltmann afirma que a vida humana precisa arriscar-se, para ser ganha. Mas para arriscar-se, precisa de um horizonte de expectação, que é o reino de Deus prometido e futuro, o qual consertará o mundo. Somente então a justiça de Deus terá pleno cumprimento em todas as coisas.

Exame crítico

As principais observações críticas à teologia da esperança são:

Rejeita as profecias como sendo história preescrita, embora enfatize o aspecto escatológico da revelação divina;

Mesmo as promessas já cumpridas na história de Israel estão sujeitas a novas interpretações e cumprimentos;

O futuro trará algo totalmente novo, mesmo para Deus;

Embora fale da ressurreição como promessa do futuro, nada fala da cruz como pagamento do pecado;

Ignora-se o efeito do pecado. O homem é apresentado livre e capaz para o futuro, e não prisioneiro do mal;

Se o homem pode apressar o futuro por participar ativamente na sociedade, segue-se que é a sua obediência que traz o futuro e não Deus;

Longe de parecer uma renovação da escatologia bíblica, a teologia da esperança apresenta um plano de redenção universalista baseado no próprio esforço humano;

Deus não parece ser totalmente Deus, uma vez que ele também tem um futuro cheio de possiblidades. Não é o Deus que é, mas é o Deus que vem a ser;

Em virtude da ênfase na escatologia, os atos históricos e definitivos de Deus são esquecidos. Mas Deus não está apenas no futuro; está também no passado.

A posição ecumenista de Moltmann ficou bem demonstrada na conferência que proferiu em Utrecht, em agosto de 1972, perante o Comitê Central do CMI:

> *Outras épocas experimentaram, sem dúvida, conflitos de vida e morte. Hoje, porém, a verdade é que, divididos, estamos condena-*

dos; unidos, sobreviveremos. A alternativa é simples: um mundo, ou nenhum... Há necessidade de órgãos internacionais e supernacionais que tomem as decisões e exerçam responsavelmente o poder em favor da paz universal, pois nada menos que um governo universal será capaz de controlar responsavelmente o poderio militar e econômico global.

Se a paz universal é imprescindível à sobrevivência da humanidade, um governo universal também o é. Todavia, como não existe tal governo, urge iniciarmos a busca de caminhos que conduzam até lá e começarmos a andar por eles.

Se a única possibilidade de um organismo responsável pela paz universal é a associação da raça humana em alguma forma de governo de âmbito mundial, conseqüentemente órgãos distintos, de responsabilidades limitadas — instituições políticas, econômicas e religiosas — continuarão a existir e encontrarão justificativa para a sua existência somente à medida que tiverem em vista a paz universal vindoura e o futuro governo universal.[32]

A TEOLOGIA EVOLUCIONISTA

Considerada por seus fundadores e críticos como uma nova interpretação do Gênesis, a teologia evolucionista aceita o darwinismo como verdadeira ciência, e por isso descrê de doutrinas bíblicas fundamentais e desaconselha mesmo a pregação dessas doutrinas. Não admitindo o sobrenatural da Bíblia, tais teólogos vêem a hipótese evolucionista como uma explicação lógica para muitas questões em estudo nos tempos modernos, especialmente a da origem do homem.

Essa corrente teológica não deixa de ser um subproduto da Alta Crítica da Bíblia, como já vimos, segundo a qual alguns eruditos, à luz da ciência e do pensamento modernos, começaram a analisar a Palavra de Deus do ponto de vista puramente intelectual e a criticá-la irreverentemente. Em seus comentários do texto sagrado, esses doutores desprezam a sobrenaturalidade das Escrituras e consideram mito tudo aquilo que a simples razão não pode explicar.

Especialmente quanto à nossa origem, acreditam os teólogos evolucionistas que Deus realmente nos criou, não da maneira narrada pelo Gênesis, mas na forma primitiva de uma simples célula viva, e isso há algumas centenas de bilhões de anos. Argumentam que dessa primitiva e única célula originou-se todo o reino vegetal e animal. Daí para cá aceitam integralmente o evolucionismo.

Essa corrente teológica medrou muito mais no seio do catolicismo romano do que no protestantismo. Até o papa, no caso Paulo VI, em declaração através do *L'Observatore,* afirmou que os teólogos dentro da Igreja Católica Romana deveriam ter a permissão de admitir que o homem evoluiu gradualmente de algum organismo primitivo. Sugere o órgão do Vaticano que os primeiros capítulos da Bíblia não devem ser interpretados do ponto de vista histórico e natural.

O padre francês Teilhard de Chardin não discorda da opinião do Papa, pois aceita o evolucionismo de Darwin e procura justificá-lo na Bíblia, porém a partir de outra premissa. Acredita ele que Deus teria instilado uma alma no primata, o qual veio a tornar-se o homem!

Um escritor paulista comentou o arranjo de Chardin com estas palavras:

> Então a face da Terra estaria povoada por macacos, dos quais a metade tem alma e a outra parte, não! Tal é, em resumo, a teoria mágica do padre Chardin. Um de seus discípulos, Brian Pamplin, de 29 anos de idade, da Universidade de Durham, cidade inglesa, acaba de escrever O Livro da Criação em que declara ter elaborado versão científica da história bíblica da criação, procurando harmonizar, tal como Chardin, o relato bíblico com os princípios do evolucionismo!

Exame crítico

Ao afirmarem que a evolução não é apenas antiescriturística, mas também anticientífica, ilustres homens de ciência divergem das conclusões apressadas e heréticas de teólogos divorciados da Bíblia Sagrada, que tentam conciliar a verdade com a mentira, a luz com as trevas.

Um periódico paulista publicou, há alguns anos, uma nota de F. Vincent J. O'Brien, professor de ciência no Colégio Casttleknock, Irlanda, e presidente da Associação de Professores de Ciências Irlandesa. Segundo essa nota, grandes vultos científicos rejeitam a teoria da evolução. Escrevendo como um cientista, diz O'Brien:

> Parece que a maioria dos cientistas populares aceitam a evolução, pelo menos como uma hipótese, embora observe que, entre meus

*próprios amigos, os teólogos estão mais certos disso do que meus colegas cientistas. Há, contudo, um número muito significativo de cientistas de categoria superior que não aceita a teoria. Permita-se-me dizer o nome de alguns deles:
Douglas Dewar, F.Z.S., rejeita a evolução no livro apropriadamente chamado A Ilusão Transformista;
Dr. W.R.Thompson, F.R.S., que rejeitou a teoria num lugar de não menos importância do que a centenária edição da Origem das Espécies, de Darwin, escreveu novamente em 1966: "O que o grande livro da natureza nos mostra realmente não é um fluxo evolutivo, mas um mundo que é estável dentro de limites estritos... Quando examino o reino animal como um todo, os dados não sustentam, na realidade, a idéia de transformação gradual da mentalidade animal na inteligência humana";
O professor Louís Bounoure, diretor nacional do Departamento de Pesquisas Científicas da França, que aprendeu e aceitou a evolução na sua juventude, agora concorda com a opinião de seu colega cientista, Jean Rostand, que descreve a evolução como "um conto de fada para adulto";
O professor Korkut, da Universidade de Southamprton, pune os seus alunos como os piores "observadores da opinião" por não conhecerem e apreciarem as dificuldades e argumentos contra a evolução;
Escrevendo sobre a teoria evolucionista, Sir James Gray, professor emérito de zoologia em Cambridge, diz: "Nenhuma soma de argumentos ou hábil epigrama pode distinguir a improbabilidade inerente da teoria ortodoxa".*

De fato, quem poderia melhor conhecer a opinião do mundo científico do que o próprio Chardin, que continuamente se movimentou nos círculos evolucionários? Apesar de todas as suas concessões ao evolucionismo, lamenta ele: "Alguém bem pode tornar-se impaciente e perder de vista o centro vital de muitas opiniões, permanecendo ainda hoje preso à idéia da evolução".

Com seu método capcioso de interpretação das Escrituras, estão esses pretensos *doutores* da Bíblia disseminando entre o povo de Deus o mortífero veneno da sua heresia, quais lobos devoradores vestidos de ovelha. São estes, em grande parte, os principais responsáveis pelo caos moral e espiritual reinante hoje em muitas comunidades ditas cristãs, que estão impotentes para cumprir a sua missão na terra.

Não é difícil descobrir as bases da teologia evolucionista. A Bíblia ensina que duas coisas, entre outras, deveriam acontecer em nossa época: progresso da ciência e diminuição da fé: "Tu, porém, Daniel, encerra as palavras e sela o livro, até ao tempo do fim; muitos o esquadrinharão, e o saber se multiplicará" (Dn 12.4). "Digo-vos que depressa lhes fará justiça. Contudo, quando vier o Filho do homem, achará porventura fé na terra?" (Lc 18.8) "E, por se multiplicar a iniqüidade, o amor se esfriará de quase todos" (Mt 24.12).

A cada novo sucesso, a ciência, arrogantemente, se propõe a ir um pouco mais além, e realmente tem ido. Por isso, a luz que ela está projetando no mundo de hoje, graças ao empenho de um verdadeiro exército de publicitários, tenta ofuscar as demais luzes. Iludidos e ofuscados pelas promessas da ciência, os teólogos evolucionistas raciocinam que é antiquado crer numa criação especial, como narra o Gênesis, quando a ciência moderna planeja *criar* vida em laboratório, realizar clonagens humanas e selecionar e congelar genes humanos para futuras procriações dentro de especificações adrede preparadas.

Cristo é a luz do mundo para os que nasceram de novo; mas a ciência, em linhas gerais, tem sido um farol para os não regenerados. Por isso se verifica em toda a parte uma verdadeira revolução no comportamento e pensamento humanos: religiões tradicionais atualizam-se ante novos conceitos filosóficos-científicos, estando nesse número algumas organizações chamadas cristãs que há muito deixaram de confiar na Bíblia, substituindo o cristianismo espiritual, vivo e crente, pelo teologismo intelectual, morto e apóstata.

Vejamos o que ocorreu em certa igreja vitimada por um desses *mercenários*. Ao visitar um membro enfermo, o pastor, homem "atualizado" na teologia do mito, desejou ler alguma coisa na Bíblia do moribundo para consolá-lo e lhe foi entregue, então, um volume terrivelmente mutilado, onde faltavam versículos, capítulos e até livros inteiros. Surpreso, quis saber a razão de tanta irreverência para com o livro sagrado, ao que lhe respondeu o doente: "Cada vez que o Sr. ensinava que tal versículo não era verdadeiro, que certos capítulos e livros não eram dignos de confiança, eu os cortava. Acho que se eu continuasse vivendo por mais algum tempo e se o Sr. continuasse como meu pastor, de toda a Bíblia só me sobrariam as capas."

Todavia, os verdadeiros sábios conhecem as reais limitações da ciência e glorificam a Deus a cada nova conquista científica em benefício da humanidade. Somente os pseudocientistas, vaidosos, orgulhosos e materialistas prometem os mais extravagantes milagres, arrogando para a ciência poderes que ela está longe de possuir.

A TEOLOGIA DO EVANGELHO SOCIAL

Tendo suas raízes em Friedrich Schleiermacher (1764-1834), teólogo e filósofo alemão, considerado cristocêntrico e visionário pelos racionalistas e radical pelos ortodoxos, a *teologia do evangelho social* sofreu também a influência de outro teólogo alemão, Albrecht Ritchl (1822-1889), que ressaltou o conteúdo ético-social da Teologia.

Como uma das expressões mais características da teologia liberal norte-americana, o *evangelho social* teve como o seu maior intérprete o pastor batista Walter Rauschembusch (1861-1918), professor no seminário batista de Rochester, de 1897 até o seu falecimento.

Na América do Sul, esse movimento pode também ser identificado como a "teologia da libertação", cujas linhas ideológicas chegam mesmo ao extremo de propor uma aliança estratégica entre cristãos revolucionários e marxistas não dogmáticos, no propósito comum de estabelecerem a "justiça social", até mesmo por meio de uma revolução.

Embora tenha suas origens em meados do século passado, a *teologia do evangelho social*, também conhecida como *O Evangelho do Caminho de Jericó*, alcançou maior sucesso nos anos seguintes à Primeira Guerra Mundial, pelo fato de se atribuir às injustiças sociais as causas da grande conflagração internacional que ceifou milhões de vidas.

O movimento teve o seu lado positivo, pois procurou levar a Igreja a empenhar-se em atividades mais amplas em favor dos menos favorecidos da sorte, e criticou os governos corruptos e os sistemas ideológicos injustos. Foi uma resposta nova da ética cristã em uma nova situação histórica, pois, particularmente nos Estados Unidos, era grande o número de problemas decorrentes do rápido crescimento industrial. A consciência cristã, assim desafiada, converteu-se numa "consciência social".

Rauschembusch, filho de um missionário luterano junto aos alemães, quando pastoreava a segunda igreja batista alemã de Nova York, em 1886, impressionou-se com as deprimentes condições sociais ali existentes. Fundou o influente movimento *Fraternidade do Reino*, que lançou, em 1889, a revista mensal *Pelo Direito,* visando a classe trabalhadora e defendendo um programa social cristão. Seu livro *Cristianismo e a Crise Social,* editado em 1907, obteve grande sucesso, pois foram feitas 17 edições com um total de 50 mil exemplares vendidos.

Identificando o reino de Deus como um reino neste mundo, o *evangelho social* assumiu a liderança do neoprotestantismo entre as duas grandes guerras mundiais, ocupando assim o terreno perdido pelo liberalismo, cujo otimismo sofreu fragorosa derrota com a guerra de 1914-1918.

Nessa corrente teológica, o propósito original do cristianismo seria transformar a sociedade no reino de Deus, baseando-se em João 10.10: "O ladrão não vem senão a roubar, a matar e a destruir; eu vim para que tenham vida, e a tenham com abundância." Isto seria conseguido através de uma reconstituição das relações humanas.

Assim, o reino de Deus fundado por Jesus seria teleológico, ou seja, considera-se o mundo como um sistema de relações entre meios e fins. A igreja existiria para realizar o reino, lutando contra o mal e constituindo-se em meio de salvação para a sociedade.

Nessa teologia, o pecado original não existe. Todos nós participamos na culpa da comunidade, sendo a exploração dos pobres, as favelas, as péssimas condições de trabalho, o trabalho das crianças, etc., os maiores pecados.

A força motriz para a eliminação do pecado da comunidade seria o amor pela humanidade. A igreja redime a sociedade pela educação, pela moralidade. A salvação torna-se, portanto, pelas obras.

O Evangelho Social rejeita o Deus transcendente e prega um Deus imanente, que se esforça em nossos esforços. Jesus, nessa teologia, é um grande mestre, exemplo inigualável de moral, mas sempre homem e meramente homem. Ele é o *primus inter pares*.

Sendo uma teologia de acomodação e de ajuste às conquistas nos campos da ciência, da evolução, da economia e da política, tem como alvo a transformação das instituições sociais pelo evangelho, como: família, igreja, escolas, governo, etc., concluindo que o cristianismo existe para reformar a sociedade.

No Brasil, que passa agora por uma fase de transformação como a ocorrida nos Estados Unidos um século atrás, o evangelho social está presente numa tendência de querer comprometer a igreja com os movimentos sociais rurais ou urbanos, como o Movimento Sem-Terra, os sindicatos, etc.

Eis, a seguir, alguns dos pontos mais salientes dessa corrente teológica:

Ensina que a Igreja deve assumir um compromisso com os pobres, e que tal compromisso não é uma tarefa a vir depois de uma revolução, mas que se impõe já, como uma condição de nossa fé na obra de Jesus;

Afirma sua fé nos pobres e nas possibilidades de eles se organizarem e obterem a libertação da escravidão em que vivem;

Entende que a Igreja tem por missão denunciar a riqueza geradora de injustiças e protestar contra ela.

Exame crítico

Uma análise da teologia do evangelho social, do ponto de vista do ensino bíblico mostra o seguinte:

Abandonou o Deus pessoal, a doutrina do pecado original e todo sentido sobrenatural da vida cristã;

O problema principal é o pecado individual e não a desigualdade dos bens deste mundo. Jesus não condenou os ricos como ricos e nem defendeu os pobres como pobres;

As palavras de Jesus: "O meu reino não é deste mundo" (Jo 18.36) não significam tão-somente que havia uma distância imensa entre as condições sociais de Jesus e as de Pilatos. O texto de Mateus 6.33 certamente não trata de um reino deste mundo;

As duas guerras mundiais provaram definitivamente que o homem é um pecador nato e sem quaisquer condições de, por si mesmo, amar o seu próximo;

O amor dirigido a apenas uma classe torna-se abstrato e não alcança o indivíduo. O comunismo, como regime voltado para os interesses de uma classe — os proletários —, alimenta-se do ódio aos burgueses. O amor ensinado e exemplificado por Jesus não pode-se comparar com o de classes, conforme Mateus 5.44;

Nenhuma reforma social é possível sem que os indivíduos, cada um de *per si*, experimentem o arrependimento e recebam de Deus o perdão e o poder para viverem uma nova vida em que "as coisas velhas já passaram" (2 Co 5.17);

O pecado seria da "sociedade" e não do indivíduo, razão pela qual no evangelho social não existe arrependimento pessoal;

A redenção seria pela educação e não pelo sacrifício vicário de Cristo.

A TEOLOGIA DO CRISTIANISMO SEM RELIGIÃO

Como uma conseqüência do movimento anti-sobrenaturalista e relativista iniciado por Friedrich Schleirmacher (1768-1834), a teologia do cristianismo sem religião surgiu após a Segunda Guerra Mundial, baseada em Dietrich Bonhoeffer (1906-1945), teólogo luterano alemão condenado à morte e enforcado aos 39 anos de idade, em Flossenburg, dia 9 de abril de 1945, sob a acusação de conspirar contra a vida de Hitler e o regime nazista.

Depois de doutorar-se em teologia pela Universidade de Berlim (1927), Bonhoeffer foi aprovado em seu segundo exame eclesiástico, em 1930, quando lecionou sua primeira aula, intitulada *O Homem na Filosofia e Teologia Contemporâneas*.

Nos anos de 1930 e 1931, mediante bolsa de estudos, Bonhoeffer estudou em Nova York, onde conheceu, entre outros renomados teólogos, Neibuhr, Henry P. Van Dusen e Jean Lasserre. Contudo, ao retornar à Europa, estava decepcionado de sua experiência nos Estados Unidos. Resolve, então, transformar-se de um intelectual num cristão prático.

Bonhoeffer lecionou os seguintes cursos na Universidade de Berlim, entre 1931-1933: História de Teologia Sistemática do Século Vinte, A Filosofia e a Teologia Protestante, A Natureza da Igreja, Existe uma Ética Cristã?, Criação e Queda, A Filosofia da Religião de Hegel, etc.

Em Londres, onde exerceu o ministério eclesiástico a partir de 1933, Bonhoeffer engaja-se na resistência alemã contra o regime nazista. Retorna ao seu país em 1935 e assume a direção do Seminário de Pregadores de

Finkenwalde, da Igreja Confessante. Planeja frustado atentado contra a vida de Hitler, em 1943, e é preso, iniciando-se o período de suas cartas da prisão.

O problema básico da teologia de Bonhoeffer é a autonomia do homem e a secularização do mundo. A Divindade está sendo marginalizada pela ciência, e o homem simplesmente não pode mais ser religioso. Ele pode viver bem sem Deus.

Bonhoeffer, todavia, não deu soluções para o seu cristianismo sem religião: como seria esse cristianismo? Como Cristo pode ser o Senhor dos irreligiosos? Como falar de Deus sem ter uma religião? Como pode a igreja pertencer inteiramente ao mundo? Qual o lugar do culto e da oração num cristianismo sem religião?

O padre católico francês, Marie Doménique Chenu (1895-), concorda com Bonhoeffer quando afirma que "a religião, como tal, emana do homem, da profundeza do seu ser e da consciência de seu destino coletivo".

Assim, a fé se oporia à religião, e esta seria uma criação puramente humana, concordando desta maneira com o pensamento materialista de Feuerbach e Marx. Uma fé totalmente destituída de ritos, de liturgia e de quaisquer outros sinais exteriores ou manifestação visível, reduzindo a vivência religiosa a um "contato íntimo com Deus no segredo da sua alma".

Há muitos paradoxos na teologia de Bonhoeffer, e afirma-se que muitos autores não conseguiram penetrar nos labirintos do seu pensamento, nem acompanhar a sua evolução. Acreditam alguns que ele, pelas vicissitudes por que passou e pela sua morte prematura, não tenha podido concluir seus conceitos teológicos e filosóficos.

Bonhoeffer afirma, entre outras coisas, o seguinte:

Deus é o além no meio de nossa vida;
Deus nos ensina a necessidade de vivermos como pessoas que passam muito bem sem Ele;
O Deus que está conosco é o Deus que nos abandona;
O mundo de hoje, por ser mais sem Deus do que nunca, pode estar mais perto de Deus do que as gerações passadas;

Ser mundano e viver inteiramente neste mundo é o caminho para a fé e para ser ele mesmo — o homem — sem tentar ser religioso, santo, etc.

Segundo Bonhoeffer, Cristo não é um homem, mas é homem. O que acontece a Ele acontece aos homens. A igreja não é uma comunidade religiosa que adora a Cristo, mas é o próprio Cristo entre os homens.

Analisando o problema da responsabilidade, Bonhoeffer conclui que mesmo a verdade deixa de ser um fim, para se colocar a serviço da consciência livre do cristão. Dentro desse objetivo de servir ao próximo, o homem pode e deve mentir em certas circunstâncias.

"Dizer a verdade muda de significado de acordo com a situação em que nos encontramos", afirma o teólogo, para quem mentir não é faltar com a verdade, pois pode-se mentir, dizendo toda a verdade.

De uma maneira geral, são estas as mais conhecidas posições de Bonhoeffer:

A Igreja só é Igreja quando existe para os outros. Portanto, a Igreja deve entregar todo o seu patrimônio aos necessitados. Os ministros devem viver exclusivamente dos donativos voluntários da comunidade; talvez tenham que exercer qualquer profissão profana. A Igreja deve participar das tarefas profanas da vida na coletividade humana, não como quem governa, mas como quem ajuda e serve.

Portanto, o cristão tem de viver no mundo sem Deus e não pode fazer a tentativa de encobrir este estado sem Deus de algum modo religiosamente, querendo até glorificá-lo. Ele terá que viver "mundanamente" e participar assim do sofrimento de Deus: ele pode viver "mundanamente", isto é, livre de restrições religiosas falsas e de complexos artificiais.

Ser cristão não significa ser religioso em uma determinada direção e sob a pressão de qualquer metódica tornar-se algo (pecador, penitente ou santo), mas, ao contrário, ser cristão é ser homem. Não é que o ato religioso produz o homem, mas sim a participação no padecimento de Deus na vida do mundo.

Deus nos faz saber que devemos viver como aqueles que se arranjam na vida sem ele. O Deus que está conosco é o Deus que nos abandona (Mc 15.34). O Deus que nos deixa viver no mundo, sem a hipótese do trabalho de Deus, é o Deus diante do qual permanentemente temos de estar. Diante de Deus e com Deus, vivemos sem Deus.

Deus permite que ele seja expulso do mundo até à cruz. Deus é impotente e fraco no mundo, e exatamente assim ele está ao nosso lado e nos ajuda. Conforme Mateus 8.17 deixa bem claro que Cristo não ajuda graças à sua onipotência, mas graças à sua fraqueza e ao seu sofrimento.

Isto quer dizer, de um lado, falar metafisicamente e, do outro, de modo individualista. Ambas as maneiras não atingem nem a mensagem bíblica nem o homem moderno. Não é que o problema individualista pela salvação pessoal da alma quase que totalmente desapareceu? Não devemos hoje ter a impressão de que há problemas bem mais importantes do que este (talvez não como assunto, mais sim como problema)? Sei muito bem que soa monstruoso afirmar tal coisa, mas não é também, no fundo, bíblico? Há mesmo no Antigo Testamento o problema pela salvação da alma? Não são justamente a justiça e o Reino de Deus na terra o centro de tudo?

Um problema que não chega a uma solução dentro de mim é a questão de saber o que é o cristianismo e, também, quem é Cristo hoje para nós, verdadeiramente. O tempo em que se podia dizer tudo ao homem com simples palavras — quer sejam teológicas, quer piedosas — já passou. Assim também já passou o tempo da interioridade e da consciência, o que podemos resumir nas palavras: passou o tempo mesmo da religião. Nós marchamos para uma época sem religião alguma.

Um dia há de chegar em que os homens novamente serão chamados a proferir a Palavra de Deus, de tal maneira que o mundo, sob sua influência, se transforme e renove. Será uma linguagem nova, talvez completamente arreligiosa, mas será uma linguagem libertadora e redentora como a fala de Jesus. Então os homens hão de se espantar com ela, mas mesmo assim serão dominados por seu poder. Será a linguagem de uma nova justiça e verdade, a linguagem que anuncia a paz de Deus com os homens e a proximidade de seu Reino.

Só quando se tiver conhecido a impossibilidade de pronunciar o nome de Deus será viável pronunciar-se alguma vez o nome de Cristo. Somente quando se tiver chegado a amar a vida e a terra de tal maneira que pareça estar tudo perdido com o seu fim, é que se poderá crer na ressurreição dos mortos e num novo mundo.

Somente depois de ter aprendido a aplicar a lei de Deus para si mesmo, pode-se falar alguma vez de graça e, somente quando a ira e a vingança de Deus sobre os seus inimigos forem aceitos como reais, poderão perdão e amor aos inimigos atingir o nosso coração.

Será possível que já houve na História homens que no presente tiveram tão pouco chão debaixo dos pés — aos quais todas as alternativas do presente existentes ao alcance do possível pareciam igualmente insuportáveis, hostis à vida, sem sentido algum —; homens que procuraram a fonte de suas energias tão além das presentes alternativas, somente no passado e no futuro; homens que, contudo, sem serem utopistas, podiam esperar com tanta segurança e calma, o êxito de sua causa — como nós?

Ou antes: será que os responsáveis de uma geração diante de uma transformação histórica decisiva sentiam diferentemente do que nós hoje sentimos, justamente porque se estava criando algo de bem novo que não se enquadrava dentro das alternativas do presente?

Exame crítico

Numa aplicação crítica da teologia de Bonhoeffer, percebe-se que seu conceito de Deus, de Cristo e da religião são sem precisão:

"Sem religião" não significa "sem adorar a Deus". A palavra "religião" é empregada em diversas acepções: às vezes se refere às instituições, às vezes à tendência humana de voltar-se para os deuses, e ainda outras vezes ao verdadeiro culto prestado a Deus.

Para que o homem alcance a maturidade, Bonhoeffer dá como solução o abandono das instituições. Mas não indicou a base para essa vida cristã fora das instituições.

Afirmou que em apenas uma geração, Cristo seria esquecido e a Bíblia posta de lado.

O mundo adulto não é um conceito não temporal, psicológico, mas teológico e cristológico. O mundo não mais aceita a tutela e nem necessita da religiosidade pietista.

O mundo começou a secularizar-se a partir do século XII e desde então descobriu que não mais precisa de Deus. As leis da ciência, da vida social e política, da arte, da técnica e da religião tornaram o mundo suficiente a si mesmo, e levaram-no a dispensar Deus na vida humana.

A Igreja deve abandonar o seu conforto e viver para o mundo, confrontar-se com o mundo, levantar questões vitais com o mundo, mesmo correndo o risco de ser contestada. Deve doar aos indigentes tudo o que possui, viver de ofertas voluntárias de seus congregados e participar da vida e preocupações dos homens.

Finalizando, Bonhoeffer interessou-se pelo movimento ecumênico. Considerava-se discípulo de Karl Barth, introduziu elementos significativos para o movimento da morte de Deus, e condenou o nazismo como um meio de levar à morte os valores humanos.

EXISTENCIALISMO FILOSÓFICO LITERÁRIO

Embora não sendo um teólogo, Jean Paul Sartre, considerado por muitos o maior filósofo francês contemporâneo, tem exercido poderosa influência sobre as correntes teológicas modernas. Por essa razão incluímos a seguinte análise de uma de suas obras, considerada a mais importante delas.

Sartre nasceu em Paris, a 21 de junho de 1905. Estudou na École Normale Supérieure, foi nomeado professor de Filosofia no Lycée Pasteur, em Paris, em 1927, e de Le Havre, em 1931. Em 1940 caiu prisioneiro dos alemães. Liberto em 1941, voltou a lecionar em Paris, no Lycée Condorcet, e participou da Resistência.

Em 1945, licenciou-se por tempo indeterminado, assumiu a chefia dos grupos existencialistas no bairro de St. Germain-des-Prés, fundou a revista político-literária *Os Tempos Modernos*. Em 1964 recusou o prêmio Nobel de Literatura, que lhe fora outorgado. Viveu em companhia da escritora Simone de Beauvoir e dedicou-se a diversas atividades políticas de esquerda. Faleceu em 1980.

Martin Heidegger (1889-1976), considerado por alguns como o maior filósofo alemão contemporâneo, e Edmundo Husserl (1859-1938), também alemão, foram os pensadores que maior influência exerceram sobre o existencialismo filosófico-literário de Sartre.

O escritor francês Gustavo Flaubert (1821-1880) e o pensador político africano Frantz Fanon (1920-1961) também influenciaram Sartre: Flaubert, pela exposição de todas as ilusões religiosas da humanidade, retratação da estupidez humana e pela solidão em que viveu; Fanon, pelo estudo das torturas e elaboração de uma ideologia revolucionária que inspirou as revoluções argeliana e tunisiana.

Acerca do primeiro, o filósofo francês publicou, em 1971, os dois primeiros volumes de um estudo; quanto ao segundo, Sartre prefaciou-lhe a obra *Os Condenados da Terra*, em 1961. Neste prefácio, Sartre verbera o humanismo europeu e recomenda a violência revolucionária.

Em *A Náusea*, romance escrito em 1938, Sartre adentra-se na análise do problema da existência humana e procura revelar todos os temas da sua reflexão posterior.

A experiência fundamental do autor, equivalente ao seu ponto de partida e que tem maior valor como revelação existencial, é a do tédio, do aborrecimento, da vida totalmente sem significado, sem sentido. O protagonista Antoine Roquentim, em seu diário íntimo, deixa claro que só o trapaceiro, que nega a sua personalidade e o passado, entregando-se totalmente aos impulsos reprovados pela coletividade, é apto para receber a revelação.

Mas que tipo de revelação? A de que o "existente" existe sem qualquer motivo e sujeito a um sentimento de sufocação, que é a náusea, ou a angústia. Esta angústia fundamental parece ser, para Sartre, a própria realidade humana: "ao sair do Hotel Printania para ir à Biblioteca, quis apanhar um papel que estava no chão, e não pude. É tudo; nem isso constitui um acontecimento. Sim, mas, para dizer a verdade toda, fiquei profundamente impressionado: pensei que deixara de ser livre... Fiquei curvado um segundo; ainda li: Ditado — O Mocho Branco; depois endireitei-me, de braços caídos. Já não sou livre, já não posso fazer o que quero."[33]

Nestas confissões, Sartre revela o princípio primordial da existência concreta, na qual duas atitudes podem ser tomadas: ou resistir aos impulsos reprovados pela sociedade, como o de apanhar objetos na rua —

papéis sujos, por exemplo — ou deixar-se vencer pelos mesmos, ignorando as censuras da coletividade.

Assim, o homem não é responsável pela sua própria responsabilidade. Fundamentalmente, ele é apenas o desejo de ser, e seu propósito é ser Deus. Por isso, na sua relação com o outro, nega a transcendência do outro para usá-lo ou tornar-se puro objeto para o outro, negando, neste caso, a sua própria transcendência.

A realidade humana, no pensamento existencialista de Sartre, surge sempre do movimento *por-si-para-outrem*, sendo o corpo o objeto que nos coloca em relação aos outros: "Também estes, para existir, precisam de se reunir uns com os outros",[34] referindo-se a um grupo de rapazes que se reuniam numa pensão de família para o almoço.

Mas o outro pode ser objeto para mim e eu objeto para ele. Cada vez que a liberdade dele vem de encontro à minha, a minha transcendência é transcendida e nascerá a minha angústia.[35]

O passado é *em-si*, enquanto o presente é *por-si*. Afirma Sartre:

> *Revelava-se a verdadeira natureza do presente: era o que existe, e tudo o que não era presente não existia. O passado não existia. De modo nenhum. Nem muito tempo que eu tinha compreendido que o meu me tinha escapado. Mas julgava, até então, que se tinha simplesmente retirado do meu alcance.*
> *Para mim, o passado era apenas uma entrada na reforma: era outra maneira de existir um estado de férias e de inação; cada acontecimento que não findara o seu papel, se arrumava atinadamente, por si próprio, numa caixa e se tornava acontecimento honorário: tal é a dificuldade que se tem em imaginar o nada. Agora compreendia: as coisas são inteiramente o que parecem — e por trás delas... não há nada.*[36]

O ser-em-si é o ser no sentido pleno da palavra, mas sem razão de ser: "Sou, existo, penso logo sou, sou porque penso, por que é que penso?" O futuro, nessa filosofia, é o *por-si* por essência. Desabafa Sartre:

> *Na minha frente... vou andando ao rés do muro, existo ao longo do muro longo, em frente do muro, um passo, o muro existe na minha*

> frente, um, dois, por trás de mim... a existência é mole e rola e anda aos bordos, eu ando aos bordos entre as casas, sou, existo, penso logo ando aos bordos, sou, a existência é uma queda caída, não cairá, cairá, à janela o dedo roça, a existência é uma imperfeição...
> Tem a Legião de Honra, os safados têm o direito de existir: "existo porque tenho esse direito." Tenho o direito de existir, logo tenho o direito de não pensar.[37]

Como se vê, o ser existente é incriado e sem razão de ser, é o que é e nada mais. Lemos mais adiante:

> A minha vida está toda atrás de mim... Comer, dormir, dormir, comer; existir lentamente, suavemente, como aquelas árvores, como uma poça de água, como o assento vermelho do elétrico... É um aborrecimento profundo, profundo, o coração profundo da existência, a própria matéria de que sou feito...[38]

Finalmente, Sartre não admite nada de espiritual acima do homem, comparando-o, existencialmente, a uma poça de água, a árvores, ao assento vermelho do elétrico. Sua filosofia é ateísta. Por isso ele encerra a obra que vimos analisando com uma confissão: "E assim chegaria a aceitar-me no passado, apenas no passado".[39]

A influência de Sartre tem sido muito grande, principalmente depois de 1945. Rejeitou seus falsos adeptos de St. Germain-des-Prés e rompeu com alguns de seus discípulos e amigos, inclusive com Albert Camus, em 1952, quando este escreveu *O Homem Revoltado*, livro anticomunista.

Em 1968, por ocasião dos tumultos parisienses, o nome e a filosofia de Sartre foram lembrados. O pensamento moderno continua sendo fortemente influenciado pelas suas obras existencialistas. Acredita-se, também, que a Teologia do Mito, ou da Crise, de Rudolf Bultmann, tenha sido influenciada pelo existencialista francês.

A filosofia que se emana de *A Náusea* é materialista, pessimista. O autor, certamente encarnando o protagonista Antoine Roquentim, "existe" numa completa solidão, rodeado de decepções.

Embora observando atentamente tudo quanto ocorra à sua volta, o filósofo não liga a esses acontecimentos a mínima importância transcendental, chegando mesmo a considerar "tão vãos!" até os hábitos de higiene pessoal, como lavar-se e barbear-se. Seus desabafos ante a monotonia da existência são vários:

> Mas, para mim, não há segunda-feira, nem domingo: há dias que se empurram uns aos outros em desordem... O que lá vejo está muito abaixo do macaco, na fronteira do mundo vegetal ao nível dos pólipos.[40]

Nesta última passagem, Roquentim fala de si mesmo, ao mirar-se no espelho. E o que ele vê é apenas um ser que caminha pela vida sem algo que lhe seja superior, rejeitando toda e qualquer crença e negando a possibilidade de se atingir a verdade. Seu "existir" é niilista. Seu fim é o nada.

PERGUNTAS PARA REVISÃO

1. Qual o pensamento de Bultmann acerca dos escritos do Novo Testamento, sobre Jesus e a hermenêutica protestante?
2. Qual o pensamento dominante na teologia do mito?
3. Qual a posição ecumenista de Jürgen Moltmann?
4. Qual a base da teologia evolucionista?
5. Identifique o propósito original da teologia do evangelho social em relação ao Cristianismo.
6. Em que se baseia a teologia de Bonhoeffer sobre Deus, Cristo e a religião?
7. Destaque três inconsistências do conceito de Bonhoeffer.
8. Quais foram os expoentes do existencialismo?
9. Qual o fundamento do pensamento existencialista?

16 O MOVIMENTO DA MORTE DE DEUS

As origens do movimento da morte de Deus remontam a Friedrich Nietzsche (1844-1900), filósofo e poeta alemão, descendente de pastores luteranos. Em suas várias obras, nas quais toma posição anticristã, Nietzsche trata da futura vitória do super-homem amoral e inescrupuloso sobre a moral do cristianismo, e reconhece em Cesare Bórgia a encarnação do seu herói predileto, o homem forte, o inimigo de Cristo.

Nietzsche lutou sempre e desesperadamente contra a herança cristã, a ponto de opor a ela o culto de Dionísio e de afirmar que Deus está morto.

Modernamente, o movimento ganhou força através do trabalho de alguns discípulos de Karl Barth. Este deixou várias aberturas em sua neo-ortodoxia, como a de um Deus "totalmente outro" e a rejeição da "religião" como sendo uma tentativa humana para se chegar a Deus. Desta última abertura, originou-se o "cristianismo sem religião", de Bonhoeffer, enquanto que, da primeira, esse conceito de um Deus totalmente outro acabou tornando-se o mesmo Deus totalmente desnecessário.

A origem do movimento remonta ao início da década de 1960 e durou pouco mais de um decênio, mas foi o suficiente para suscitar polêmicas e debates em todo o mundo. No Brasil o jovem pastor Oziel Moura de Paula, tragicamente falecido em 1976, escreveu:

> Mas é claro, Deus está morto!
> Esta é a conclusão que certa "teologia" tem alcançado em razão não sei de que estudos. Bem, até certo ponto sou forçado a concor-

dar que esses "teólogos" têm razão, porque, me parece, Deus realmente está "morto".

Um dia desses, em minha reflexão bíblica, este assunto me chamou a atenção fortemente. Eu lia o primeiro capítulo do Apocalipse e fiquei pasmado com a visão de João, o santo apóstolo. Fiquei como se nunca houvesse lido tal passagem da Escritura. Diz o Senhor, nos versículos 17 e 18: "... não temas, eu sou o primeiro e o último, e o que fui morto, mas eis que estou vivo para todo sempre..."

A mensagem divina é mais branca que a neve: Deus está vivo! Mas, confesso que fiquei a cismar: será que ele está vivo mesmo? Ele falou em Mateus 28, verso 20, que está (não disse que estaria) conosco até a consumação dos séculos e, me parece ainda, que os séculos aí estão. Mas, onde está Deus?

Lembrei-me então de uma escritura do autor da carta aos Hebreus 6.6, que assim diz: "... de novo me crucificaram o filho de Deus, e o expõe ao vitupério."

Assassinos de Deus, criminosos! Estão matando a Deus, se já não o mataram de vez!...

Seria necessário citar exemplos da atitude de muitos cristãos que revelam estarem os mesmos apunhalando a Deus?

Há não muito, lia eu a declaração de um líder protestante envolvido naquela dificuldade religiosa, que dizia mais ou menos o seguinte: "Para cada protestante morto, nós mataremos dez católicos e, desses dez, um será sacerdote... e temos fé que Deus nos dará graça para nos livrarmos do domínio do Papa..." É claro que não quero discutir a validade do domínio papal, como acusado nessa declaração, nem tampouco admitir quaisquer outras atitudes semelhantes, mas seria de perguntar, que tipo de Deus é o desse líder religioso?

Por que há luta fratricida e quase sempre em nome de Deus?...

Líderes religiosos inimigos uns dos outros, obreiros que não se respeitam, um orgulho denominacional tremendo, uma mesquinhez de fé, como se cada qual tivesse um "Deus" só para si!

É claro que ninguém dirá que estou caído da fé, proclamando um ecumenismo literal das denominações. Não, não o defenderia, certamente. Mas, por que não há unidades dentro das próprias igrejas? Ou não está sendo isto uma constante na vida dos cristãos de nossos dias?

Satanás está dando gargalhadas com a nossa indolência, vibrando, pensando que realmente Deus esteja morto, pois isto é o que pregamos todos os dias com a nossa vida, com nossas atitudes criminosas.[41]

Do lado católico romano conservador, surgiram reações as mais diversas:

Houve os que se esmeraram tão excessivamente em adaptar a religião às novidades profanas, que sua nova teologia se fechou em contradições irremediáveis: pretendendo libertar a fé de compromissos com o mundo ou com formas desordenadas, acabaram aderindo ao triunfalismo, atrelado ao marxismo e a outras espécies de falso messianismo, e postulando concepções alienantes, como: Teologia sem Deus, igreja do Deus morto, espiritualidade do ateísmo, cristianismo sem religião, etc.

Os menos extremistas ou os mais interessados se contentaram em hipotecar uma crença sentimental em suposições tão improváveis como a de que tudo "obedece a uma evolução espontânea".[42]

Mas, se de um lado, o ataque à teologia da morte de Deus foi decisivo, por outro, dentro do catolicismo, muitos verberaram na própria igreja, como um de São Paulo:

> *Estou à procura de Cristo e não o encontro. Quanto mais entro nos meios eclesiásticos mais me perco e menos possibilidades de encontrar Cristo vejo. Onde estará ele? Onde se escondeu? Se alguém o encontrou venha depressa avisar-me, não com a boca, nem a palavra, mas com a vida e nas manifestações. Eu também quero encontrá-lo e levá-lo aos homens e à humanidade.*[43]

Mais adiante, afirma o mesmo sacerdote que é diretor de colégio e participante da revolta da juventude moderna: "E o que é mais grave: o Deus da Igreja perdeu o sentido da verdadeira divindade, tornando-se muito deísta, ou seja um mito de barro que, quando solidificado, dilui-se em poeira que os ventos carregam."

Foi precisamente analisando o comportamento dos cristãos modernos que, profanando o nome de Deus, vivem como se ele estivesse morto, que Cox, Vanhanian, Hamilton, Van Buren e Altizer, lançaram suas idéias secularistas e impulsionaram o movimento até há bem pouco tempo.

Contudo, não houve e não há entre os autores coerência quanto à doutrina, daí a denominação de "movimento". Eles estão unidos mais por pressuposições.

SECULARIZAÇÃO E URBANIZAÇÃO

O teólogo norte-americano Harvey Cox nasceu em 1929, formou-se em teologia em 1955 e no ano seguinte foi ordenado pastor da Igreja Batista. A partir de 1962, inicia suas atividades como membro do Conselho Mundial de Igrejas e é designado para trabalhar com a Grossner Mission na então Berlim Oriental. Seu objetivo era o de facilitar as comunicações entre os cristãos das duas alemanhas. A partir de 1967 passa a ensinar teologia em Harvard.

Entre os muitos temas abordados por Cox em centenas de palestras e cursos ministrados em várias partes do mundo estão: secularização, diálogos cristãos-marxistas, ecumenismo, o fenômeno hippie e a saturação sexual. Ele enfatiza a secularização e a urbanização como principais características de nossa época, sujeitando as "utopias" futuras e aceitando como relativamente boa a vida contemporânea.

Em uma de suas obras,[44] Cox sugere que os cristãos participem do novo mundo secularizado e elaborem uma nova teologia condizente com as condições sociais e tecnologias modernas.

Dentro dessa nova teologia as igrejas devem receber com naturalidade suas novas tarefas no mundo secularizado, descobrindo mesmo sua responsabilidade essencial. Afirma que a pregação de Deus no mundo secularizado só pode ser realizada através de formas seculares e pragmáticas.

Na opinião de Cox, o processo atual de modernização parte do próprio Deus, como meio de livrar o homem do cativeiro, constituindo-se, portanto, numa oportunidade e num chamado à maturidade. Por essa razão os crentes, ao se envolverem com a sociedade profana, não devem desprezar sua "alegria de adoração". Esta deve expressar-se em todas as possibilidades criadoras do homem, inclusive o cômico.

Pondo tais idéias em prática em sua igreja de Boston, os cultos ali se estendiam até ao raiar do dia, com filmes, gravações, efeitos psicodélicos de luz, coros e danças, intercalados com meditações e cânticos.

Alguns dos ensinamentos de Cox, são:

A igreja deve podar ritos, mensagem, etc., que não podem ser aceitos pelo homem moderno.

A poda deve ser feita em épocas e lugares diferentes, como, por exemplo: para os unitarianos, anuncia-se um Jesus apenas homem; para os teólogos da morte de Deus, deve-se pregar que Deus realmente está morto, etc.

O cristianismo não pode dispensar a política para desenvolver o homem ao máximo.

A mensagem central do cristianismo não é a de que Deus trabalha para a libertação do homem, segundo se conclui do êxodo e da ressurreição. Os profetas e Jesus condenaram a tradição, mas a usaram com vistas aos problemas de seus dias.

Cox pergunta: "Até que ponto a igreja contribui para libertar, para a maturidade do homem, e não ser ópio?"

Exame crítico

Acerca das questões levantadas por Cox, as Escrituras Sagradas afirmam que o homem, possuidor de espírito, alma, corpo, entendimento, vontade, afeições, incomparavelmente superior às outras criaturas terrenas, não pode viver pragmaticamente e sem nenhuma metafísica. O ser humano suspira por Deus, e sua alma é religiosa por natureza.

Portanto, a teologia de Cox não leva em conta as Escrituras, pois ele não fala de uma perspectiva bíblica, e nem poderia fazê-lo, pois isso o afastaria do secularismo.

Não podemos suprimir aquilo que Jesus determinou, e que tem sido prática peculiar no Cristianismo, como as instituições, por exemplo, da ceia do Senhor e do batismo, que são claros mandamentos bíblicos.

A mensagem acerca de um Jesus que perde ou ganha atributos de acordo com as circunstâncias opõe-se às claras palavras por ele mesmo proferidas: "Seja, porém, o vosso sim, sim; e o vosso não, não; porque o que passa disto é de procedência maligna" (Mt 5.37).

Por não ser deste mundo, o Cristianismo não deve servir-se da política para alcançar seus fins. Ele conta com armas espirituais e seu combate é contra "as potestades, contra os príncipes das trevas deste século, contra as hostes espirituais da maldade, nos lugares celestiais" (Ef 6.12).

RELIGIOSIDADE TEONÔMICA

Para Gabriel Vahanian, teólogo de características radicais, o conceito que o homem moderno tem hoje de Deus é irrelevante, idólatra e sem sentido. Diz ele:

> *Deus morre sempre que o conceito de Deus se torna um ídolo ou um acréscimo cultural. O presente fenômeno cultural da morte de Deus existe porque as formas de pensamento dominantes da cultura ocidental são agora caracterizadas por um imanentismo radical que é diametralmente oposto à concepção cristã de uma dimensão transcendente e sacramental que impregna a existência humana.*

Escrevendo acerca da soberania divina, Vahanian afirma:

> *Originalmente essa soberania foi vivida como uma realidade presente no substrato de todos os seres humanos e das suas aspirações sociais, bem como das suas aspirações sociais, bem como das suas aspirações e obrigações religiosas. Na segunda fase, a soberania de Deus foi, por assim dizer, sublimada, intelectualizada ou até sobrenaturalizada: o reino do céu foi imaginado de tal modo que o próprio Cristo tomou o aspecto de um juiz que separaria os eleitos dos réprobos.*
> *É necessário dizer que esse dualismo que separa os cristãos dos não cristãos equivale inevitavelmente a uma admissão fundamental de que a fé está a perder a sua razão de ser em relação ao presente.*

Mais adiante afirma que, quando chega ao terceiro estágio, o imediato da soberania de Deus, aqui e agora, já se tornou mito. Pelo menos já não é eficaz. Enquanto a autonomia das comunidades primitivas e a liberdade do homem eram afirmadas na idéia do governo direto de Deus, o afastamento dualista do céu e de Deus já não garante agora qualquer dualidade presente ao destino do homem e à dimensão comunitária da má existência.

Vahanian argumenta que, para o puritano norte-americano, o ser humano era uma criatura inteiramente dependente, que reconhecia Deus como o Criador e a fonte da felicidade, mediante o exercício de uma fé empírica na soberania divina. Dessa maneira o reino de Deus era encarado como uma realidade escatológica.

Referindo-se ao movimento do evangelho social, Vahanian afirma que ele tomou a forma de apontamentos teológicos ao liberalismo, concentrou-se no valor do indivíduo e na necessidade de que as instituições religiosas nutram a ilusão de tentar estabelecer o reino de Deus na terra, e era caracterizado pela confiança no desenvolvimento científico e num falso conceito da relação religião e cultura.

Acerca da secularidade no mundo e do secularismo cristão, eis alguns dos conceitos críticos de Vahanian:

Para o protestante, a fé é inseparável da secularidade. O homem é responsável perante Deus e igualmente responsável perante o mundo que o rodeia.

Diferente da secularidade, que diz respeito à esfera da relação e atividade do homem no mundo, o secularismo é uma espécie de religião invertida e uma deificação idólatra de valores seculares, como o sexo, a democracia, etc.

Na religião moderna, muitas vezes se equiparam a fé religiosa, o progresso material e a estabilidade mental.

A importância do Cristianismo está hoje sendo contestada em toda parte, porque seus métodos para a solução dos problemas espirituais são moldados por um conceito não cristão do mundo.

Por sua própria natureza, o protestantismo moderno exige secularidade.

O cristianismo foi destruído pela própria riqueza que produziu.

A existência religiosa tornou-se teonômica, pois ser cristão hoje, depende, em grande parte, da concepção que cada um tem de Deus.

Outros conceitos de Vahanian:

Por acreditar que tudo é graça, porque Deus está morto, o homem moderno é herdeiro do cristão como do ateu.

O Cristianismo, para sobreviver, terá de enfrentar o mundo na sua realidade total.

Os cristãos transformaram o seu Deus numa caricatura de Deus em miniatura, que nada mais é do que um escape emocional.

O cristianismo sem Deus, ou o ateísmo cristão não podem substituir a crença religiosa autêntica.

O mundo é a arena do desígnio criador e redentor de Deus.

O homem só pode conhecer-se a si próprio mediante o conhecimento de Deus.

O secularismo, por negar tanto a transcendência como a imanência de Deus, representa um sério desafio à verdadeira crença religiosa.

Exame crítico

Uma análise desapaixonada do pensamento de Vahanian mostra que, na tese principal, não admite a morte de Deus, mas sim a morte da noção religiosa que o homem moderno tem de Deus.

Por tal razão, espalha-se a rejeição intelectual da fé em Deus, pois para "um número cada vez maior de pessoas, o Deus judeu-cristão está ausente, escondido, retirado, irrelevante; não existente ou até morto. Um número cada vez maior de profundos pensadores está a chegar à conclusão de que Deus é completamente irrelevante para a sua vida diária, e que para todos os fins práticos poderia perfeitamente estar morto."

A EXPERIÊNCIA DA AUSÊNCIA DE DEUS

Dentre os teólogos da morte de Deus, William Hamilton é considerado o mais inteligível de todos. Suas obras são caracterizadas por uma viva apresentação e um estilo literário atraente. Charles Bent afirma que o dito de Pitágoras, de que *o homem é a medida de todas as coisas*, poderia ser uma análise concisa da visão antropocêntrica que Hamilton tem do ser humano do século vinte. Nessa visão ele segue de perto a Bonhoeffer, que era partidário do cristianismo sem religião.

Para Hamilton, o homem moderno atingiu a maioridade e está diante dele um otimismo novo. Por isso ele deve, não somente afirmar, mas também desejar a morte de Deus, reconhecendo que o homem neste mundo é completamente independente e autônomo, razão por que as suas percepções teológicas devem ser interpretadas de acordo com as forças culturais e intelectuais formadoras do pensamento moderno.

Quando fala da morte de Deus, Hamilton não a interpreta à maneira de Hegel, Nietzsche, ou Sartre. Para o teólogo norte-americano, essa morte é uma vida irrecuperável para o homem moderno. Em conseqüência desse desaparecimento de Deus, o protestantismo tem de redefinir-se; o cristão de hoje precisa seguir a Cristo mais de perto, segundo o Novo Testamento, exercendo em favor dos outros o mesmo amor que Jesus sempre demonstrou.

Outro conceito de Hamilton é o de que o homem atual sai do pessimismo para o otimismo, pois está aprendendo a viver num mundo sem Deus, onde só o amor dá sentido real à vida humana. É impossível, hoje, acreditar numa fé cristã e numa esperança cristã baseadas num Deus pessoal e transcendente. Basta, portanto, o amor, a maior das virtudes.

O protestante de hoje, diz Hamilton, "não tem Deus, não tem fé em Deus, e afirma tanto a morte de Deus como a morte de todas as formas de teísmo". Ele afirma ainda que Deus, hoje, não se revela mais ao homem, nem mesmo como inimigo, porque o homem não mais conhece a Deus, não o adora, não o possui e não acredita nEle. E critica os teólogos da morte de Deus que ainda pretendem ser teólogos, chamando-os de um tipo complicado de ateísmo vertido com um novo trajo.

Outros conceitos emitidos por Hamilton são:

O homem deve viver com incerteza radical.
Só o amor dá sentido à existência humana.
O cristão deve promover a justiça social.
Deus é substituído pela sociedade humana e por Jesus.
O cristão precisa descobrir Jesus sob os disfarces do mundo.
O cristão só descobre a si mesmo quando descobre a Jesus.
O que Deus fazia é hoje feito pelas mudanças sociais, políticas e até por revolução.
A academia e o templo não merecem, agora, confiança como guias teológicos.
Os homens podem passar sem pão espiritual, podem até passar sem amor, mas não podem passar sem o pão terreno.
O teólogo norte-americano atual é um homem sem fé, sem Deus, sem esperança e sem igreja.

As soluções dimanam somente do mundo e não de Deus.

O mundo moderno pode passar sem Deus, e o homem deve rejeitar toda idéia de religiosidade.

A luta mundial pelos direitos humanos representa a principal característica do otimismo atual em que vive a humanidade.

Exame crítico

Faço aqui algumas observações quanto aos pontos de vista de Hamilton:

Como afirmar a morte de Deus quando milhões, em todo mundo, testificam tê-lo encontrado mediante uma nova maneira de viver cheia de significado?

Na realidade, o homem não consegue viver com a radical incerteza, ou seja, sem Deus. O ser humano busca ardentemente a Deus em espécie de culto religioso, ou pelo menos um ser substituto.

Se Deus está morto, por que obedecer a Jesus?

Se Jesus é mero homem e não existe Deus, como explicar as profecias a respeito de Cristo encontradas pelo próprio Hamilton no Antigo Testamento?

Embora considere Jesus muito importante na sua teologia, não o define como deveria.

O protestante que serve de modelo a Hamilton não é, evidentemente, aquele que possui uma experiência real com o Cristo vivo.

A teologia de Hamilton reflete o sentimento do homem não convertido, otimista e autoconfiante, capaz de moldar o seu futuro numa direção puramente humanista.

A FILOSOFIA LINGÜÍSTICA

O teólogo Paul Van Buren, defensor dessa linha teológica, observa o homem moderno através da pesquisa lingüística e do princípio da verificação. Sua análise é mais de conceitos que de palavras, e constitui um estudo crítico e rigoroso do significado textual.

Buren busca uma forma de cristianismo e ética na qual o cristão precisa fazer seus juízos de valor conforme os critérios empíricos do mundo moderno, considerando sem significado os conceitos transcendentes e transempíricos do Evangelho, e desprezando as formulações bíblicas como ininteligíveis à luz do pensamento moderno.

Essa análise funcional que Buren faz da linguagem do Novo Testamento transforma o Cristianismo em algo empírico e secular, e despreza o verdadeiro Evangelho por considerá-lo ofensivo à mentalidade contemporânea.

Os conceitos que Van Buren emite acerca de Deus estão coerentes com o movimento da morte de Deus:

Todas as expressões que falam de Deus como um ser pessoal e transcendente precisam ser extirpadas por falta de significado para o homem moderno.

É impossível para o homem atual acreditar na entidade "absurda" que se chama Deus.

No centro histórico de qualquer teologia está Cristo, cuja singularidade jaz em sua extraordinária liberdade e disponibilidade para os outros.

A liberdade de Cristo, por ser de alguma maneira contagiante, permite aos demais homens participarem dela.

No difícil processo adotado por Van Buren de verificação do Cristianismo, as doutrinas basilares perdem totalmente seu sentido. Com respeito à natureza de muitas declarações bíblicas, ele escreve:

Afirmações de conteúdo-sentido não se podem verificar por meios empíricos ou de senso comum. Isto é, não podem ser verificadas por uma experiência-sentido compartilhada, visto que elas não dizem o que todos nós podemos ver, mas somente o que eu vi. Nem podem ser verificadas em relação a dados empíricos que estão ao dispor de todos os investigadores competentes que os queiram examinar, porque mais uma vez, uma afirmação de conteúdo-sentido refere-se ao que eu vi, não ao que está "lá para todos verem".

Só eu posso registrar o que estava no espelho do meu pensamento. Mas isto é só para dizer que afirmações de conteúdo-sentido não são asserções empíricas, e não se pode afirmar mais nada contra elas. O processo de verificar uma afirmação de conteúdo-sentido é ver se as palavras e as ações da pessoa que faz a afirmação se coadunam com ela.

Dentro desta linha de interpretação do texto bíblico, Van Buren conclui que:

A páscoa e a ressurreição, por desafiarem a discussão empírica, não deveriam ser chamadas de "fato".
A afirmação de que Jesus é o Filho de Deus significa o anúncio da intenção de viver como ele viveu.
O mesmo que aconteceu aos discípulos de Cristo, que se sentiram participantes da liberdade dele mediante a pregação apostólica, poderia, da mesma forma, ter acontecido aos discípulos de Sócrates!
A palavra pecado quer dizer alienação; liberdade é estar livre para o próximo; santificação é amor pelo próximo.
A palavra *Deus*, afirma Van Buren, precisa ser eliminada, uma vez que não sabemos o que ela realmente descreve.[45]

Exame crítico

William E. Hordern, reitor do Seminário Teológico Luterano, em Saskatchewan, Canadá, faz as seguintes observações críticas às teses de Van Buren:

É duvidoso que o homem moderno seja assim irremediavelmente secular, como também que a análise lingüística ofereça a melhor e única fonte para determinar a verdade.
Não demonstra uma verdadeira conexão entre sua cristologia e o ateísmo.
Falta precisão exegética quanto à "liberdade contagiante" que joga papel central em sua interpretação. Às vezes veste dimensões não impíricas e transcendentes.
É discutível que sua interpretação secular "conserva todas as características essenciais do cristianismo".
A verdade de uma afirmação de fé deve estar radicada em mais que a mera congruência limitada entre a expressão verbal e as ações subse-

qüentes. A análise lingüística não pode descobrir a verdade. Apenas anota inconsistências formais.

A filosofia lingüística não é compreendida nem usada corretamente. Como usada por Van Buren, a teologia secular não tem menos dificuldades do que a ortodoxia.

A expressão *Deus* não precisa ter um sentido ou uso secular para ser relevante. Assim, o programa de Van Buren não é necessário.

A TEOLOGIA RADICAL

Como um dos principais proponentes do ateísmo cristão, Thomas J. J. Altizer fundamenta-se em estudos de religiões comparadas do Oriente e do Ocidente a fim de defender o regresso ao cristianismo primitivo. Sua teologia radical sofreu grande influência de Nietzsche, Hegel e William Blake.

Do primeiro, Altizer adotou o motivo da morte de Deus; do segundo, a dialética para relacionar o sagrado com o profano; de Blake, ele usa as percepções místicas para determinar o significado da morte de Deus.

No seu método dialético de unir o sagrado ao secular, Altizer argumenta que se devem negar todas aos formas anteriores de espírito para que novas formas de manifestações do sagrado possam aparecer.

O cristão radical, no conceito de Altizer, é o único capaz de falar sobre a morte de Deus de maneira significativa, porque somente ele vê que o Deus transcendente se tornou totalmente presente em todas as mãos e rostos humanos. Assim, o Deus da tradição judaico-cristã está realmente morto e não apenas escondido ou ausente.

Na opinião de Altizer, a morte de Deus oferece ao homem a sua única entrada nos tempos modernos. Tal acontecimento deve ser saudado como um ato redentor capaz de dar ocasião à emergência de uma nova humanidade. Assim, o cristão de hoje é chamado a proclamar a "Boa Nova" da morte de Deus.

Combinando uma interpretação mística com uma interpretação dialética do Cristianismo, Altizer afirma que o homem moderno só possui duas opções: ou a rejeição do cristianismo na sua totalidade ou a adoção de um tipo de ateísmo cristão.

Acerca da pessoa de Jesus, Altizer afirma que Nietzsche, Hegel e Blake descobriram a verdadeira significação do nome dEle, ao rejeitarem a tradição judaico-cristã de um Deus totalmente outro. Para esses homens, Jesus representa um processo universal de redenção da humanidade.

De acordo com Altizer, a fé hoje deve ser totalmente secular, razão pela qual o verdadeiro cristianismo, para chegar ao sagrado, tem de entrar pelo caminho da secularidade. Assim, a autêntica manifestação da fé só pode ocorrer num ser automaticamente humano.

Na cristologia de Altizer, Jesus, como sendo o conjunto da humanidade, tornou-se Deus. Escreve ele:

> Agora o Espírito só pode existir e ser real de um modo kenótico ou encarnado, que é o oposto exato do ser original. Hegel e o cristão radical ensinam que, finalmente, o Espírito é este movimento eterno de geração absoluta.
> Além do que Hegel chamou de o processo de negatividade absoluta, não há outro caminho para aprender a realidade ontológica da encarnação e, a não ser que se saiba que a encarnação realiza uma negação absoluta do ser primordial, ou essencial de Deus, não pode haver conhecimento de que Deus é amor.
> Uma proclamação cristã do amor de Deus é uma proclamação de que Deus negou a si próprio ao tornar-se carne, o seu Verbo é agora o oposto ou a diversidade intrínseca do seu ser primordial e o próprio Deus deixou de existir no seu modo original como Espírito transcendente ou desencarnado: Deus é Jesus.[46]

Para o teólogo Altizer, a morte de Deus cria uma nova humanidade, onde Jesus está profundamente encarnado, perdendo todo o vestígio do seu aspecto anterior. Para ele, o mesmo Deus outrora real e que se manifesta como o criador, deixou de existir no seu modo transcendente e transformou-se no Cristo kenótico.

Dentre as muitas afirmativas de Altizer acerca da morte de Deus, destacamos as seguintes:

A teologia cristã deve negar todas as formas passadas do verbo, se quiser permanecer alerta a novas manifestações do Espírito.

O cristão radical concebe Deus como um processo progressivo de autonegação ou auto-aniquilamento.

Tanto a teologia natural como a revelada recusam a realidade completa de Deus.

O homem moderno percebe a importância da morte de Deus e compreende que ela lhe proporciona uma nova libertação.

Apesar da escuridão presente, o cristão radical confia em que aparecerão no mundo novas e mais significativas manifestações do Espírito.

O cristão radical não apenas abraça a realidade da morte de Deus, mas deseja mesmo a morte de Deus, para experimentar seu efeito libertador. "Confessar a morte de Deus é falar de um acontecimento real e verdadeiro, não talvez de um acontecimento que ocorresse num momento dado do tempo ou da história, mas apesar desta reserva, um acontecimento que realmente teve lugar tanto num sentido cósmico como num sentido histórico".

Deus morre até ao ponto de ficar imerso no mundo.

Exame crítico

Altizer não define claramente a morte de Deus. É uma pessoa ou um processo que morre?

De acordo com a análise que esse teólogo faz da atual crise religiosa, o homem é obrigado a escolher entre rejeição completa e final do cristianismo radical, entre a descrença total e o teísmo ateu. Eis outros pontos fracos da sua teologia:

O homem não pode alcançar o sagrado pela enérgica afirmação do profano.

A autêntica fé cristã não pode assumir uma atitude de ataque contra Deus.

A afirmação de Altizer de que Deus "totalmente outro" era uma divindade opressora choca-se profundamente com o ensino bíblico e com afirmações do próprio Jesus.

Hegel, Nietzsche e Blake não estão, de maneira alguma, qualificados para falar sobre o verdadeiro significado do Cristianismo.

O Jesus referido por Altizer não corresponde ao Jesus das Escrituras. É totalmente outro.

PERGUNTAS PARA REVISÃO

1. Quais as origens do movimento da morte de Deus?
2. Como Cox encara a política em relação ao evangelismo moderno?
3. Qual o papel das Escrituras Sagradas na teologia de Cox?
4. De que maneira Vahanian define secularismo e secularidade?
5. Em que se baseia o conceito de Hamilton, de que o homem atual sai do pessimismo para o otimismo?
6. Quais as principais características do cristianismo de Van Buren?
7. Que filósofos mais influenciaram o pensamento de Altizer?
8. Como Altizer define Jesus em sua teologia?

17 O FALSO ECUMENISMO

ARMA DO ANTICRISTO?

O vocábulo "ecumênico", de origem grega, significa: "terra habitada, terra habitável, universo". Aurélio define o termo como "relativo a toda a terra habitada; universal; diz do crente que manifesta disposição à convivência e diálogo com outras confissões religiosas."

Modernamente, "ecumênico" está intrinsecamente ligado à busca da unidade cristã, em sentido ativo, apontando para uma igreja visível e organicamente unida.

Dentro desta definição, o movimento ecumênico está hoje presente e atuante em toda a terra. E de todas as entidades chamadas ecumênicas, nenhuma outra sobrepujou ao Conselho (ou Concílio) Mundial de Igrejas — CMI — para o qual pretendemos chamar a atenção do leitor.

O assunto é atualíssimo e muito sério, digno de ser cuidadosamente analisado à luz da Palavra de Deus. Não há dúvida de que, de todas as armas já utilizadas por Satanás no preparo da intromissão do Anticristo, o ecumenismo segundo o modelo do CMI é uma das mais eficientes, pelas conseqüências desastrosas que traz à igreja evangélica.

Mas as portas do inferno não prevalecerão contra a Noiva do Cordeiro. "Todavia, o fundamento de Deus fica firme, tendo este selo: O Senhor conhece os que são seus, e qualquer que profere o nome de Cristo apartese da iniqüidade" (2 Tm 2.19).

ORIGENS DO CMI

Primeiras Investidas. Fomentado pela grande confusão ideológica, social e política reinante no mundo moderno, o CMI se agiganta como um movimento autoritário, que fala às religiões e aos governantes, procurando ditar-lhes as normas que julga indispensáveis à paz e ao bem social da humanidade.

A origem do CMI remonta às primeiras décadas do século XIX, quando a rápida ascendência da Igreja Romana levou-a a perseguir muitos protestantes em várias partes do mundo, particularmente na Europa.

Tais hostilidades conduziram os evangélicos a uma aproximação entre as suas diversas denominações, a fim de não perecerem como vítimas da intolerância religiosa. Dessa aproximação, nasceu a Aliança Mundial Evangélica, em 1846, em Londres, organização que muito fez pela liberdade de culto em todo o mundo.

Outras organizações protestantes impulsionaram o espírito ecumênico, como o Comitê das Missões do Evangelismo Alemão (1855), a Conferência de Lambeth (1867), anglicana; a Aliança Mundial de Igrejas Reformadas (1875), O Conselho Mundial Congregacional (1891), a Conferência Norte-Americana de Missões estrangeiras.

Também a fundação da Associação Cristã Feminina (1855), assim como as convenções mundiais de escolas dominicais, realizadas a partir de 1889, todas contribuíram para aproximar entre si as diversas ramificações do protestantismo.

Na primeira década do século XX, nasceu na América do Norte o Conselho Federal de Igrejas, cujo programa desprezava a doutrina cristã e enaltecia o serviço. Esta organização, de caráter modernista, muito cooperou na posterior organização do Conselho Mundial de Igrejas. Em 1907 formou-se a Associação Mundial de Escolas Dominicais.

Na cidade de Edimburgo, em 1910, realizou-se a Conferência Mundial de Cooperação, que teve por finalidade organizar uma investida unida pela evangelização do mundo. Com fruto dessa conferência, nasceu em 1921 o Conselho Internacional de Missões.

No ano de 1925, em Estocolmo, Suécia, surgiu o Conselho Universal de Vida e do Trabalho, e dois anos depois, em Lausanne, estabeleceu-se o

Conselho Universal da Fé e Ordem. Já por esta época, a chama do ecumenismo ardia no espírito dos liberais que estavam à frente dessas organizações, levando-os a adotarem propostas com vistas à organização de um conselho mundial de igrejas.

A primeira reunião com tais objetivos realizou-se em Hamp'stead, na Inglaterra, no ano de 1937, quando compareceram 425 representantes de 120 diferentes denominações, provenientes de 40 países. Os líderes ecumênicos dos movimentos "Fé e Ordem" e "Vida e Trabalho" se reuniram, no mesmo ano, em Oxford e Edimburgo, no ano seguinte em Utrecht e Clarems.

Nessas reuniões foram traçados os programas e os planos da nova organização e empossadas comissões provisórias para prosseguirem com as providências a serem tomadas. A esta altura, porém, os líderes ecumênicos já estavam demasiadamente fascinados com a idéia de uma unidade cristã de amplitude mundial, e se expandiram além do protestantismo, para incluir também as igrejas católicas ortodoxas orientais.

Com esta atitude, os ecumenistas negaram fundamentalmente o conceito bíblico de unidade, e desprezaram abertamente as doutrinas básicas dos evangelhos. Nesse espírito de extremo liberalismo, enviaram uma carta ao papa, informando acerca do proposto conselho mundial de igrejas, e manifestando o desejo de futuras consultas com os teólogos e eruditos católicos romanos.

A Segunda Guerra Mundial bloqueou os estudos das lideranças ecumênicas, mas não as desanimou. Passada esta, em fevereiro de 1946 teve lugar em Genebra uma reunião preparatória, na qual foram tomadas as providências finais quanto à convocação de uma assembléia geral. Esta realizou-se em Amsterdã no ano de 1948, com a presença de 147 denominações de 44 países, e criou o Conselho Mundial de Igrejas, organização que hoje abrange a maior parte dos cristãos não romanos, unindo cerca de duzentas denominações diferentes.

Recapitulando, são estas as principais assembléias ecumênicas protestantes do século XX:

1910 — Edimburgo - Conferência Missionária Mundial. Fundação do Concílio Internacional de Missões.

1925 — Estocolmo - I Conferência de Vida e Trabalho.
1925 — Surge a Igreja Unida do Canadá.
1927 — Lausanne - I Conferência Mundial de Fé e Ordem.
1928 — Jerusalém - II Conferência Missionária Mundial.
1937 — Oxford - II Conferência Mundial de Vida e Trabalho.
1937 — Edimburgo - II Conferência Mundial de Fé e Ordem.
1938 — Madrasta - III Conferência Missionária Mundial.
1947 — Surge a Igreja Unida do Sul da Índia.
1948 — Amsterdã - Fundação do Conselho Mundial de Igrejas (I Assembléia).
1950 — Fundação do Conselho Nacional de Igrejas de Cristo nos EUA.
1952 — Lund (Suécia) - III Conferência Mundial de Fé e Ordem.
1954 — Evanston (EUA) - II Assembléia do Conselho Mundial de Igrejas.
1961 — Nova Délhi - III Assembléia do Conselho Mundial de Igrejas.
1968 — Uppsala (Suécia) - IV Assembléia do Conselho Mundial de Igrejas.
1975 — Quênia (África) - V Assembléia do Conselho Mundial de Igrejas.

Embora na América Latina a expansão do movimento ecumênico seja relativamente lenta, várias organizações colaboram diretamente com o CMI, como: União Latino-Americana de Juventudes Evangélicas (ULAJE), Junta Latino-Americana de Igrejas e Sociedade (ISAL), Comissão Evangélica Latino-Americana de Educação Cristã (CELADEC), Unidade Evangélica Latino-Americana (UNELAM).

SEU CARÁTER

Organização

Do ponto de vista de sua organização, o CMI muito se assemelha ao Colégio de Cardeais da Igreja Católica Romana. É a seguinte a sua estrutura:
Assembléia. Reúne-se ordinariamente de cinco em cinco anos e compõe-se de delegados escolhidos pelas igrejas associadas;

Comissão Central. Compõe-se de cinco presidentes e noventa membros escolhidos pela Assembléia e investidos de poderes deliberativos, legislativos e administrativos. Reúne-se pelo menos uma vez por ano;
Comissão Executiva. Composta dos presidentes, presidente e vice-presidente da Junta da Comissão Central; reúne-se ordinariamente duas vezes por ano.

Além dessas entidades, existe ainda a organização administrativa e funcional, composta pelo secretário geral, por sua vez constituído de um secretário geral e secretários gerais associados; Divisões e Departamentos perante a Comissão Central e a Assembléia.

Base Doutrinária. Na questão doutrinária, todo o imponente edifício ecumênico está assentado na seguinte base: "O Conselho Mundial de Igrejas é uma sociedade de Igrejas que crê em Nosso Senhor Jesus Cristo como Deus e Salvador, de acordo com as Escrituras, e, que, portanto, procura cumprir a sua vocação para glória de um Deus, Pai, Filho e Espírito Santo."

Tal base, todavia, é simplesmente teórica e utilitária, porque, na prática, ela é negada, bem como todos os outros princípios bíblicos fundamentais que caracterizam as igrejas genuinamente evangélicas. Por estes e outros motivos, esse movimento ecumênico não pode ser considerado evangélico.

Vejamos como exemplo, a seguir, algumas das bênçãos escritas para os cultos da terceira Assembléia da CMI, realizada em Nova Délhi, Índia, em 1961.

> *Para o culto de manhã de 29 de novembro de 1961, a bênção foi:* "Cristo, nosso verdadeiro Deus, pela intercessão, de sua puríssima Mãe, sempre virgem Maria; de nosso Pai entre os santos, João Crisóstomo, arcebispo de Constantinopla; dos santos mártires Paramonus, Filoumenes e Faidre, a quem é dedicado este dia, e de todos os santos, terá misericórdia de nós e nos salvará pois ele é bom e ama a humanidade. Amém."
> *Para o culto da manhã de 21 de dezembro de 1961, a bênção foi:* "Que Deus seja misericordioso para conosco e nos abençoe, e faça seu rosto brilhar sobre nós, e tenha misericórdia de nós... mediante as súplicas e orações que nossa Senhora Maria Theotokus e os Pro-

fetas e os Apóstolos e os mártires e os carregadores da cruz e os justos fazem sempre em nosso favor. A Ti, Senhor, seja a glória, a majestade, o domínio e o poder para sempre. Amém".

Pode-se, porventura, chamar um tal movimento de evangélico? Lamentavelmente, cerca de duas centenas de denominações protestantes integram atualmente o Conselho Mundial de Igrejas e muitas outras há que, de forma indireta, submetem-se a ele.

Na verdade, nenhum cristão bíblico pode ser realmente ecumenista no sentido preconizado pelo CMI. Este, por ser declaradamente neomodernista, não vê obstáculos doutrinários em sua marcha pela união de todas as igrejas. Em 1954, em Evanston, EUA, foi explicado que o Conselho abrangeria todas as denominações, e nessa ocasião levantou-se o símbolo do movimento: um barco à vela e neste o desenho de uma cruz, significando "todos numa mesma causa."

O relatório oficial da Conferência Mundial sobre "Fé e Ordem", realizada em Edimburgo, em 1937, já declarava que, quanto às questões essenciais de fé, dizendo respeito a Deus e ao homem, ao mundo e a Cristo, à salvação e à imortalidade, não há matéria de divisão entre as igrejas. Todavia, é simplesmente impossível conciliar tal declaração com a realidade incontestável de que as igrejas nominalmente chamadas cristãs estão separadas por intransponíveis barreiras doutrinárias.

Aqueles que conhecem mais de perto a dialética modernista, estão em melhores condições de compreender como o CMI conseguiu já arrebanhar cerca de duzentas denominações diferentes, representativas de mais de seiscentos milhões de "cristãos". O credo do CMI é tão elástico e paradoxal que permite a comunhão de dogmas diametralmente opostos. Portanto, nenhuma palavra poderia ser mais adequada para definir o movimento ecumênico preconizado pelo CMI do que esta: apostasia.

COMPROMISSO COM OS COMUNISTAS

Em sua IV Assembléia de Uppsala, Suécia, em 1968, não se permitiu o acesso ao plenário do pastor Richard Wurmbrand, autor de *Cristo em*

Cadeias Comunistas e *Torturado por Amor a Cristo*, que ficou do lado de fora denunciando as práticas comunistas do CMI.

Em 1975, em Nairóbi, Quênia, durante a V Assembléia Geral, ficou demonstrado que o Conselho Mundial de Igrejas apoiou revolucionários comunistas, tendo inclusive, segundo a imprensa notificou, chegado a financiar movimentos guerrilheiros da África Negra.

Segundo notificou um jornal paulistano, Phillip Potter, Secretário Geral do CMI, esteve em Moscou, antes da V Assembléia, em palestra com Alexei Chyticov, presidente do Supremo Soviet da Rússia. O mesmo periódico esclarece ainda que o chefe da Delegação da Igreja Ortodoxa Russa, metropolitano Nicodim, chefe dos Assuntos Religiosos Internacionais do Governo Soviético, era membro da KGB, polícia secreta da extinta URSS.

Em fins de 1978, o Exército da Salvação se separou temporariamente do CMI em protesto contra a ajuda econômica prestada à "Frente Patriótica" que dirigia guerrilhas contra o governo rodesiano de Ian Smith.

O jornal salvacionista *Grito de Guerra* informou que o Exército da Salvação se encontra confundido e preocupado pela ajuda prestada, no valor de 80 mil dólares. Segundo o CMI, a referida importância foi colocada à disposição dos guerrilheiros para a compra de alimentos, mas em diversos círculos surgiu o temor de que o dinheiro fosse aplicado na compra de armas".[47]

Em 1978, o Exército da Salvação mantinha cerca de dez mil centros em 82 países, possuía três milhões de filiados, 17 mil oficiais e 37 mil empregados fixos.

AMEAÇA EM ASCENSÃO

A Grande Igreja Vindoura. É perfeitamente compreensível que muitos evangélicos estejam preocupados com o progresso constante do CMI em seu objetivo principal de organizar no mundo a Grande Igreja Vindoura. Há muitos motivos que justificam essa preocupação.

Primeiramente convém salientar que os ecumenistas do CMI não vêem obstáculos em seu programa ecumênico. Seus líderes estão convictos de que as atuais correntes religiosas devem se unir para formar "uma igreja para um mundo", não importando o caráter teológico que essa igreja venha a adquirir.

Dentro dessa visão os ecumenistas trabalham diuturnamente, apelando às igrejas evangélicas, dizendo que chegou o tempo de elas se prepararem para sacrificar algumas de suas formas de doutrina e de vida, que herdaram, e de se juntarem a outras aspirações semelhantes, mesmo na incerteza dos resultados finais.

Para alcançar seu objetivo, a direção do CMI age astuciosamente, infiltrando-se nos negócios das igrejas cristãs, procurando induzi-las a cooperar no "serviço" de cunho mundial. Muitas denominações evangélicas menos esclarecidas estão sendo levadas a se submeterem à autoridade do CMI ou até mesmo a fazerem parte dele, cooperando, dessa forma, para a organização da Grande Igreja Vindoura, sem dúvida alguma a igreja babélica dos últimos dias, descrita no Apocalipse.

Pelas declarações oficiais dos homens que estão à frente do CMI, podemos perceber que eles jamais se conformarão com uma união parcial. Apesar de contarem com cerca de seiscentos milhões de filiados, continuam eles empenhados em arrebanhar num só curral todos os protestantes, todos os católicos e todos os adeptos de outras igrejas cristãs ou bíblicas.

O fato de as igrejas ortodoxas da Rússia, da Romênia, da Bulgária e da Polônia já integrarem o CMI é uma advertência de que a união com a Igreja Católica Romana não está muito longe, pois os mesmos dogmas desta são praticamente os mesmos daquelas. São constantes os entendimentos mantidos entre o CMI e o Vaticano nesse sentido.

APROXIMAÇÃO COM ROMA

Eis a seguir o que diz um relatório da Comissão sobre Fé e Ordem apresentado à uma assembléia geral do CMI:

> *A Comissão nota com apreciação o recente desenvolvimento de conversações, notavelmente aquelas que se originam em estudos bíblicos entre teólogos da Igreja Católica Romana e os de outras comunhões. Aprova os muitos e novos contratos com os católicos romanos numa atmosfera de boa vontade mútua, e, em particular, o estabelecimento, pelo Vaticano, do Secretário para Promoção da União Cristã.*
>
> *A Comissão de Fé e Ordem que faça provisão especial para con-*

versações com católicos romanos, e rogue aos membros das igrejas e aos Concílios locais que tomem qualquer iniciativa possível. A Comissão requer à Comissão de Fé e Ordem que busque os melhores meios de discutir com teólogos católicos romanos as questões teológicas fundamentais envolvidas entre as igrejas não romanas e a Igreja Católica Romana e a considerarem sua implicação no que tange a orientações e práticas.[48]

Da parte do Vaticano, muito se tem feito no sentido de promover um ecumenismo romanizado. É o que se depreende das palavras de João XXIII, proferidas em 29 de junho de 1959, quando se esboçava o Concílio Vaticano II.

"Haverá um rebanho e um pastor" (Jo 10.16). Esta segurança irresistível foi o motivo que nos coagiu para anunciar publicamente nossa resolução de convocar um concílio ecumênico. Bispos virão conjuntamente de todos os cantos do mundo para discutir assuntos religiosos importantes.
Mas os tópicos de maior expressão serão aqueles que tratam da expansão da fé católica, o reavivamento dos padrões cristãos da moralidade e da atualização da disciplina eclesiástica para atender às necessidades e condições de nossos dias. Isto em si há de fornecer um exemplo marcante da verdade, unidade e amor.
Que aqueles que estão separados da Sé Apostólica, ao contemplarem a manifestação da unidade, derivem dela a inspiração para buscar aquela unidade pela qual Jesus Cristo orou tão ardentemente ao Pai Celestial.

Portanto, o ecumenismo entendido por Roma continua sendo a expansão de seu domínio mundial e o retorno ao seu seio dos "irmãos separados".

SINCRETISMO

Na sua reunião em Nova Délhi, o CMI foi bem mais além do que procurar uma fusão das igrejas chamadas cristãs. Ele acentuou a necessidade de uma só igreja para o mundo, e diversos líderes se manifestaram a favor do sincretismo. Esta palavra define "união de crenças em conflitos, especialmente crenças religiosas".

A este respeito disse o bispo G. Noth, da Alemanha, membro da Comissão Central do CMI e da Comissão da Divisão de Ação Ecumênica, e também membro da Comissão da Juventude:

> *Dentro da Igreja Cristã sempre se tem levantado o perigo de, ao procurar estabelecer ou proclamar o caráter único de seu Senhor, desprezar todas as outras luzes e depreciá-las.*
> *Não é esse o caminho de Jesus, de modo algum. Ele não considerou o mundo como sendo igualmente entenebrecido em todos os lugares... Existem luzes e no mundo, isso podemos dizer sem hesitação.*
> *E as pessoas que fazem qualquer coisa para combater as trevas do mundo como piedosos buscadores de Deus, como profundos pensadores, ou como poderosos modeladores da vida humana... Não podemos evitar a pedra de tropeço que isso pode levantar, fingindo que Ele é apenas uma luz entre outras. Ele não tem a intenção de competir com as luzes deste mundo.*

No mesmo sentido pronunciou-se Jürgen Moltmann em agosto de 1972, perante o Comitê Central do Conselho Mundial de Igrejas, em Utrecht:

> *O caminho a ser tramado pelo movimento ecumênico parece bem claro: inicialmente levou do anátema ao diálogo e, em seguida, do diálogo à cooperação entre igrejas separadas em instituição ecumênicas. Agora, deverá levar da cooperação entre igrejas separadas à tolerância e à eliminação de diferenças, às diferenças em comunhão.*
> *O relacionamento conciliar não significa uma vida sem conflitos, mas sim uma vida que contém dentro de si contradições que suporta a luta por resolvê-las. Quando isto se realizar, estará aberto o caminho para a unidade da Igreja no seu credo, no sacramento e na ação política.*[49]

O pensamento do Moltmann assemelha-se ao de Jonas Resende, pastor presbiteriano do Rio de Janeiro, autor do livro *Deus Fora do Espelho*:

> *Creio no Ecumenismo como poderosa força de transição. Vejo nele a irreversibilidade do processo evolutivo e a verdade inconteste de que da polêmica ao diálogo, o passo é gigantesco e significativo. Não gosto do ecumenismo demagógico, ecumenismo oposto ao comunismo ou a qualquer outro tipo de força ateísta ou anticristã, uma vez que os ateus não existem e o próprio cristianismo é apenas um caminho.*
> *Ainda assim, porém, ouso parafrasear Paulo: "Que importa que seja por contenda, vanglória, demagogia ou medo? Importa que o ecumenismo seja vivido".*[50]

GOVERNO MUNDIAL

Ataque à soberania das nações. Não tendo uma mensagem divina para o mundo, qualquer afirmação dos líderes ecumênicos de que Deus tem falado através do CMI é biblicamente falsa. À luz dos claros princípios bíblicos, aquela entidade, mesmo chegando a um acordo acerca de alguma doutrina, não pode tornar-se a palavra autorizada da Santa Igreja Universal, o Órgão do Espírito Santo autorizado a arvorar a declaração: "A voz da igreja unificada proclama."

As verdadeiras ovelhas de Cristo, entretanto, conhecem a voz de seu Pastor e estão certas de que estas estranhas proclamações não procedem de Deus, mas de homens desviados da verdade.

Evidentemente, a mensagem que o CMI traz ao mundo nada tem de divino, nem de fé, esperança, consolo, comunhão com Deus. É por isso que, a par de sua conotação ecumênica, ela sugere uma ação política, que vai tomando vulto e significado à medida que aumenta a área de influência ecumênica no meio das diversas organizações religiosas.

Damos aqui, como exemplo, alguns aspectos do discurso proferido por Frederick Nolde, diretor da Comissão de Igrejas sobre Questões Internacionais:

> Chega-se a duvidar da sanidade mental quando se ouve a afirmação de que os testes de armas nucleares de muitos megatons promoverão a segurança... Uma guerra preventiva, ou guerra chamada justa, é um convite à destruição mútua... A defesa contra a agressão, muito freqüentemente, pode ser uma máscara para ocultar a agressão.
> Movimentos de libertação que envolvem forças militares ou a ameaça de usá-las, infelizmente, tendem a tornar-se movimentos escravizadores. Toda ação militar deve ser feita estritamente de acordo com a carta e o espírito da Carta das Nações Unidas, pela qual, na situação contemporânea, a conduta das nações deve ser governada.[51]

O discurso de Nolde mostra claramente o objetivo do CMI, de implantar no mundo um governo internacional. À luz da Palavra de Deus, tal objetivo reveste-se de significativa importância, pois as profecias bíblicas falam claramente de um governo mundial nos últimos tempos.

Muitos outros pronunciamentos oficiais e relatórios apresentados em Nova Délhi deixam bem claro que as providências estão sendo tomadas nesse sentido político. O mesmo orador disse ainda que "as igrejas deveriam exortar os governos a se desincumbirem da totalidade de suas responsabilidades... As nações precisam anular progressivamente aqueles aspectos de soberania... a verdadeira comunidade internacional é requerida no mundo de hoje".

Durante a IV Assembléia Geral do CMI, cujo tema principal foi a justiça social, Kenneth Kaunda, então presidente de Zâmbia e membro da Igreja Unida, disse:

> O mundo está numa encruzilhada e os membros da comunidade internacional perderam sua rota e seus objetivos. Estamos chegando ao fim do otimismo. Não tem sido a década da impaciência, mas a do desapontamento e desilusão para as novas nações independentes...
> Desenvolvimento é uma causa ética, bem como social e econômica. É um problema para a consciência cristã. Para que o objetivo seja alcançado, é necessário uma pressão moral e política sobre os líderes.
> O serviço de Deus vai muito além da caridade e das atividades sacerdotais. Ele atinge o completo desenvolvimento do homem: desenvolvimento que abrange o total humanismo... que abrange a justiça, com a qual a Igreja está grandemente comprometida e que pode somente ser alcançada e realizada no contexto global da vida...
> É agora o tempo para ações positivas para salvar a humanidade da destruição e criar condições sob as quais a unidade do mundo possa ser sentida em termos práticos.[52]

INFILTRAÇÃO COMUNISTA

Em 1972, perante o Comitê Central do CMI, em Utrecht, Jürgen Moltmann, professor de Teologia Sistemática em Tubingen, Alemanha, pronunciou uma longa conferência na qual afirmou:

> Mas o que a Igreja tem a dizer sobre a paz se expressa, antes de tudo, através da sua forma exterior, da sua organização na esfera social, de sua política. Não raro a forma visível da Igreja nega o testemunho da paz de que tanto se fala no seio dela. Sob que condições poderão as igrejas contribuir para a paz universal?

Já dissemos que a paz no mundo somente se justifica na razão em que tiverem em vista a humanidade no seu todo. Somente aqueles que agem de acordo com os interesses de toda a humanidade têm razão de ser. Qualquer pretensão à auto-suficiência é um obstáculo à paz. Toda recusa à cooperação é uma ameaça à paz.

A primeira implicação disto para a cristandade como um todo é que ela não poderá continuar a representar a universidade do sacrifício de Deus por todos os homens, em Cristo, através de qualquer pretensão por parte da Igreja de ser absoluta. Somente o poderá fazer através da disposição de entrar em diálogo franco com grupos de outras crenças e a cooperar com eles, incondicionalmente.

A verdade de Deus é universal, e o seu amor se estende a toda humanidade, assim como é certo que Cristo morreu por todos os pecadores. A Igreja, porém, não é, ela mesma, universal. Somente através das preocupações em ser aberta a todos os homens, poderá ela demonstrar o amor e a verdade de Deus.

Aqueles que rejeitam o diálogo com Israel, com budistas ou marxistas, são os que temem pela sua própria fé ou que desejam extinguir as verdades de Israel ou do budismo ou do marxismo.

O comunismo internacional, depois de revelar-se impotente para extirpar a religiosidade do coração do povo, mesmo à custa dos mais requintados suplícios e massacres (desde 1917 foram exterminados na Rússia 60 milhões de dissidentes, a maioria deles religiosa do mundo todo, numa tentativa de destruir a religião de dentro para fora). Assim aconteceu no CMI e assim acontece na Igreja Católica Romana, sendo que nesta última o assunto tem sido notícia quase diária aqui no Brasil:

> *A Igreja (Católica) não está agindo, em relação ao marxismo, como um fermento, como seria de seu dever, mas está sendo fermentada por idéias não só estranhas, mas inteiramente incompatíveis com sua posição espiritualista. E juntamente com essa penetração verifica-se também uma assimilação dos métodos de propaganda e de lavagem cerebral da opinião pública desenvolvidos pelo comunismo.[53]*

SUA ATUAÇÃO NO BRASIL

Algemas para a Igreja. O movimento ecumênico internacional está lançando suas raízes aqui no Brasil através da circulação de várias publicações, da fundação do Centro Ecumênico do Rio de Janeiro e de Curitiba, fundado em 1967, e da filiação direta ou indireta de várias entidades protestantes, como: Confederação Evangélica do Brasil, Sociedade Bíblica do Brasil, Centro Audiovisual Evangélico, e Associação dos Seminários Teológicos Evangélicos.

Posteriormente foi criado em São Paulo o Conselho Nacional de Igrejas, inicialmente constituído das denominações: Episcopal do Brasil, Luterana, Metodista do Brasil, Cristã Reformada, O Brasil para Cristo e Católica Romana. Esta entidade está vinculada ao CMI.

Como tem acontecido em todo o mundo, o ecumenismo continuará exercendo cada vez maior influência no meio evangélico brasileiro, como decorrência natural do estado lastimável de algumas áreas do protestantismo. Essa decadência tem chegado ao ponto de fazer que alguns teólogos liberais se movimentem na Europa no sentido de obterem do papa o perdão para Martinho Lutero, pelo "crime" de afastar-se das doutrinas romanistas e anunciar a mensagem bíblica da justificação pela fé.

Há profecias que falam da formação da futura Babilônia religiosa, que não será somente o catolicismo romano atual, mas uma organização da qual farão parte outras igrejas apostatadas da fé. Esta organização será a principal arma do Anticristo, cuja manifestação ao mundo se dará após o arrebatamento da fiel Igreja, comprada com o precioso sangue de Jesus.

O Conselho Nacional de Igrejas, que cumpriu planos da CNBB — Conferência Nacional dos Bispos do Brasil, responsável pelos estudos nesse sentido, tem a intenção de levar de volta ao seio romanista os "irmãos separados", para usar a terminologia de João XXIII.

Antes de Lutero, Roma não dialogava com os cristãos dissidentes, mas fazia prevalecer a sua férrea autoridade. De 1200 a 1250 ela exterminou um milhão de albingenses. Depois queimou na fogueira Savanarola, Hus, Jerônimo de Praga e milhares de outros. Pouco depois do Concílio Tridentino, na noite de São Bartolomeu, 24 de agosto de 1572, o catolicismo exterminou da maneira mais selvagem cerca de cem mil protestantes franceses, a ponto do rio Sena correr vermelho.

Da parte do Vaticano, nenhum passo foi dado em direção ao protestantismo, desde a Reforma. Pelo contrário, novas doutrinas, igualmente antibíblicas, foram incorporadas ao credo católico romano.

Roma não mudou, e os que estudam de perto seus objetivos sabem muito bem que o ecumenismo por ela pregado tem certa ligação, por enquanto ainda indireta, com o CMI. O clero romano, por força da sua exegética, arroga para sua igreja o direito e o dever de um domínio político espiritual de âmbito mundial, segundo as pretensões dos papas Gregório III, Inocêncio IV e outros eclesiásticos dos séculos X a XII.

Embora doutrinariamente muitos protestantes liberais estejam cada vez mais propensos a se subordinarem à hierarquia romanista, a fragmentação existente no seio do protestantismo continua sendo um sério entrave aos objetivos católico-romanos. Somente aproximados, ou mesmo agrupados numa só organização (no caso o CMI), os evangélicos poderiam ser mais eficientemente influenciados por Roma, que astuciosamente lhes chama de "irmãos separados".

Já em 1967, quando da organização dos Centros de Ecumenismo no Rio de Janeiro e em Curitiba (este último constituído de católicos e protestantes), divulgou-se que o objetivo destas entidades era "projetar a ação ecumênica de tal modo que sejam os cristãos induzidos a praticar a fé e a expressar a unidade que Cristo quer na sua Igreja".[54]

É interessante notar que os próprios líderes católicos romanos têm tomado a iniciativa de se aproximarem dos protestantes, principalmente através das chamadas semanas de oração pela unidade cristã. Quando uma dessas semanas se realizou no Rio de Janeiro, um dos oradores, o Rev. Kurt Klemann, da Igreja Episcopal, proferiu esta frase que se tornou preponderante durante a semana ecumênica: "É difícil ser cristão no século vinte sem ser ecumênico".

Comentando esta frase, o Rev. S. Lyra afirmou: "Compactuando com esse ecumenismo espúrio que nada tem de ecumênico, é difícil ser cristão, no século vinte, e ser ecumênico".

Lamentavelmente, é esta a situação em que se encontram certos setores do evangelismo brasileiro. Mais lamentável ainda é o fato de esses ecumenistas protestantes — e dentre eles alguns pequenos grupos chamados de pentecostais! — não estarem percebendo o verdadeiro objetivo do Vaticano, que é o de submeter todos os "irmãos separados" à autoridade ditatorial do papa. Este, com toda a perspicácia que lhe é peculiar, está procurando ganhar a confiança e a liderança dos evangélicos de todo o mundo. Eis o que disse Paulo VI em 18 de janeiro de 1967:

> Somente ousamos enviar a todos os irmãos separados de boa vontade, um bom desejo com humilde e sincera palavra: não temais aquele que sabe se comportar como autêntico representante de Cristo.⁵⁵

As significativas palavras do rev. W. H. Guiton são bem adequadas aos ecumenistas do Brasil:

> Os líderes ecumênicos tornar-se-ão brevemente escravos do Vaticano, já estão trabalhando em favor de Roma pelo fato de, a pedido do papa e do Cardeal Béa, estarem tentando unificar organicamente o protestantismo mundial. O papa sabe que sem um protestantismo unificado ele jamais governará a humanidade.
> O papa também está tentando dominar a Igreja Ortodoxa, com a ajuda, principalmente, do patriarca Atenágoras.⁵⁶

Sob o título *João Paulo II acha escandalosa a divisão entre os cristãos*, um jornal brasileiro registrou: "O Papa João Paulo II declarou que as divisões entre os cristãos são "um escândalo intolerável," e acrescentou: "Contudo, nossa prece em alcançar a unidade, nosso desejo de pôr um fim ao intolerável escândalo, que são as divisões entre os cristãos, pedem que evitemos toda a precipitação e zelo imprudente que possam ameaçar o progresso da unidade."

O Pontífice disse que era doloroso para os cristãos de diferentes denominações não poderem assistir juntos a uma missa ou participar da comunhão. No entanto, acrescentou: "Esse sofrimento deve servir de estímulo para que nos empenhemos em superar os obstáculos que nos impedem de reunirmos nossas comunidades divididas em uma comunidade e em um mesmo rito sacramental".⁵⁷

REAÇÕES

Os Fundamentalistas. O movimento fundamentalista, como tal, teve sua origem no último quartel do século XIX, como uma reação ao liberalismo teológico. Desenvolveu-se nas primeiras décadas do século XX, mas não impediu que um grande número de igrejas protestantes, particularmente nos Estados Unidos, se inclinasse mais e mais para o modernismo.

Sua denominação atual originou-se numa série de tratados publicados entre 1912 e 1914 e denominados de *The Fundamentals*, os quais apresentavam as verdades básicas do cristianismo segundo o ponto de vista da Reforma Protestante do século XVI.

O conceito central do fundamentalismo é o da infalibilidade da Bíblia Sagrada, a qual é também considerada como a única regra de fé e prática. Os fundamentalistas opunham-se, como ainda hoje o fazem, à teoria da evolução, à alta crítica da Bíblia, ao pentecostalismo e a toda e qualquer doutrina que não esteja de conformidade com a ortodoxia protestante.

Embora o movimento marque profundamente a posição de muitas igrejas, sobretudo nos Estados Unidos, perdeu muito de sua força inicial em virtude da atitude escolástica e antiavivalista que adota, mas a partir de 1948, quando nasceu o CMI, eles, os fundamentalistas, reagiram, criando a sua própria organização ecumênica no mesmo ano, o Concílio Internacional de Igrejas Cristãs — CIIC, sob a liderança de Carlos McIntire.

Em 1973, o CIIC congregava 201 denominações fundamentalistas de 87 diferentes nações. Hoje, esse número deve ser maior, pois o movimento continua atuante. Em nosso país, ele está representado pela CIEF — Confederação de Igrejas Evangélicas Fundamentalistas do Brasil.

Por discordarem das atividades ecumênicas da Sociedade Bíblica do Brasil, os fundamentalistas brasileiros repudiaram como espúrio o Novo Testamento na Linguagem de Hoje (tradução conjunta de católicos e protestantes), alegando secularização do texto sagrado, e romperam definitivamente com aquela organização, convidando para estabelecer-se no Brasil a Sociedade Bíblica Trinitariana, de Londres, que já atua em São Paulo na edição de Escrituras Sagradas.

O movimento se serve de alguns periódicos próprios, como *O Presbiteriano Bíblico* e *O Fundamentalista*, através dos quais combate o modernismo, o neomodernismo e o movimento pentecostal.

"SAI DELA, POVO MEU"

O movimento pentecostal, constituído no Brasil pelas Assembléias de Deus e diversos outros grupos, incluindo-se as novas denominações avivadas formadas por ex-evangélicos tradicionais (Metodista Wesleyana, Batista Renovada, Presbiteriana Renovada, etc.), por sua própria convicção evangélica, está longe de aceitar qualquer aproximação com os ecumenistas vinculados ao CMI.

Uma exceção dentro do pentecostalismo brasileiro foi a filiação ao CMI de um grupo pentecostal que, por sinal, segundo entrevista concedida por seu líder ao suplemento do Centro Ecumênico de Informação, estava aderindo ao tipo de evangelização (evangelho social) preconizado pelos ecumenistas. Entretanto, a nova direção desse grupo ignorou tal filiação e voltou à prática da evangelização bíblica.

A primeira coisa a morrer numa igreja que se filia ao ecumenismo apóstata é a evangelização, e isso explica por que as denominações ecumênicas abandonaram por completo essa atividade bíblica para se dedicarem à política. Uma dessas igrejas publicou, em 1979, que estava aplicando apenas dois por cento da sua receita na evangelização.

O genuíno cristão bíblico, vivendo a mesma fé pura da Igreja primitiva, não pode compactuar com as tendências liberais e neomodernistas dos nossos dias, sob pena de negar a Cristo e aceitar outro evangelho — social, mundano, apóstata.

O cristão autêntico acredita e vive a verdadeira comunhão cristã, segundo João 17.21: "A fim de que todos sejam um; e como és tu, ó Pai, em mim e eu em ti, também sejam eles em nós, para que o mundo creia que tu me enviaste" (versão Almeida Revista e Atualizada).

Não se trata aqui de qualquer comunhão, mas da comunhão perfeita promovida no íntimo do crente pela presença do Espírito Santo. É a união espiritual somente possível em novas criaturas, nascida de novo, em cuja vida tudo se fez novo (Jo 3.1-15; 2 Co 5.17).

A verdadeira comunhão cristã é fruto da remissão efetuada por Cristo no Calvário. Na Igreja santificada e guiada pelo Espírito Santo não há lugar para sectarismo ou intolerâncias.

É absurdo interpretar as palavras de Cristo: "para que o mundo creia" à luz dos métodos e objetivos do CMI. O mundo crê quando homens transformados em novas criaturas testificam de Jesus Cristo, não mediante "palavras persuasivas de sabedoria humana, mas em demonstração de Espírito e de poder".

O cristão bíblico está enquadrado nesta passagem: "Se andarmos na luz, como ele na luz está, temos comunhão uns com os outros" (1 Jo 1.7). Quem anda nessa luz, não pode comungar com as trevas, ou seja, não pode prender-se em jugos desiguais com os infiéis.

O ecumenismo massificado constitui, em nossos dias, um desafio à verdadeira Igreja de Cristo. A volta de Jesus se aproxima e o espírito do Anticristo trabalha diuturnamente na formação da futura igreja mundial, através da propaganda ecumênica. Infelizmente, muitos cristãos, enganados pelos falsos profetas modernos (como Jesus previu no capítulo 24 de Mateus), foram envolvidos pela grande apostasia.

Concluímos com duas advertências da Palavra de Deus. A primeira àqueles que edificaram sua casa espiritual sobre a Rocha, e a segunda aos que constroem sua fé na areia movediça do espúrio movimento ecumênico:

> *Eis que venho sem demora; guarda o que tens, para que ninguém tome a tua coroa (Ap 3.11).*

> *Sai dela, povo meu, para que não sejas participante dos seus pecados, e para que não incorras nas suas pragas (Ap 18.4).*

1. Qual a causa geradora do movimento ecumênico?
2. Que organização surgiu em 1846, proveniente da perseguição romana?
3. Qual a base teórica do CMI?
4. Do ponto de vista evangélico, que palavra é a mais adequada para definir o caráter do CMI?
5. Cite um movimento revolucionário auxiliado pelo CMI na África Negra.
6. Por que razão o CMI não vê obstáculos doutrinários em sua marcha?
7. Qual o objetivo político do CMI, denunciado pela Bíblia?
8. O que propõe o CMI com a chamada "verdadeira unidade internacional"?
9. Qual o verdadeiro objetivo do Vaticano?
10. Qual o primeiro sinal de "morte" numa igreja que se filia ao ecumenismo?
11. Em que se constitui, para a verdadeira Igreja de Cristo, o ecumenismo massificado?

TERCEIRA PARTE

LIBERACIONISMO LATINO-AMERICANO

18 RAÍZES LIBERAIS E ECUMÊNICAS

DE TRENTO AO VATICANO II

A teologia da libertação como a conhecemos hoje remonta à Conferência Episcopal Latino-Americana (CELAN), realizada em Medellín, em 1968, ocasião em que alguns líderes religiosos da América Latina definiram a situação sócio-econômica e o sistema político dos seus países como profundamente geradores da marginalização e do empobrecimento das massas populares.

Antes dessa data, porém, teólogos latino-americanos reuniram-se em Petrópolis (Rio de Janeiro), em 1964, e em seguida, nos meses de junho e julho de 1965, nas cidades de Havana, Bogotá e Cuernavaca, ocasiões em que Gustavo Gutierrez e outros teólogos redefiniram a Teologia como reflexão crítica sobre a práxis social.

Do ponto de vista do catolicismo romano, o Concílio Vaticano II, reunido de 1962 a 1968, produziu clima de grande liberdade de pensamento, permitindo que os teólogos, por si próprios, refletissem sobre problemas pastorais da igreja e sugerissem soluções práticas.

Entretanto, a julgar pelos conceitos acerca de Deus, da Bíblia e da evangelização que afloram da vasta literatura liberacionista, as suas longas raízes atravessam as correntes humanistas e liberais dos últimos dois séculos, alcançam o marxismo e a Alta Crítica da Bíblia e tocam mesmo a Contra-Reforma Católica Romana do século XVI. Acerca do marxismo, dizem os liberacionistas que, embora o fundamento da teologia da libertação não possa ser outro "que a Palavra de Deus e, concretamente, Jesus

Cristo", no desenvolvimento atual da cultura "não podemos ignorar o papel do pensamento de Marx".[58]

A despeito de citarem a Escritura Sagrada e de considerarem-na o fundamento dos seus conceitos, os liberacionistas negam à Palavra de Deus a interpretação clássica, adotada por Jesus e pelos seus apóstolos e todos os fiéis discípulos dEle. Desprezando a Escritura Sagrada como regra prática insuficiente para nortear o comportamento humano em quaisquer situações da vida presente, conscientemente ou não, os liberacionistas concordam com o médico francês Jean Astruc, pai da Alta Crítica da Bíblia, que em 1753 publicou um livro em que lançava dúvidas sobre a origem mosaica do Pentateuco.

Desde Astruc não tem faltado quem se oponha à Bíblia, negando-lhe tanto o papel de regra infalível de fé e prática, quanto a inspiração divina que ela própria admite possuir. E nessa longa corrente liberal e secularista, a teologia da libertação se revela como um dos últimos elos. É isso o que se depreende do que escreveu acerca da Bíblia Rubens Alves, teólogo protestante brasileiro e líder liberacionista, ao dizer que a revelação não passa da maneira que a Bíblia usa para apresentar as suas verdades.[59]

RAZÃO EM VEZ DE REVELAÇÃO

É lógico que esse posicionamento em relação à Bíblia não é novo para os católicos romanos, pois a instituição a que pertencem vem-se divorciando há séculos do princípio apostólico de que "Toda Escritura divinamente inspirada é proveitosa para ensinar, para redargüir, para corrigir, para instruir em justiça; para que o homem de Deus seja perfeito, e perfeitamente instruído para toda boa obra" (2 Tm 3.16,17). No Concílio de Toulosa, em 1229, o catolicismo romano chegou ao ponto de proibir aos leigos a leitura da Bíblia, e em 1545, no Concílio de Trento, convocado com o fim de sufocar a Reforma Protestante, essa igreja atribuiu à Tradição valor igual ao da Escritura Sagrada.

Talvez seja também por força da Tradição católica que o franciscano Leonardo Boff, conscientemente ou não, dá como tarefa da teologia a explanação racional de todo o mistério cristão, englobando "dimensões mais amplas que aquelas das verdades reveladas", como o aspecto do culto, da liturgia e da vivência da comunidade.⁶⁰

Os teólogos católicos que apóiam o movimento liberacionista assinalam três períodos distintos na evolução do catolicismo, os quais são: (a) estágio religioso, ou mundo da transparência, à época do platonismo, em que se acentuava a causalidade exemplar. O terrenal é reflexo do celestial; (b) estágio filosófico, ou mundo da transcendência, à época do aristotelismo, quando se insistia na causalidade eficiente e na autonomia da criatura; (c) estágio científico, ou mundo da imanência, nossos dias atuais, quando é plena a autonomia mediante as emancipações religiosa, política e econômica.

Do liberalismo teológico os liberacionistas herdaram a ênfase na necessidade de a Igreja, tanto Protestante como Católica, incorporar à sua teologia os valores básicos, as aspirações e as atitudes características da cultura moderna, ressaltando, dentre outros, o "imperativo ético do Evangelho".
Procedem também do liberalismo os conceitos de que os credos primitivos não atendem às exigências do mundo moderno, e de que as doutrinas cristãs simbolizam verdades racionais conhecidas pela razão humana.

A BÍBLIA REINTERPRETADA

De Karl Barth, pai do novo modernismo teológico, e dos seus discípulos, os liberacionistas aceitam o pragmatismo, no qual a ação é superior ao pensamento e o valor prático é o critério da verdade, resultando, daí, a importância da *práxis*, da qual trataremos mais adiante. A ênfase passou da ortodoxia, que quer dizer doutrina correta, para a ortopráxis, cujo significado é prática correta.
Rudolf Bultmann, conhecido como o pai da teologia do mito, está presente no pensamento liberacionista com a reinterpretação da Escritura. Essa reinterpretação é feita não mediante os processos tradicionais de interpretação da Bíblia, mas através de hermenêutica particular que rejeita os fundamentos da fé cristã, como o valor da obra de Jesus no Calvário

e a bem-aventurada esperança do seu retorno, que inaugurará novo relacionamento de Deus com os homens.

Na chamada desmitificação das Escrituras, a pessoa de Jesus é reduzida a mero homem, incapaz de motivar a lealdade dos próprios discípulos. É esse estranho Jesus que o teatro e o cinema modernos mostram em peças profanas e profanadoras como *Jesus Cristo Superstar* e *A Última Paixão de Cristo*.

> A PESSOA DE JESUS É REDUZIDA A MERO HOMEM, INCAPAZ DE MOTIVAR A LEALDADE DOS PRÓPRIOS DISCÍPULOS.

O plano de redenção universalista da teologia da libertação, baseado no próprio homem, provém especialmente do ensino de A. Wolfhart Pannemberg e Jürgen Moltmann, fundadores da teologia da esperança. Essa corrente teológica, além de negar que as profecias sejam história pré-escrita, ensina que é dever de cada pessoa participar ativamente na sociedade a fim de apressar a chegada do futuro, que depende apenas do esforço humano e não de Deus. Orlando Costas, liberacionista moderado, depois de chamar os livros de Hal Lindsay (*A Agonia do Grande Planeta Terra* e outros) de "verdadeira obra-mestra da ficção teológica", afirma que "o Apocalipse não é um plano do futuro" e "sequer é um esboço das etapas da história".[61]

O pastor batista norte-americano Walter Rauschembush, falecido em 1918, também está presente no movimento liberacionista latino-americano com a sua teologia social, conhecida ainda como *O Evangelho do Caminho de Jericó*, em virtude da ênfase que imprimiu na transformação da sociedade em o reino de Deus mediante a reconstituição das relações humanas.

Essa mesma ênfase determina hoje, na América Latina, os rumos dos cristãos progressistas, quer sejam católicos, quer protestantes, pelo fato de existirem nos dias atuais, do México à Argentina, condições sociais similares às que existiram nos Estados Unidos há um século.

Outra raiz liberacionista brota da ética de Dietrich Bonhoeffer, enforcado pelos nazistas em 1945 aos 39 anos de idade por ter participado de uma fracassada tentativa de assassinato a Hitler. Na sua estranha teologia, Bonhoeffer afirma que o homem "pode viver bem sem Deus", que "dizer a verdade muda de significado de acordo com a situação em que nos encontramos", e que "mentir não é faltar com a verdade, pois se pode mentir dizendo toda a verdade".

A questão ética levantada por Bonhoeffer, certamente como causa e justificativa do seu fracassado complô contra o Führer, é a seguinte: "Quando um motorista dirige loucamente o seu caminhão atropelando as pessoas, devemos parar o caminhão ou cuidar dos feridos?" Foi pelo fato de entender que seria mais cristão parar o caminhão mediante o assassínio do seu condutor, que ele participou do atentado. No rastro desse atentado está a justificativa liberacionista do uso da violência, da qual também nos ocuparemos mais adiante.

NOVOS CONCEITOS TEOLÓGICOS

Do recente Movimento da Morte de Deus, cujos cabeças principais foram Harvey Cox, Gabriel Vahanian, William Hamilton e Paul Van Buren — nomes que aparecem amiúde na literatura liberacionista —, a teologia da libertação herdou conceitos segundo os quais o cristão radical concebe Deus como um processo progressivo de autonegação ou auto-aniquilamento, e o homem moderno percebe a importância da morte de Deus e compreende que ela lhe proporciona uma nova libertação. Assim, o cristão radical não apenas abraça a realidade da morte de Deus, mas deseja mesmo a morte de Deus, a fim de experimentar o seu efeito libertador.

> QUANDO UM MOTORISTA DIRIGE LOUCAMENTE O SEU CAMINHÃO ATROPELANDO AS PESSOAS, DEVEMOS PARAR O CAMINHÃO OU CUIDAR DOS FERIDOS?

Aqueles que defendem a tese de que Deus está morto, confessam a morte de Deus como algo real e verdadeiro, mesmo que essa morte não tenha ocorrido num dado momento do tempo ou da história. Para eles, essa morte "realmente ocorreu tanto num sentido cósmico como num sentido histórico... Deus morre até ao ponto de ficar imerso no mundo".

Por força desses e de outros conceitos, Gutierrez afirma que o homem salvo é aquele que, mesmo sem ter clara consciência de Deus, se abre para esse Deus e para os outros homens, o que é válido, ademais, para cristãos e não cristãos, para todos os homens. Esse teólogo afirma que "falar da presença da graça — aceita ou rejeitada — em todos os homens, implica, por outra parte, valorizar cristianamente as próprias raízes da ação humana. Impede falar com propriedade de um mundo profano".[62]

É interessante examinar a evolução dos conceitos de Deus, de Jesus Cristo, da Igreja e da Salvação através de períodos históricos da igreja católica. Esses períodos são denominados cristandade (que começou em 313 com o imperador Constantino), nova cristandade (que teve início em 1814 no Congresso de Viena, unindo o trono ao altar) e a atual teologia da libertação (nascida em 1968).

Dentro dessas etapas históricas da igreja, Deus o Pai, considerado *o Eterno* na cristandade, tornou-se *Criador* na nova cristandade e o *Deus dos pobres* na teologia da libertação. No mesmo esquema, a ênfase sobre Jesus Cristo passa de *Deus* para o *Ressuscitado*, e agora para o *Crucificado* (com as massas sofredoras), como Deus dos pobres. A igreja, inicialmente *sociedade perfeita*, tornou-se *sacramento de salvação* e agora é *comunidade*. A salvação, cuja ênfase era *salvar-se do mundo*, passou a *salvar-se no mundo*, e agora, na teologia da libertação, significa *salvar o mundo*.

ORIGEM ECUMÊNICA

Especialmente do lado protestante, a teologia da libertação possui raízes no Conselho Mundial de Igrejas (CMI), instituído em 1948, em Amsterdã, e que hoje representa cerca de 400 milhões de membros de aproximadamente 300 grupos religiosos de todas as partes do mundo.

Desde o seu início, o CMI se preocupou mais com o conceito pluralista da união da igreja e com problemas de ordem social do que com o que a Bíblia tem a dizer sobre união ou unidade cristã. Movido por essa preocupação com a justiça social, o CMI, sob o disfarce de direitos humanos, ainda na década de 1950 começou a se identificar com os movimentos de libertação em todo o mundo. No continente sul-americano esses encontros foram promovidos pela *Igreja e Sociedade na América Latina*, ISAL, sob a liderança dos teólogos pró-marxistas Richard Shaull e Emílio Castro.

Em l966, o CMI patrocinou um Congresso de Igreja e Sociedade em Genebra, na Suíça, ocasião em que Richard Shaull justificou o uso da violência como "último recurso para destruir os assim chamados sistemas capitalistas 'opressivos'."[63] O nome que nesse tempo se dava à teologia ecumênica era *teologia da revolução*, mais tarde transformada em teologia da libertação.

Um pouco antes, em 1961, na Terceira Assembléia Geral do CMI realizada em Nova Délhi, na Índia — quando a Igreja Ortodoxa foi oficialmente recebida como membro da entidade — a ênfase dessa organização ecumênica, até então posta no "texto", transferiu-se para o "contexto religioso", de onde originou a contextualização do cristianismo com as outras religiões.

A partir de 1967, nova alteração ocorreria na ênfase teológica do CMI, que passou do "contexto religioso" para o "contexto sóciopolítico" nas assembléias gerais realizadas em 1968 (Uppsala), 1973 (Bangcoc), 1975 (Nairóbi), 1980 (Melbourne) e 1983 (Vancouver). O tema desse último Congresso, *Jesus Cristo — a Vida do Mundo*, muito sugestivo, foi cuidadosamente escolhido com o propósito de favorecer a apresentação de um predeterminado programa de temas sociológicos, políticos, científicos, ecológicos, antimilitares e marxistas — tudo que diga respeito "ao mundo presente, secular e terrestre, com as suas perspectivas puramente horizontais".[64]

É interessante, também, notar que as mesmas igrejas protestantes, que criaram o Conselho Mundial de Igrejas através das suas cúpulas internacionais, criaram também, na década de 1980, o Conselho Latino-Americano de Igrejas (CLAI) e o Conselho Nacional de Igrejas Cristãs (CONIC), este último no Brasil. Na abertura do CLAI, em Huampani, Peru, foi um dos principais conferencistas o bispo José Miguez Bonino, presidente do Seminário Metodista de Buenos Aires e um dos seis presidentes do CMI.

Tendo como ponto de partida essas raízes, analisaremos, no capítulo seguinte, o caráter e o desenvolvimento do movimento liberacionista dentro da sua perspectiva marxista.

PERGUNTAS PARA REVISÃO

1. Identifique as raízes da teologia da libertação.
2. Como os liberacionistas vêem a Escritura Sagrada?
3. O que herdaram os liberacionistas do liberalismo teológico?
4. De acordo com o pensamento liberacionista, como é feita a interpretação da Bíblia?
5. Como evoluíram os conceitos de Deus, Jesus Cristo, Igreja e Salvação através dos períodos históricos da igreja católica até a atual teologia da libertação?

19 O CARÁTER E O DESENVOLVIMENTO

PERSPECTIVA MARXISTA

Pelo fato de se tratar de um movimento multiforme e ainda sujeito a variações, não é tarefa fácil analisar o caráter da teologia da libertação.

Em linhas gerais, os seus propagadores defendem a ideologia socialista e adotam um programa revolucionário dentro de uma perspectiva marxista. Acreditam que podem unir-se em "aliança estratégica" com revolucionários e marxistas não dogmáticos, a fim de promover a revolução social na América Latina. Em 1972, em Santiago do Chile, um grupo desses religiosos ficou conhecido como "cristãos pelo socialismo".

A teologia da libertação não usa o termo *teologia* no seu sentido clássico, tradicional e técnico, como *o estudo ou a ciência de Deus e o seu relacionamento com as suas criaturas*. Segundo um dos pioneiros desse movimento, nele o termo *teologia* adquire conotação bem distinta, como "uma reflexão crítica da práxis cristã à luz da Palavra".[65] Essa "práxis cristã", entretanto, não é só ação separada do pensamento ou da teoria, mas ação guiada pelo pensamento e comprometida com uma reavaliação constante de atitudes e teorias, e uma recondução de ações com base nessa reavaliação.

Os liberacionistas, portanto, entendem que esse novo sistema teológico, como tentativa de reflexão baseada tanto no Evangelho quanto nas experiências de homens e mulheres comprometidos com o processo da libertação dos oprimidos latino-americanos, nasceu "da experiência de esforços comuns para abolir a atual situação injusta e criar uma sociedade diferente, mais livre e mais humana".[66]

O cardeal alemão Joseph Ratzinger, na qualidade de prefeito da Congregação para a Doutrina da Fé — órgão máximo do Vaticano para assuntos doutrinários e teológicos —, disse que o que mais assusta na teologia da libertação é o fato de ela não se assemelhar a uma heresia. Como fenômeno universal que aparece em diferentes partes do mundo, o liberacionismo é a prova de que um erro é tanto mais perigoso quanto maior o núcleo de verdade que ele contenha. Mas, que verdade contém esse fenômeno?

Considerando a análise marxista da história como chave para se entender a doutrina cristã, os liberacionistas revelam uma lógica quase invencível. Ratzinger diz que, embora seja difícil aceitar a possibilidade de que a realidade global do cristianismo possa ser esgotada num esquema sócio-político de libertação, muitos teólogos liberacionistas continuam usando a mesma linguagem ascética e dogmática da Igreja Católica.

Considerada, então, como uma reflexão sobre a prática libertadora dos grupos comprometidos na América Latina, esse movimento de finalidades libertadoras se origina nos cristãos engajados e comprometidos na promoção humana e na transformação da sociedade. O ex-padre brasileiro Leonardo Boff salienta que a teologia da libertação quer refletir as implicações das práticas históricas, sociais e transformadoras no contexto da Igreja. "Tal teologia", afirma Boff, "não nasceu da cabeça de teólogos nem de cátedras e de universidades, mas das práticas de cristãos engajados, vivendo a contradição fundamental da nossa sociedade, que é a presença de grandes maiorias muito pobres ao lado de pequenas minorias muito ricas. Essa teologia se opõe à Teologia do Desenvolvimento, que apenas postula um desenvolvimento dentro dos quadros da sociedade na qual vivemos. A teologia da libertação pretende criar uma prática teórica de reflexão e uma prática eclesial e política que ajude a elaborar uma alternativa para a atual sociedade em que vivemos".[67]

SEU AVANÇO NAS AMÉRICAS

Quarenta e duas pessoas, de 16 países latino-americanos, convocadas por organismos ecumênicos do Brasil, Argentina e Uruguai, reuniram-se em Huampani, Peru, em julho de 1961, a fim de avaliar a atividade social do cristianismo nos seus respectivos países. Desse encontro, denominado "consulta", nasceu o ISAL — Igreja e Sociedade na América Latina, que por sua vez convocou nova consulta, realizada no Chile em janeiro de 1966.

Sempre patrocinadas pelo Concílio Mundial de Igrejas, entidade originalmente protestante, realizaram-se a terceira e a quarta consultas respectivamente no Uruguai (dezembro de 1967) e de novo no Peru (julho de 1971), representando uma tomada de consciência da situação de pobreza de grandes parcelas da sociedade latino-americana.

Do lado católico romano, realizou-se no Rio de Janeiro, em 1955, convocada pelo papa Pio XII, a Conferência Geral do Episcopado Latino-Americano que, além de enfatizar a defesa da fé católica ante a superstição, a maçonaria, o protestantismo, o espiritismo e o comunismo, analisou o problema dos imigrantes e algumas crises clericais. Essa conferência criou a CELAM, Conferência do Episcopado Latino-Americano, que seria, em 1968, na Colômbia, o ponto de partida da teologia da libertação, pois nesse país, na cidade de Medellín, a CELAM II assumiu o compromisso da libertação dos pobres mediante o fortalecimento e expansão das comunidades eclesiais de base (CEBs).

Leonardo Boff resume o papel da Igreja Católica no período entre Medellín e Puebla citando o pequeno índice de credibilidade da igreja numa estatística da Pontifícia Universidade Católica do Rio de Janeiro em 1963. Nesse ano, 60% dos alunos se declaravam ateus em virtude de a igreja haver-se colocado ao lado da "injusta e antipopular" ordem político-econômica, ao passo que outra estatística realizada na mesma universidade, em 1978, revelava que 75% dos estudantes se declararam crentes em virtude de a igreja ter sido "a voz dos que não tinham voz", e de se ter identificado "com o pobre e o marginal".[68]

Puebla, no México, hospedou em 1979 a III CELAM, que contou com a presença de João Paulo II. Essa assembléia reforçou o compromisso assumido pela igreja de libertar os oprimidos do continente latino-americano mediante a "opção preferencial pelos pobres".

Além desses grandes encontros internacionais, diversas organizações ecumênicas e "progressistas", tanto de origem protestante como católica, promovem a expansão do movimento. Essa expansão, no Brasil, pode ser exemplificada pelas comunidades eclesiais de base, que já ultrapassam 80 mil. Entre as diversas entidades que assistem essas comunidades estão o CONIC (Conselho Nacional de Igrejas Cristãs) e a CNBB (Conferência Nacional dos Bispos do Brasil).

Na Argentina, José Miguez Bonino e José Severino Croatto, ambos líderes do CMI (Conselho Mundial de Igrejas), influenciam milhares de seminaristas com os seus ensinos no Instituto Evangélico de Buenos Aires e por meio de grande número de livros.

Na Bolívia, teólogos liberacionistas falam acerca da canonização de Ernesto "Che" Guevara como um mártir cristão, pelo fato de haver sido morto nesse país em 1967 quando comandava um exército de libertação popular.

Peru, Chile, Colômbia e México, em razão de haverem hospedado importantes encontros liberacionistas, possuem líderes atuantes, como o peruano Gutierrez, que de Lima exerce uma influência mundial, e o mexicano José Miranda, autor dos livros *Marx e a Bíblia* e *Comunismo na Bíblia*. No Equador e no Uruguai os liberacionistas apóiam movimentos guerrilheiros, e no Paraguai instigam a invasão de áreas rurais. Na Venezuela, a teologia da libertação é popularizada entre estudantes mediante o Centro de Estudos para a Ação Social.

Na América Central, teólogos liberacionistas católicos ajudaram os sandinistas a tomar o poder na Nicarágua, país onde a Igreja tem sido duramente perseguida e onde as autoridades afirmam que todos os cristãos verdadeiros apoiaram a revolução.

Em El Salvador, os liberacionistas apóiam a Frente de Libertação Farabundo Marti, de tendências marxistas, que vem recebendo ajuda do movimento comunista internacional.

Na Guatemala, os mesmos liberacionistas conscientizam os camponeses através do Movimento Nacional de Trabalhadores Rurais, fundado pelo padre André Gijon, a derrubarem o Governo e a implantarem no país uma democracia do proletariado.

Em Cuba, segundo denuncia a revista *Family Protection Scoreboard*, Fidel Castro considera a teologia da libertação como um útil instrumento na propagação da filosofia marxista. Por essa razão cidades cubanas têm hospedado encontros de teólogos liberacionistas que elogiam o regime de Havana.

Na Costa Rica, o Seminário Bíblico Latino-Americano, influenciado pelas teologias européias e norte-americanas, e pelo movimento ecumênico sediado em Genebra, exporta idéias liberacionistas para os países da região.

DAS FILIPINAS A PORTUGAL

As idéias liberacionistas latino-americanas, com ligeiras diferenças, estão presentes em todos os continentes. Elas podem ser encontradas no movimento feminista europeu, nas teologias negras norte-americana e africana, em diversas organizações que atuam nas Filipinas, na Coréia do Sul, na Tailândia, na África do Sul, na Espanha, e em diversos outros países.

Até mesmo em Portugal, onde as fortes tradições católico-romanas e o ativismo comunista contribuem para que o percentual de verdadeiros cristãos seja um dos menores da Europa, a teologia liberacionista começa a se revelar através da ala liberal da Aliança Evangélica.

Essa instituição interdenominacional, que representa os protestantes portugueses junto ao Governo, produz programas para a televisão estatal nos quais divulga seus pontos de vista religiosos. Quando elaborados pelos liberais, esses programas focalizam temas puramente sociais e de tendência esquerdista, o que preocupa os líderes evangélicos conservadores, uma vez que tais mensagens, sem serem neo-testamentárias, chegam aos telespectadores rotuladas de "evangélicas".

Para os pastores portugueses fiéis à sã doutrina, é grande a confusão que a mensagem liberacionista produz na mente do povo simples, já perplexo com o avanço rápido do russelismo e do mormonismo. Essa confusão só tende a dificultar ainda mais a propagação do genuíno Evangelho de Jesus Cristo. Embora presente em várias partes do mundo, a teologia da libertação tem, como a sua principal área de ação, a América Latina, onde já influencia grande parte do clero católico romano e penetra profundamente no seio de denominações evangélicas tradicionais, como a luterana, a metodista, a episcopal, a presbiteriana e a presbiteriana independente.

Exemplo dessa influência foi o culto de gratidão e compromisso pela eleição a cargos públicos de políticos evangélicos, celebrado no dia 26 de fevereiro de 1989, no templo da Primeira Igreja Presbiteriana Independente do Brasil, em São Paulo, e coordenado pela Secretaria de Diaconia daquela denominação. Nesse culto, a mensagem, pregada por ilustre orador presbiteriano de Curitiba, o qual baseou-se em Êxodo 3.1-12, continha os seguintes tópicos tipicamente liberacionistas: "Deus é solidário com o povo que sofre", "Deus suscita um líder político que seja libertador", "Deus os acompanha na sua missão libertária", e "O culto verdadeiro deve ser expressão de reconhecimento ao Deus que liberta".

Sem se referir sequer uma vez à libertação dos pecados mediante o sangue de Jesus, o referido pregador salientou: "É importante, porém, que saibamos e aprendamos com Moisés, que quase sempre é mais fácil quebrar o cetro do opressor do que o grilhão do oprimido. Sim, os muitos anos de opressão fazem com que os oprimidos desenvolvam uma maneira própria de raciocinar que, com freqüência, difere profundamente de outras que nunca sofreram repressões ou opressões. Mas apesar de tudo isto, temos que ir, porque somos chamados e enviados por Deus... É preciso ter maturidade para entender isto e não desistir de caminhar lado a lado com o povo. Temos que perceber que Deus caminha ao lado deles, e deixá-los é abandonar a companhia de Deus".

Na mesma ocasião os políticos evangélicos eleitos assinaram o seguinte "compromisso": "Eu, ... eleito pelo povo, comprometo-me a trabalhar com seriedade, negociar com transparência, visando o bem comum e a construção de uma sociedade justa, igualitária, fraterna e feliz".[69]

Nesse compromisso não há sequer uma referência a Deus. Vem-nos à lembrança Tiago 4.15: "Se o Senhor quiser... faremos isto ou aquilo", e Salmos 127.1: "Se o Senhor não edificar a casa, em vão trabalham os que a edificam". É grande a confusão que a mensagem liberacionista produz na mente do povo simples... Essa confusão só tende a dificultar ainda mais a propagação do genuíno Evangelho de Jesus Cristo.

A fim de preservar a sua fé evangélica, um amigo meu teve de desistir do curso teológico que fazia num seminário metodista de São Paulo. Disse-me esse amigo que os seus professores de teologia contemporânea ou eram liberais ou marxistas, e que admitir, na sala de aula, fé na Bíblia como a infalível Palavra de Deus era expor-se ao ridículo. Não é de estranhar, portanto, que a ênfase da mensagem pregada na maioria dos púlpitos metodistas tenha-se mudado do espiritual para o secular, do pecado pessoal para o social, e da igreja para a comunidade.

Numa palestra informal com a irmã Lídia de Almeida, diretora do Instituto Bíblico Betel Brasileiro, mencionei a rápida e profunda decadência do metodismo, que foi a igreja de meus pais e que, no tempo dos Wesleys, começou triunfante marcha no poder do Espírito Santo. Essa líder evangélica aludiu às palavras de Jesus: "Àquele a quem muito foi dado, muito lhe será exigido; e àquele a quem muito se confia, muito mais lhe pedirão" (Lc 12.48), salientando que, porque recebeu muito e o negou, o metodismo, em várias partes do mundo, tem liderado outras denominações no seu afastamento do verdadeiro Evangelho de Jesus Cristo.

A dura realidade do pecado, que tem atirado à miséria econômica, moral e espiritual tanto as pessoas como as instituições a que pertencem — até mesmo as evangélicas — é o assunto do nosso próximo capítulo.

PERGUNTAS PARA REVISÃO

1. Como os liberacionistas utilizam o termo "teologia"?
2. O que pretende a teologia da libertação?
3. Como se deu o avanço do movimento da teologia da libertação nas Américas?
4. Qual é a principal área de atuação do movimento liberacionista?

20 O PROBLEMA DO PECADO

A DURA REALIDADE DO PECADO

Pecado é desobediência. Ao colocar o homem no Éden, disse-lhe o Senhor Deus: "De toda a árvore do jardim comerás livremente, mas da árvore do conhecimento do bem e do mal não comerás" (Gn 2.16-17). O homem, porém, ao optar pela desobediência, sujeitou-se ao pecado e à morte, e desde então luta com suor e lágrimas para granjear o pão cotidiano. O pecado tornou a terra maldita, e esta passou a produzir espinhos e cardos. Desde então, todo homem é pecador por natureza, como membro da raça pecadora que descende do pecador original, Adão. Enquanto a criatura humana não resolver o problema dos seus pecados perante Deus, ela está separada de Deus.

As Escrituras Sagradas declaram que Deus criou o homem à sua imagem e semelhança, ou seja, espiritualmente justo, veraz, piedoso, misericordioso e santo. Porém, com o pecado, a imagem e semelhança divina no homem foi afetada, tendo este se vendido ao demônio. Assim, quanto ao espírito, o homem, mediante a queda, se tornou injusto, mentiroso, cruel, ímpio e inimigo de Deus. O seu corpo, antes não sujeito ao sofrimento, tornou-se sensível à dor e sujeito a todo tipo de enfermidade, assumindo posição ainda mais inferior do que a dos animais irracionais. O pecador é escravo do mundo através da moda e da opinião pública, é escravo da carne mediante sua natureza caída, e é escravo do diabo por sujeitar-se às influências deste.

Mesmo depois de libertos por Cristo e feitos filhos de Deus, não nos livramos inteiramente do insidioso poder da queda. Por essa razão o apóstolo Paulo afirma a respeito de si próprio e de todos os crentes: "De maneira que eu, de mim mesmo, com a mente sou escravo da lei de Deus, mas, segundo a carne, da lei do pecado" (Rm 7.25).

Cada pecado, além de demonstrar o nosso fracasso em amar a Deus de todo o nosso ser, é a quebra do que Jesus chamou de o primeiro e grande mandamento. É a recusa ativa de reconhecer a Deus e obedecer-lhe como nosso Criador e Senhor, e a rejeição da nossa posição de dependência dEle que implica o fato de termos sido por Ele criados. Mas fazemos ainda pior; insistimos em proclamar a nossa auto-independência e a nossa autonomia como que reivindicando a posição que somente Deus pode ocupar.

Analisando o texto de Romanos 8.7: "Porquanto a inclinação da carne é inimizade contra Deus, pois não é sujeita à lei de Deus, nem, em verdade, o pode ser", John Stott afirma que o pecado "não é um lapso lamentável de padrões convencionais; a sua essência é a hostilidade para com Deus, manifesta em rebeldia ativa contra ele", é "uma qualidade implicitamente agressiva — uma crueldade, um ferimento, um afastamento de Deus e do restante da humanidade, uma alienação parcial, ou um ato de rebelião".[70]

Na Bíblia, portanto, pecado é algo interno, que além de ter sua origem na desobediência à vontade divina, é basicamente contra Deus e não contra o homem. Quando a Escritura afirma que "todos pecaram" e que "o salário do pecado é a morte" (Rm 3.23; 6.23), quer dizer exatamente isto: que esse terrível mal é como chaga que contamina o ser humano dos pés à cabeça e o coloca sob a maldição eterna de Deus. O aspecto social do pecado não é outra coisa senão a exteriorização do caráter depravado do coração ainda insubmisso a Cristo.

Emil Brunner resume esse pensamento muito bem, ao dizer: "Pecado é desafio, arrogância, desejo de ser igual a Deus... Asserção da independência humana contra Deus... Constituição da razão autônoma, moralidade e cultura".[71]

A NOSSA CONDIÇÃO PECAMINOSA

O ser humano, com sua natureza totalmente corrompida pelo pecado de Adão, vivendo na triste condição de escravo do diabo, do pecado e da morte, está condenado ao inferno. "Pela desobediência de um só homem..." (Rm 5.19) "... todos pecaram" (Rm 3.23) "... todo aquele que comete pecado é servo do pecado" (Jo 8.34). Sua razão corrompeu-se completamente, e ele passa a chamar mal ao bem, e bem ao mal, e considera as coisas falsas como verdadeiras, e as verdadeiras como falsas. "Não há quem faça o bem, não há sequer um" (Sl 14.3). "Todo homem é mentira" (Sl 116.11).

> O ASPECTO SOCIAL DO PECADO NÃO É OUTRA COISA SENÃO A EXTERIORIZAÇÃO DO CARÁTER DEPRAVADO DO CORAÇÃO AINDA INSUBMISSO A CRISTO.

Embora o pelagianismo e o iluminismo afirmem que *somos bons por natureza mas pervertíveis pelo ambiente,* e o semipelagianismo reconheça que *há em nós uma inclinação má que, embora não seja pecado, torna-se pecado quando consentimos com ela, e que por isso podemos cooperar na nossa salvação pelas nossas próprias forças,* a Bíblia Sagrada não permite nenhuma atenuação da profundidade do pecado, que leva o ser humano à perdição eterna.

A Bíblia ensina que o pecado enraizou-se na alma humana e manchou-a terrivelmente, como verdadeira lepra espiritual que se ramifica, amarrando e sufocando a alma. Como um déspota tirano, o pecado exige obediência cega dos seus escravos, porque atrás dele está o próprio Satanás. As obras do pecado são as mais horrendas que se podem imaginar: insegurança, doenças, inimizades, rixas, contendas, falta de paz e toda uma grande e negra lista.

O apóstolo João declara que o amor do mundo e o amor do Pai são incompatíveis. "Não ameis o mundo nem as coisas que há no mundo. Se alguém amar o mundo, o amor do Pai não está nele; porque tudo o que há no mundo, a concupiscência da carne, a concupiscência dos olhos e a soberba da vida, não procede do Pai, mas procede do mundo" (1 Jo 2.15,16).

Nesse contexto, *mundo* significa a raça humana sem Deus, incrédula e rebelde, sob a orientação do diabo, que persegue a Igreja ou procura subvertê-la mediante influências sutis. A "concupiscência da carne" significa os apetites malignos e desordenados da nossa baixa natureza animal, não redimida. A "concupiscência dos olhos" quer dizer o meio pelo qual as coisas externas do mundo nos inflamam — o seu materialismo avarento e passageiro, o desejo exagerado de fama e beleza, de ajuntar tesouros na terra, que quase sempre acaba levando a pessoa a afastar-se de Deus, a explorar o seu semelhante e a viver uma vida infeliz. A "soberba da vida" é a presunção arrogante, o pecado que causou a queda de Lúcifer. A "soberba da vida" forma o vínculo entre o mundo (que corresponde à concupiscência dos olhos) e o diabo (concupiscência da carne).

À luz da Palavra de Deus, o pecador não regenerado e, portanto, desobediente à vontade divina, não pode desfrutar a pureza e a santidade, mas experimentar contínua degeneração física, moral e espiritual. Em vez de paz, conhece o desespero; em vez de felicidade, conhece a desgraça.

A PERSPECTIVA HUMANISTA

Possuindo opinião bem diferente da teologia clássica, os liberacionistas dizem que a pobreza é expressão do pecado, que por sua vez é negação do amor. Gustavo Gutierrez conclui que a pobreza "é incompatível com a vinda do Reino de Deus, um Reino de amor e justiça. A pobreza é um mal, uma condição escandalosa, que nos nossos tempos assumiu proporções enormes. Eliminá-la é aproximar-se mais do momento de encarar a Deus face a face, em união com os outros homens".[72]

Assim, na teologia liberacionista, o pecado, como algo externalizado, refere-se às estruturas sociais opressivas que necessitam ser removidas como causa única da pobreza e da injustiça.

O pecado, portanto, consistiria, fundamentalmente, na separação ou alienação de uma pessoa ou grupo de pessoas de sua verdadeira identidade. De acordo com a Teologia Negra, que segue a mesma linha liberacionista, o pecado do oprimido não é o de ele ser responsável pela sua própria escravidão, mas sim o de tentar "compreender" o escravizador e de "amá-lo" nos termos do oprimido. "O resultado cumulativo do pecado humano", afirma o liberacionismo, "é a estrutura injusta e a opressão. Estas estruturas diabólicas trazem consigo sua própria destruição. Elas têm de ser confrontadas e combatidas".[73]

Em nível mais profundo, essa libertação poderia ser aplicada ao entendimento da história, em que o homem seria visto assumindo responsabilidade consciente do seu próprio destino. Seria esse entendimento que proveria um contexto dinâmico e alargaria os horizontes das alterações sociais desejadas. Gutierrez, depois de afirmar que um homem "faz-se através de sua vida e através da história", sugere que a "conquista gradual da verdadeira liberdade leva à *criação de um novo homem* e de uma sociedade qualitativamente diferente".[74]

Assim, o que antes Deus fazia — *a criação de um novo homem* — agora é o homem que faz, ou melhor, que pretende fazer, fechando os olhos à sua própria depravação total diante de um Deus santo. Esse humanismo idealista considera o ser humano capaz de regenerar-se a si próprio e de assumir todo o domínio da realidade da vida presente, e, portanto, de estabelecer uma sociedade justa sobre a terra, uma sociedade sem os pecados do ódio, da ganância e da injustiça.

Nessa perspectiva humanista, os liberacionistas confundem até mesmo a redenção bíblica final, isto é, a transformação do nosso corpo em corpo glorioso (1 Co 15.51-53; 1 Ts 4.16; 1 Jo 3.2) com uma presente emancipação social e econômica. Um desses teólogos afirmou que "o que nós necessitamos é de vida antes da morte e não vida depois da morte", e que "precisamos ser livres da coação para o pecado na nossa vida coletiva".

Mais adiante o mesmo teólogo, após perguntar se devemos falar com Deus o redentor ou Deus o emancipador sobre vida e pecado, responde: "Deus é um só. Conhecemos libertação, e libertação somente através da nossa participação. Não há nada que Deus possa fazer por nós sem a nossa participação ou envolvimento. Viver significa participar. O gemer do Universo criado nos deixa abertos à participação no que foi chamado criação. Se nós nos conscientizamos da revelação de sermos filhos participantes, então nos tornamos unidos com a força libertadora na história, assim como na natureza. Temos que participar da chamada, identificar a necessidade e entrar na luta".[75]

Essa perspectiva humanista e renascentista, sem apoio bíblico, tem produzido pessoas alienadas de Deus porque não dependem dEle, e essas pessoas, pelo fato de rejeitarem a verdade divina revelada nas Escrituras e de não se submeterem ao senhorio do Senhor Jesus Cristo, assemelham-se a guias cegos, que não cairão sós no abismo.

O mesmo humanismo pregado pela teologia da libertação esteve presente no liberalismo teológico, que tanto valor deu ao ser humano. Contudo, depois das duas guerras mundiais deste século, as quais revelaram a hediondez do inferno que existe no coração do homem, o liberalismo, desgastado, cedeu lugar à nova ortodoxia, que foi uma tentativa fraca de retorno à Bíblia e ao verdadeiro retrato do homem sem Deus.

Transformando a redenção bíblica em libertação política ou antropológica, os teólogos liberacionistas colocam o homem no lugar de Cristo, fazendo desse homem o seu próprio salvador e também o salvador da humanidade. Essa nova redenção humana — não dos seus pecados pessoais cometidos contra Deus e o próximo, mas das desigualdades sociais e opressões políticas — enquadra-se perfeitamente no novo conceito liberal e ecumênico da missão da Igreja.

Quando, ignorando a Bíblia, analisamos o ser humano partindo de pressuposições humanistas, materialistas, ateístas ou marxistas, é natural que busquemos as soluções para as crises humanas dos nossos tempos nas mesmas pressuposições. A teologia da libertação, por analisar a sociedade humana partindo de uma perspectiva marxista, só vê soluções que procedam dessa mesma perspectiva.

"FILHOS DA IRA"

Creio que a ira divina, embora ainda futura em toda a sua plenitude, parcialmente se manifesta, no presente, em forma de enfermidades, desastres e misérias, como prévio juízo de Deus. No dizer do apóstolo Paulo em Efésios 2.2 e 3, além de os pecadores serem por natureza "filhos da ira", estão debaixo do domínio de Satanás e à mercê das suas próprias paixões. Entre essas paixões, encontram-se o tabaco, o álcool, o jogo e a maconha, todas muito comuns ao povo sul-americano.

Para que o leitor tenha uma idéia dos males desses vícios, ou hábitos perniciosos, aqui vão algumas estatísticas:

1. *O tabaco.* Nos anos setentas morreram de câncer na Europa, como conseqüência direta do tabaco, mais de 14 milhões de pessoas. Na mesma década morreram pela mesma causa cerca de dez milhões em todas as Américas, sendo perto de quatro milhões nos Estados Unidos e um milhão e duzentos mil no Brasil.

2. *O álcool.* O número de alcoólatras crônicos no mundo era de 30 milhões em 1974, passou para mais de 40 milhões seis anos mais tarde, e iniciaria os anos noventas na casa dos 50 milhões. Quem não tem um sério problema de alcoolismo na família?

Tomando por base apenas os Estados Unidos, onde o álcool é responsável, a cada ano, por um terço de todos os suicídios, metade dos homicídios, metade dos estupros, três quartos de todos os roubos, metade de todos os acidentes automobilísticos fatais, e onze por cento de todas as mortes, o leitor pode fazer uma idéia dos danos que esse terrível inimigo da humanidade representa no seu país e na sua própria comunidade.

3. *O jogo.* Acerca da nocividade desse terrível vício denominado por Rui Barbosa de "a lepra do vivo e o verme do cadáver", registrei, em um de meus livros, as palavras de Daso Coimbra, médico e parlamentar brasileiro: "Não creio que o jogo possa contribuir para o bem de um povo e sirva de solução para os problemas sociais de qualquer nação. Creio que o jogo contribui para a degradação moral, para a perda, por parte dos que a ele se entregam, de todos os valores que edificam a dignidade humana, arruinando vidas, destruindo famílias, deteriorando patrimônios e lançando à desgraça um sem-número de pessoas".[76]

Mais adiante, depois de chamar certas modalidades de jogo de "fórmula indigna de sangrar o orçamento definhado do trabalhador", afirma o parlamentar brasileiro que todo o comércio, no país inteiro, tem experimentado forte queda no volume de vendas nos dias de quinta-feira, quando se encerram cada semana as apostas da Loteria Esportiva. Essa autoridade indica um dado curioso e profundamente triste: na quinta-feira a venda de leite na capital do país diminui na ordem de setenta mil litros, além de cair, também, o consumo de pão e de carne. Esse fenômeno faz que os empórios e supermercados recebam menor afluência de fregueses, enquanto "as casas lotéricas abrigam filas intermináveis de gente iludida".[77]

4. *A maconha.* Contra essa *erva maldita* diversos países americanos têm movido intensa guerra, que parece perdida pelo fato de o tráfico de drogas representar negócios de dezenas de bilhões de dólares. Somente a Colômbia exporta para os Estados Unidos um valor em maconha equivalente a quatro vezes o orçamento da Bolívia. Esse valor, em 1979, já era de 8 bilhões de dólares.

No Brasil, o Maranhão, que produz 70% da maconha consumida no país, exporta esse produto para os estados do Sul através de imensa e bem organizada rede de traficantes.

Em que sentido a pobreza se relaciona com os entorpecentes? A droga leva o viciado a abandonar o trabalho honesto — cujo salário é insuficiente para sustentar o vício — e a entregar-se ao crime. Em seu desespero na busca da droga, o dependente desta é capaz de furtar, assaltar e matar. Ele passa a viver na miséria e quase sempre leva sua família à vergonha e à pobreza.

A IDOLATRIA

Há muitas outras formas de pecado que trazem miséria, e entre estas está a idolatria, tão abundante no Brasil e em toda a América Latina. Em relação a Israel, a Bíblia declara com clareza que o Senhor Deus foi tão provocado por essa prática, condenada já no primeiro mandamento do Decálogo, que não conseguiu impedir que a sua ira se derramasse em forma de guerras, secas e a sua conseqüente miséria. O salmista registrou: "Pois o provocaram com os seus altos, e o incitaram a zelos com as suas imagens de escultura" (Sl 78.58).

O profeta Amós revela que Deus castigou a nação israelita para que ela se arrependesse dos seus pecados. Diz o Senhor:

> Por isso também vos dei limpeza de dentes em todas as vossas cidades, e falta de pão em todos os vossos lugares; contudo não vos convertestes a mim, disse o Senhor. Além disso retive de vós a chuva, três meses ainda antes da ceifa; e fiz chover sobre uma cidade, e sobre outra cidade não fiz chover; sobre um campo choveu, mas o

outro, sobre o qual não choveu, se secou [...] contudo não vos convertestes a mim, disse o Senhor. Feri-vos com queimadura, e com ferrugem; a multidão das vossas hortas, e das vossas vinhas, e das vossas figueiras, e das vossas oliveiras, foi comida pela locusta; contudo não vos convertestes a mim, disse o Senhor. Enviei a peste contra vós [...] contudo não vos convertestes a mim, disse o Senhor. Subverti alguns dentre vós [...] contudo não vos convertestes a mim, disse o Senhor (Am 4.6-11).

Se o Deus da Igreja ainda hoje é o Deus de todas as nações, como reconhecem os próprios liberacionistas, muitas vezes a miséria e a pobreza podem ser juízos de um Deus misericordioso, ansioso de que o povo ouça o Evangelho, volte-se para Ele e seja salvo. Temos dois exemplos na América Central: Guatemala e El Salvador. As crises pelas quais a Guatemala passou ajudaram a levar a Cristo milhares de pessoas, tornando esse país um dos mais evangelizados das Américas. De El Salvador, onde violenta guerra civil provoca insegurança e pobreza, a igreja cristã tem alcançado um dos maiores índices de crescimento de toda a sua história naquele país.

Discorrendo acerca da santidade divina, John Stott afirma que os profetas, especialmente Jeremias e Ezequiel, ao empregarem expressões denunciadoras de que o comportamento pecaminoso do povo provocava o Senhor à ira, não querem dizer que o Senhor "estivesse irritado ou exasperado, ou que o procedimento de Israel tivesse sido tão provocante que desfizera a paciência divina. Não, a linguagem da provocação exprime a reação inevitável da natureza perfeita de Deus ao mal. Indica que há dentro de Deus uma intolerância santa para com a idolatria, imoralidade e injustiça. Onde quer que estas ocorram, agem como estímulos ao desencadeamento da sua resposta de ira ou indignação. Ele jamais é provocado sem motivo. O mal, e somente o mal o provoca, e deve ser assim necessariamente, visto que Deus deve ser Deus (e proceder como Deus). Se o mal *não* o provocasse à ira ele perderia o nosso respeito, pois já não seria Deus".[78]

O REMÉDIO CONTRA O PECADO

"Pode acaso o etíope mudar a sua pele, ou o leopardo as suas manchas?" (Jr 13.23), pergunta Deus referindo-se ao homem desejoso de libertar-se dos seus pecados por meio das suas próprias forças. Ele não consegue, por si mesmo, livrar-se dos seus vícios e muito menos das suas más inclinações. Pergunte a um fumante por que não deixa de fumar. Apesar de saber que o fumo é o principal agente do câncer pulmonar, ele continua fumando. Da mesma forma acontece com o alcoólatra.

Todavia, para combater o que chamam de "estruturas diabólicas", os liberacionistas não recorrem ao poder de Deus, à Bíblia ou ao sangue de Jesus. Para eles, os "pecadores não necessitam de nenhuma ajuda externa; tudo o de que carecem é deixar os seus maus caminhos e praticar a justiça".[79]

O liberacionista brasileiro Rubens Alves diz: "Deus, assim, não é liberdade para o homem. Ele é a domesticação do homem..." Quando a morte de Deus é 'proclamada', obviamente o homem é novamente libertado para o seu mundo, a sua história, a sua criação. O mundo é dessacralizado, os seus valores são descongelados. Nada é final... O homem é livre para a experimentação... a religião, portanto, deve ser destruída por amor à terra, por amor à liberdade do homem de criticar o seu mundo a fim de transformá-lo".[80]

Seria possível ao pecador, sem "nenhuma ajuda externa", praticar a justiça? A Bíblia afirma com toda a ênfase que o único caminho conhecido pelo pecador não regenerado é o da injustiça, e que Jesus, anunciado no Antigo Testamento como "Senhor Justiça Nossa" (Jr 23.6), que "nunca fez injustiça" e em cuja boca "dolo algum se achou" (Is 53.9), é o único que pode guiar o homem "pelas veredas da justiça por amor do seu nome" (Sl 23.3).

Não se pode combater a injustiça social, que é uma conseqüência do pecado, sem primeiro combater o próprio pecado. O mal tem de ser removido pelas raízes. O apóstolo Paulo, escrevendo a cristãos que, mediante os recursos divinos, renegaram a impiedade e as paixões mundanas, exorta-os a que vivam neste presente século "sensata, justa e piedosamente" (Tt 2.12), palavras que descrevem um relacionamento em primeiro lugar intimamente pessoal, depois social, e finalmente espiritual.

Em outras palavras, o perdão dos nossos pecados, ou seja, a nossa justificação pela fé em Cristo, leva-nos a depor as armas na guerra que mantínhamos contra Deus e contra nós mesmos; então, depois de assim reconciliados com Deus e com a nossa própria personalidade integral, é que estamos em condições de manter relacionamento social legítimo e justo com os nossos semelhantes, o que vem a ser a prática da justiça. Finalmente, é só quando damos esses dois primeiros passos que chegamos ao terceiro — a vida de comunhão com Deus, que vem a ser o viver "piedosamente".

Os cristãos verdadeiros, maravilhosamente libertos dos seus pecados através do recebimento da grandiosa salvação que Deus lhes preparou no seu Filho Jesus, que é muito mais do que o Deus dos pobres da teologia liberacionista, conhecem por experiência própria as conseqüências do pecado arraigado no coração humano, e sabem que não basta condenar o pecado. É necessário, antes, anunciar ao pecador o remédio contra o pecado, que é o sangue de Jesus derramado na cruz do Calvário numa morte expiatória e substitutiva.

Da parte do pecador, somente um arrependimento sincero, através da aceitação plena da verdade evangélica, poderá introduzi-lo num novo viver, não mais segundo o curso deste mundo, mas segundo a graça divina. O fruto do Espírito Santo no crente é: "Amor, gozo, paz, longanimidade, benignidade, bondade, fé, mansidão, temperança" (Gl 5.22). Os dois capítulos seguintes analisam o caráter da mensagem salvadora à luz da Bíblia e da teologia da libertação.

PERGUNTAS PARA REVISÃO

1. Defina "pecado" segundo a Bíblia.
2. À luz da palavra de Deus, qual é o estado de nossa natureza?
3. De acordo com os liberacionistas, em que consiste o pecado?
4. Como o humanismo idealista considera o ser humano?
5. Qual é o remédio para o pecado?

21 A MENSAGEM DA SALVAÇÃO

O VALOR DA BÍBLIA

Em virtude de a teologia da libertação haver-se originado de diversas correntes teológicas liberais européias e norte-americanas, todas negadoras, em última instância, de que a Escritura Sagrada é a infalível Palavra de Deus, é lógico que não podemos esperar, da parte dos liberacionistas, nenhuma declaração de fé na Bíblia.

Aliás, nem pretende a teologia da libertação que seus postulados sejam bíblicos no sentido clássico e segundo as leis da hermenêutica sagrada. Ao citarem partes do Antigo e do Novo Testamento em apoio à sua posição, eles o fazem apenas daquelas que lhes convenham. De maneira geral os teólogos liberacionistas crêem que a Bíblia está cheia de mitos e necessita, portanto, ser reinterpretada à luz dos avanços científicos e do contexto sócio-econômico. Reinterpretação e contextualização são termos-chave para os liberacionistas, que crêem na Bíblia como apenas "uma palavra humana na qual se concretiza a Palavra de Deus".[81]

Segundo os irmãos Boff, "a Bíblia, como uma Escritura Sagrada, é um livro histórico, mas ao mesmo tempo diz ter significância e autoridade para os cristãos hoje. A teologia tem desenvolvido paradigmas diferentes para resolver essa tensão entre as reivindicações históricas e teológicas da Bíblia... É a história da libertação de vítimas da opressão social e econômica feita por Deus".[82]

Ao questionarem a Palavra de Deus, sem antecipar uma resposta divina, os liberacionistas se servem de uma hermenêutica distinta da tradicional, cuja regra básica é que a Escritura interpreta a própria Escritura. Notem nestas outras palavras dos irmãos Boff essa restrição à Bíblia: "Não se pode negar que a palavra de Deus tem primazia, pois ela precisa manter primazia de valor, apesar de que não necessariamente de metodologia. Por outro lado, nós sabemos, pelo contexto intrinsecamente liberacionista da revelação bíblica, que para os pobres a palavra pode surgir somente como uma mensagem de consolidação radical e libertação".[83]

A VERDADE NA BÍBLIA

Tendo sido influenciado pelo idealismo hegeliano, que não deixa também de ser panteísta, o conceito liberacionista da verdade é puramente relativo e progressivo. Le Roy, falando de Rubens Alves, afirma que ele "sente que qualquer absolutismo nos valores religiosos e morais é completamente opressivo por natureza e deveria ser abolido". Le Roy menciona ainda que para Alves "o homem prefere viver em constante estado de incerteza sobre todos os valores, inclusive o futuro, a viver sob o absolutismo em qualquer forma".[84]

Afirmam os teólogos que a palavra *verdade* evoca, no pensamento hebraico, solidez, certeza, fidelidade, constância, e que no Novo Testamento essa mesma palavra expressa a revelação de alguma coisa outrora oculta, a aparição da realidade, da essência de alguma coisa. Assim, o conceito de verdade, tanto no Antigo como no Novo Testamento, não são exclusivos, mas inclusivos.

Assim, o Evangelho é chamado de verdade justamente em oposição às heresias, que são mentiras. No Evangelho de João, verdade é, como salientou Senft, "a revelação, a realidade divina descoberta ao homem, a fim de livrá-lo da mentira de quem é prisioneiro, permitir-lhe conhecer a Deus e, portanto, conhecer-se a si mesmo. A Palavra, o Verbo, Jesus Cristo, é a luz verdadeira, isto é, a luz de Deus mesmo que alumia todo homem" (cf. Jo 1.9).[85]

Esse profundo e abrangente conceito bíblico de verdade não pode firmar-se num Cristo parcialista, como o Deus dos pobres, pregado pelos teólogos da libertação.

POR QUE JESUS MORREU?

Deixando as Escrituras de lado, ou torcendo-as com violência, os teólogos liberacionistas apresentam a Jesus como uma espécie de precursor de Karl Marx, ao considerá-lo como alguém que toma o partido dos pobres, que critica os poderosos e que afinal morre como mártir nas mãos destes.

Para os liberacionistas Jesus não "morreu", mas foi morto, executado publicamente como criminoso. Por que ele foi morto? Porque acharam que os ensinos dEle eram perigosos e subversivos. Porque perturbou a ordem social de tal maneira que decidiram eliminá-lo. As autoridades judaicas enfureceram-se com a desrespeitosa atitude de Jesus para com a lei, ao passo que os romanos ouviam dizer que Ele desejava ser o rei dos judeus e, assim, desafiar a autoridade de César.

Tanto os judeus como os romanos viam em Jesus um pensador e um revolucionário, por isso a acusação contra Ele foi teológica e política. Ele foi acusado de blasfêmia no Sinédrio e de sedição no tribunal romano. Assim, Jesus, injustamente acusado de pecar contra a religião e o Estado, morreu como mártir, vítima de mentes medíocres. Quando a Bíblia afirma ser ela a própria Palavra de Deus e a própria verdade (Jo 17.17), ela quer dizer que os seus princípios, os seus testemunhos e as suas promessas são sólidos, certos, fiéis e constantes, e que neles podemos confiar.

Os liberacionistas, ignorando os evangelhos, também dizem que Jesus chama os publicanos de pecadores por serem colaboradores do opressor império romano. O que lemos no Novo Testamento é que Jesus evangeliza esses cobradores de impostos, perdoa-lhes, come com eles e até acolhe um deles no colégio apostólico: Mateus. Evidentemente isso escandalizava os judeus, que criticam o Mestre por comer e beber com os pecadores e ser amigo deles. Como explicar o fato de Jesus aceitar como discípulos esses colaboracionistas do imperialismo opressor?

Jesus se identificou com os pobres no seu ministério, não por ter sentido pena deles, mas a fim de revelar o julgamento de Deus contra estruturas religiosas e sociais que oprimem os fracos. Jesus nasceu como pobre, viveu com eles, e morreu como um deles.[86]

Leonardo Boff conclui um de seus livros chamando Jesus de irmão da sofrida raça humana, no qual descobrimos a realização da mais radical utopia. É possível que ele esteja insinuando que a teologia da libertação seja o cumprimento profético dessa utopia radical, quando diz: "As raízes dessa utopia estão nos meios arquétipos dos nossos inconscientes sonhos coletivos. Mas para aqueles que podem crer, nada disso é uma distante utopia, nada disso é mera esperança. Não, tudo isso é evento histórico, atualidade histórica, o legado de todos os justos e o destino final da Terra que nós defendemos e amamos com tanto temor e tremor".[87]

COMO A BÍBLIA APRESENTA O SALVADOR

A Bíblia apresenta Cristo como o maior de todos os profetas, como o enviado pessoal da parte de Deus para revelar aos homens a vontade divina. Embora nesse sentido Moisés e muitos outros homens de Deus tenham sido profetas, Cristo é a "Palavra de Deus" feita carne, que eternamente habitou no seio de Deus, que conhece o Pai. É Ele, portanto, na qualidade de profeta mediador, a fonte original em que beberam todos os demais profetas. Jesus é o Profeta dos profetas; o Mestre dos mestres.

Cristo é, também, Sacerdote dos sacerdotes, aquEle que, tomado entre os homens, comparece à presença de Deus representando os homens, a fim de propiciar e interceder por eles. O sacerdote, além de ter sido escolhido para representar o povo diante de Deus, deve também ser propriedade de Deus, eleito por Ele. Deve ser santo e consagrado ao Senhor a fim de aproximar-se de Deus, só ou levando outros consigo, oferecer sacrifícios aceitáveis a Deus e interceder em favor de outros. Em todos esses sentidos Cristo é o perfeito sumo sacerdote, conforme Hebreus 8.3: "Porque todo sumo sacerdote é constituído para oferecer dons e sacrifícios; pelo que era necessário que este também tivesse alguma coisa que oferecer".

Cristo foi sacerdote não segundo a ordem de Arão, pois este era inadequado para representá-lo em todas as suas relações, uma vez que Arão apenas dava uma idéia da obra do Messias, mas como sacerdote segundo a ordem de Melquisedeque, porque este, além de exercer um sacerdócio real, não tinha predecessores nem sucessores. Melquisedeque foi único. Por isso Cristo é "sacerdote para sempre" (Hb 7.17).

A Bíblia também apresenta Cristo como o chefe soberano de todas as coisas. Com relação à Igreja, Ele exerce também o ofício de rei, separando do mundo um povo para si mesmo e dando-lhe oficiais, leis e disciplina, governando-os, dessa forma, visivelmente. Ele distribui a graça salvadora aos eleitos, recompensa a obediência deles e os corrige quando erram, preservando-os e sustentando-os em todas as suas tentações e sofrimentos.

Cristo é, portanto, Mediador, Chefe e Salvador de sua Igreja e herdeiro de todas as coisas. Uma das mais antigas exposições da doutrina da igreja acerca de Cristo remonta ao Concílio de Calcedônia, em 451, que afirma: "Nós, seguindo aos santos Pais e todos unânimes, ensinamos aos homens a que confessem a um e ao mesmo Filho, nosso Senhor Jesus Cristo, o qual é perfeito em sua divindade e perfeito em sua humanidade; verdadeiro Deus e verdadeiro homem, com corpo humano e alma racional; consubstancial com o Pai no tocante à sua divindade; consubstancial a nós com respeito a sua humanidade, engendrado desde antes de todos os tempos pelo Pai segundo sua divindade, e em nossos dias, para nós e para nossa salvação, nascido de Maria, a Virgem Mãe de Deus no que toca à sua humanidade: um e mesmo Cristo, Filho, Senhor, Unigênito, que deve ser reconhecido em duas naturezas que não se confundem, senão que permanecem imutáveis, indivisíveis e inseparáveis..."

IGNORANDO A HEDIONDEZ DO PECADO

No que diz respeito a Cristo, sua divindade, sua natureza sem pecado e seu perfeito sacrifício substitutivo, a teologia da libertação não leva a sério a doutrina bíblica do pecado, não usa vocabulário bíblico, não expressa declarações de fé nas verdades básicas das Escrituras. A teologia da libertação não trata da necessidade da conversão bíblica, do arrependimento dos pecados, da fé no poder redentor do sangue de Cristo, nem da necessidade de obediência aos seus mandamentos. Ela ignora a hediondez do pecado pessoal, pois, como definiu Gutierrez, "a pobreza é uma expressão do pecado, que é uma negação do amor".[88]

Do Antigo Testamento, o tema preferido dos liberacionistas é o êxodo. Vêem a libertação do povo de Israel como modelo para os nossos dias, mas ignoram inteiramente os verdadeiros propósitos divinos com Israel, como por exemplo o motivo dado a Abraão pelo próprio Deus para a época desse evento libertador: "E a quarta geração tornará para cá, porque a medida da injustiça dos amorreus não está ainda cheia" (Gn 15.16).

A hediondez e as conseqüências do pecado destacam-se tanto no castigo infligido aos israelitas que pereceram no deserto — alguns engolidos vivos pela terra —, como nos castigos infligidos pelos descendentes de Abraão aos cananeus, à época em que Deus já não podia suportar a iniqüidade deles. Por isso os israelitas, segundo explícita ordem de Deus a Josué, destruíram ao fio da espada tudo quanto havia na cidade de Jericó, "desde o homem até à mulher, desde o menino até ao velho, até ao boi e gado miúdo, e ao jumento" (Js 6.21).

Os teólogos da libertação, pelo fato de restringirem o conceito bíblico de pecado e assumirem atitude universalista quanto à salvação, não sabem o que fazer com textos como esse de Josué. Por isso se interessam apenas pelas narrativas que possam ser contextualizadas na opressiva realidade da América Latina e de outras partes do mundo, mas não se interessam por outras porções bíblicas, igualmente inspiradas por Deus.

A EXPIAÇÃO

Como a Teologia da libertação vê a morte de Jesus na cruz? Ela a vê somente como uma conseqüência histórica da vida e da pregação de Jesus acerca do reino de Deus. Jesus teria proclamado um Deus dos pobres, um Deus de libertação, um Deus comprometido com a dignidade humana, um Deus tão profundamente amoroso que sofre o sofrimento humano na morte do seu próprio Filho. Mas esse Deus proclamado por Jesus entrou em conflito com o Deus da religião, o Deus do ritual externo e da adoração no templo, um Deus em cujo nome as classes privilegiadas subjugam as outras.

A fim de justificar esse ponto de vista, os liberacionistas mencionam o fato de que Jesus, embora acusado de blasfêmia por proclamar-se igual a Deus, não sofreu a sentença de morte para blasfemadores religiosos, que seria o apedrejamento, mas a punição imposta a agitadores políticos, que era a crucificação. Enfatizando as desafiadoras denúncias de Jesus contra todos os que detinham o poder, e depreciando o conteúdo principal do extraordinário que Ele nos trouxe, a teologia da libertação apresenta um Salvador que em nada se assemelha ao Deus de amor e verdade.

Assim, trazendo Deus ao nível humano e elevando os humanos ao nível de Deus, os teólogos da libertação não vêem a necessidade de uma salvação plena, profunda e radical, daí não salientarem a expiação de Cristo no Calvário como garantia dessa salvação. A Palavra de Deus ensina, por outro lado, que é necessário, antes de tudo, que tenhamos uma visão da santidade divina, como Jó, Moisés, Isaías e outros homens de Deus do passado a tiveram; que sejamos verdadeiramente convencidos do nosso pecado pela ação do Espírito Santo em nós; que nos reconheçamos como pecadores merecedores do inferno; que peçamos misericórdia ao Pai, e a lavagem dos nossos pecados no sangue expiador vertido por Jesus na cruz.

De modo especial na carta aos Hebreus, que analisa o significado da morte de Jesus à luz de todo o contexto do Antigo Testamento, o Filho de Deus, como o Sumo Sacerdote da nossa salvação, ofereceu-se a si mesmo como vítima e oferta pelo pecado, em nosso favor e em nosso lugar, a fim de consumar a nossa redenção, ou seja, pagar a pena dos nossos pecados, pena muito acima das nossas forças. Hebreus afirma: "Portanto... muito mais o sangue de Cristo que, pelo Espírito eterno, a si mesmo se ofereceu sem mácula a Deus, purificará a nossa consciência de obras mortas para servirmos ao Deus vivo!" E continua: "Jesus, porém, tendo oferecido, para sempre, um único sacrifício pelos pecados, assentou-se à destra de Deus" (Hb 9.13,14; 10.12).

A SUBSTITUIÇÃO

A fim de que o pecador recebesse o perdão divino e ao mesmo tempo a justiça divina fosse executada, Deus teria de providenciar um substituto perfeito, isto é, sem pecado, para o pecador, que fosse tanto verdadeiro homem quanto verdadeiro Deus. A obra de salvação, que começa com a substituição, passa pela expiação, a justificação, a redenção, a recriação, e prossegue na regeneração ou novo nascimento. Esta última, realizada no nosso interior pelo Espírito Santo que habita em nós e deseja transformar-nos na imagem de Cristo, é o processo de santificação.

Tratando dessas facetas da salvação, diz John Stott que a regeneração não é um aspecto da justificação, mas que ambas, a regeneração e a justificação, são aspectos da salvação, pois uma não pode ocorrer sem a outra. Ele divide a afirmação "ele nos salvou" nestes dois componentes: "o lavar regenerador e renovador do Espírito Santo" por um lado, e "justificados por graça" por outro (Tt 3.5-7).

> A OBRA DE SALVAÇÃO, QUE COMEÇA COM A SUBSTITUIÇÃO, PASSA PELA EXPIAÇÃO, A JUSTIFICAÇÃO, A REDENÇÃO, A RECRIAÇÃO, E PROSSEGUE NA REGENERAÇÃO OU NOVO NASCIMENTO.

Para o referido teólogo inglês, como a obra justificadora do Filho e a obra regeneradora do Espírito não podem ser separadas, as boas obras do amor seguem a justificação e o novo nascimento como evidência necessária deles. Pelo fato de a salvação jamais ser "por obras", mas sempre "para obras", Lutero costumava exemplificar a ordem correta dos eventos referindo-se à árvore e o seu fruto: "A árvore deve vir primeiro, então o fruto. Pois não é a maçã que faz a árvore, mas a árvore que faz a maçã. De modo que primeiro a fé faz a pessoa, que, depois, produz as obras".[89]

Na Bíblia Sagrada, a porção referente à prisão e morte de Cristo ocupa 25 dos 89 capítulos dos evangelhos, o que revela a importância da crucificação de Jesus como vítima sacrificial. A fim de garantir-nos salvação eterna, o Filho de Deus entregou-se voluntariamente em nosso favor, satisfazendo à justiça divina por nós, em nosso lugar, como o sumo sacerdote do sacrifício pleno.

A FÉ SALVADORA

Na teologia da libertação a fé é termo religioso que expressa voto pessoal, entrega total que dá à pessoa uma identidade e determina o que essa pessoa necessita fazer no mundo a fim de alcançar a sua comunidade. Entre essa fé, compreendida como entrega a uma preocupação última, e a obediência, não há separação, porque a obediência determina a fé. James Cone registra: "Sei qual é a sua fé, não pelo que você confessa, mas somente através do que faz. Quero enfatizar que a própria natureza da fé demanda uma atividade proporcional à sua própria confissão".[90]

Entendendo que, por ser Jesus a revelação da intenção divina para a humanidade e por ser a fé nada mais do que a confiança naquele que, em Cristo, veio para libertar o pobre, a teologia da libertação ensina que, quando alguém crê em Deus, rejeita o seu próprio sistema de valores oriundo de estruturas sociais já estabelecidas, e abraça a luta pessoal contra essas estruturas injustas. Assim, junto com a fé bíblica está a obediência que a define, como afirma Dietrich Bonhoeffer: "Somente aquele que acredita é obediente, e o que é obediente acredita".[91]

A teologia da libertação ensina ainda que, na prática, a obediência vem antes da fé. Segundo esse ensino, não temos de primeiro receber a fé e depois vivê-la no mundo, mas, em um processo inverso, encontrar a Deus no processo de libertação histórica. É então, no contexto histórico da luta pela liberdade, que "a pessoa recebe o dom de liberdade divina e daí ocorre a conscientização de que as estruturas eternas da criação estão dando poder ao oprimido na sua luta por justiça... Fé não é um dado, mas, sim, um voto que nasce da luta pela liberdade, e não antes".[92]

Para o liberacionista, nos primeiros séculos da era cristã a fé teve a função de protestar contra a ordem social; depois, a partir de Constantino, de conservar o *status quo,* e hoje, a sua função é construir uma nova sociedade através, evidentemente, da teologia da libertação. Esta, por sua vez, vê a fé como fórmula química: fé + opressão = teologia da libertação. Por isso os liberacionistas dizem que, talvez pela primeira vez na história da humanidade, "a fé da comunidade cristã depara com um desafio: construir uma nova sociedade, onde o 'domínio social' não mais exista".[93]

A pessoa que realmente experimentou a salvação em Cristo não necessita de profundos conhecimentos de doutrina cristã para descobrir que a fé salvadora definida na Bíblia é muito diferente daquela apresentada pelos liberacionistas. Jesus e os apóstolos ensinaram a prioridade da fé sobre as obras, e definiram essa fé como dom de Deus, revelado ao pecador pelo Espírito Santo, o único que convence o mundo "do pecado, da justiça e do juízo" (Jo 16.8).

É mediante o arrependimento pessoal dos seus pecados que o pecador recebe a fé salvadora. A mensagem central de Jesus foi: "arrependei-vos e crede no Evangelho" (Mc 1.15), e uma das suas últimas ordens aos discípulos, antes de subir para o Pai, foi: "Ide por todo o mundo e pregai o Evangelho a toda criatura. Quem crer e for batizado será salvo" (Mc 16.15).

A SALVAÇÃO UNIVERSAL

A obra redentora consumada por Jesus no Calvário é ilimitada na sua suficiência, mas restrita na sua eficiência. Ela é suficiente para salvar tanto um pecador como toda a raça humana, mas toda essa suficiência só se torna eficiente nas vidas dos que crêem em Jesus Cristo conforme as Escrituras.

Esse é o princípio da responsabilidade individual. Em toda a Escritura Sagrada encontramos ensinamentos claros a esse respeito. A salvação é para todos os que crêem. "Aquele que crê no Filho tem a vida eterna; mas aquele que não crê no Filho não verá a vida, mas a ira de Deus sobre ele permanece" (Jo 3.36). O apóstolo Paulo escreve: "Se, com a tua boca confessares ao Senhor Jesus e, em teu coração, creres que Deus o ressuscitou dos mortos, serás salvo. Visto que com o coração se crê para justiça, e com a boca se faz confissão para a salvação" (Rm 10.9,10).

> A PESSOA QUE REALMENTE EXPERIMENTOU A SALVAÇÃO EM CRISTO NÃO NECESSITA DE PROFUNDOS CONHECIMENTOS DE DOUTRINA CRISTÃ PARA DESCOBRIR QUE A FÉ SALVADORA DEFINIDA NA BÍBLIA É MUITO DIFERENTE DAQUELA APRESENTADA PELOS LIBERACIONISTAS.

Contudo, não é este o ensino dos liberacionistas, que acreditam no universalismo. Gutierrez afirma ainda que "a salvação compreende todos os homens e todo o homem: a ação libertadora de Cristo — feito homem nesta história e não em uma história marginal à vida real dos homens está no coração do fluir histórico da humanidade, a luta por uma sociedade justa inscreve-se plenamente e por direito próprio na história salvífica".[94]

Segundo o ensino de Gutierrez, o homem é salvo se se abrir para Deus e para os outros, "ainda que não esteja claramente consciente do que está fazendo", valendo essa premissa tanto para os cristãos como para os não cristãos — para todas as pessoas! "A salvação não é uma coisa do outro mundo, para a qual a presente vida seja um simples teste. A salvação — a comunhão dos homens com Deus e a comunhão dos homens entre si — é uma coisa que abrange toda a realidade humana, transformando-a e elevando-a à sua plenitude em Cristo... Não existem duas histórias, uma profana e uma sagrada... antes, existe um único destino humano, irreversivelmente assumido por Cristo, o Senhor da história... existe uma única história".[95]

Percebe-se que Gutierrez, sendo sacerdote jesuíta, foi grandemente influenciado por Pierre Teilhard de Chardin, teólogo e cientista católico romano. Este, ao aplicar o seu ponto de vista evolucionista à fé religiosa, concebeu uma salvação universal que reúne toda a humanidade na sua visão cósmica de Cristo como o "Ômega", para quem todas as coisas finalmente convergirão.

Chardin, ao identificar o corpo de Cristo com toda a humanidade e com todo o Universo, demonstra mais fé na autoridade da evolução do que na da Bíblia. São dele estas palavras: "Creio que o Universo é uma Evolução. Creio que a Evolução se dirige ao Espírito. Creio que o Espírito se realiza no Pessoal. Creio que o Pessoal supremo é o Cristo universal". Outras declarações de Chardin: "O Pensamento chegado ao seu termo... neste paroxismo... deve conseguir furar (por efeito de hipercentração) a membrana temporal-espacial do Fenômeno (humano) — até encontrar um supremamente Pessoal, um supremamente personalizante".[96]

De pleno acordo com o pensamento chardiano, Leonardo Boff diz que a ascensão evolutiva se faz por meio de uma união cada vez mais crescente e por meio de uma consciência e de um desenvolvimento no amor cada vez mais profundos. Afirma Boff: "Assim como para a vinda de Deus na carne foram precisos milhões de anos de preparação até que chegasse à plenitude dos tempos (Gl 4.4), de forma semelhante devemos representar a segunda vinda do Cristo glorioso. Podemos, e certamente devemos, admitir que a parúsia encontre não uma humanidade decrépita nem um mundo votado e consagrado à inércia. Antes, pelo contrário: a humanidade e o mundo deverão ter desenvolvido as suas forças latentes até um grau altíssimo de realização".[97]

Essa visão de "um único destino humano", de "uma única história", de um *Cristo universal* não é, indubitavelmente, bíblica. A base dessa interpretação é de que a salvação não é experimentada somente no âmbito da igreja, mas que as pessoas de fora, isto é, não cristãs, também podem possuí-la e refleti-la na sua vida cotidiana. Dessa forma, a evangelização clássica e ortodoxa, como realizada pelos evangélicos, pelos apóstolos, e pelo próprio Cristo, está fora de moda e nada significa para o mundo de hoje.

A Bíblia, porém, não afirma que toda criatura humana chegará à glória. Quando a Bíblia anuncia a vinda de um novo mundo em que habita a justiça, e prevê a regeneração de todas as coisas, inclusive da própria criação, não está tratando da salvação universal de todos os indivíduos e povos. É claro que surgirá nova ordem e nova sociedade, mas somente depois do terrível julgamento fartamente predito nas Escrituras como o "dia da vingança do nosso Deus" (Is 61.2).

É grande a diferença entre a suficiência da propiciação e a sua eficácia, pois enquanto a primeira alcança todo o mundo, a segunda atinge apenas os que se arrependem dos seus pecados e crêem em Jesus Cristo "como diz a Escritura" (Jo 7.38). O Senhor Jesus é claro: "Se, porém, não vos arrependerdes, todos igualmente perecereis" (Lc 13.3). "Mas, a todos quantos o receberam", afirma o apóstolo João, "deu-lhes o poder de serem feitos filhos de Deus; a saber: aos que crêem no seu nome" (Jo 1.12).

A grandeza da salvação que Deus nos preparou em Cristo exige da nossa parte enorme desprendimento na sua proclamação. Como estamos cumprindo esse dever? Está a teologia da libertação cumprindo o "ide" de Jesus? Tentaremos responder a essas questões nos dois capítulos seguintes.

PERGUNTAS PARA REVISÃO

1. Como os liberacionistas concebem a verdade?
2. Explique como os teólogos liberacionistas apresentam Jesus Cristo.
3. Como a teologia da libertação vê o pecado, a morte expiatória de Cristo, a fé e a salvação?
4. Como a Bíblia apresenta Jesus Cristo?

22 A EVANGELIZAÇÃO

A EVANGELIZAÇÃO LIBERACIONISTA

Na teologia da libertação, a evangelização não se relaciona com o anúncio do plano divino de salvação nem com o ensinamento das Escrituras Sagradas como sendo todo o conselho de Deus para a nossa salvação eterna, mas com a *práxis* liberacionista, que contém uma interpretação política e ativista.

Que significa, então, essa proclamação da *práxis* libertadora?

Significa que a promoção dos direitos humanos no mundo, como exigência do Evangelho, deve ocupar lugar central no ministério da Igreja, em detrimento da conversão ou do novo nascimento. Foi essa a conclusão dos bispos reunidos em Puebla, no México, em 1968, ao afirmarem que a luta pelos direitos humanos pode muito bem ser a ordem original desta hora divina no continente latino-americano: "Para Puebla, a dignidade humana é um valor evangelístico, e uma parte integral de toda evangelização".[98]

Depois de citar Isaías 1.17, Marcos 7.6-8 e Mateus 23.23, Leonardo Boff conclui que a evangelização acontece somente quando a realidade muda de ruim para boa, quando os direitos negados aos pobres lhes são finalmente restaurados. Diz ele: "Hoje esse tipo de evangelização é realizado somente à medida que criamos condições de solidariedade para com os pobres, a fim de... restabelecer direitos e restaurar justiça".[99]

Na práxis, deve-se, antes de tudo, pensar nos pobres, e depois entregar-se a uma reflexão crítica em busca das causas originais da pobreza e da opressão, questionando tanto o sistema econômico como a Igreja nos seus ensinamentos teológicos e nas suas práticas sociais. Leonardo Boff assinala que "a teologia da libertação pretende pensar não a partir do tema da libertação, mas a partir de uma prática de libertação concreta junto com os interessados na libertação que são os oprimidos (operários, camponeses, favelados e os seus aliados da pequena burguesia)".[100]

"Práxis não é só ação separada do pensamento ou da teoria", afirma McGovern, "mas ação guiada pelo pensamento. Práxis envolve uma constante reavaliação de atitudes e teorias e uma recondução de ações com base nesta reavaliação".[101]

A EVANGELIZAÇÃO BÍBLICA

No Novo Testamento, evangelizar significa comunicar a toda a humanidade que o Pai celeste, no seu Filho Jesus Cristo, providenciou-nos grande e eterna salvação. Lemos, no Evangelho de João, que "Deus amou o mundo de tal maneira que deu o seu Filho unigênito, para que todo aquele que nele crê não pereça, mas tenha a vida eterna", e na carta aos Romanos, que "Deus prova o seu próprio amor para conosco, pelo fato de ter Cristo morrido por nós, sendo nós ainda pecadores" (Jo 3.16; Rm 5.8).

Muito mais do que mera mensagem ou teoria, o Evangelho é uma Pessoa — a bendita Pessoa do Filho de Deus, que é a resposta ao problema básico do ser humano: o pecado. A Bíblia Sagrada destaca a Pessoa de Jesus como o nosso Substituto, Mediador, Libertador, Senhor e Mestre.

1. *Substituto*. Na condição de nosso Substituto, Jesus cumpriu o simbolismo de todos os sacrifícios oferecidos a Deus, tanto antes da lei de Moisés como durante a vigência desta. A finalidade desses sacrifícios era mostrar a hediondez do pecado, que exigia a morte do pecador.

Em Israel, cada vez que o israelita levava uma oferta expiatória, tinha de colocar a mão sobre o animal e confessar a sua culpa. Com esse gesto ele se reconhecia merecedor da morte por causa do seu pecado, mas rogava a Deus que aceitasse, no lugar do ofertante pecador, uma vítima inocente, que no caso era um animal.

O Senhor Jesus, na condição de nosso Substituto, tomou o nosso lugar na cruz e levou sobre si os nossos pecados e as nossas dores, reconciliando-nos com o Pai mediante o seu sangue remidor. Seu precioso sacrifício, único e eterno, pôs fim a todos os sacrifícios pelo pecado que se faziam sob o regime da lei de Moisés.

A BÍBLIA SAGRADA DESTACA A PESSOA DE JESUS COMO O NOSSO SUBSTITUTO, MEDIADOR, LIBERTADOR, SENHOR E MESTRE.

2. *Mediador*. Cristo Jesus, como o único "Mediador entre Deus e os homens" (1 Tm 2.5), reata o relacionamento partido entre o ser humano e o Criador. Por causa do pecado tornamo-nos em primeiro lugar inimigos de Deus, e depois, inimigos uns dos outros. Entretanto, ao sermos reconciliados com o Pai, também nos reconciliamos uns com os outros.

Ao satisfazer na sua plenitude a justiça divina, que exigia a morte do pecador, o Senhor Jesus inaugurou no seu próprio sangue inocente a nova aliança, segundo a qual Deus Pai nos perdoa e nos aceita como filhos por adoção em Cristo.

3. *Libertador*. Na qualidade de nosso Libertador, Jesus nos livra do poder opressor do pecado e de Satanás. Nesse sentido estritamente bíblico, a libertação é uma obra divina realizada no mais profundo do nosso ser.

Conhecida missionária observou que a nossa salvação se assemelha, de certa forma, à de uma pessoa salva da morte através de um transplante de coração. O cirurgião "retira o coração enfermo do peito do paciente e coloca no seu lugar o coração bom e saudável de alguém que acaba de morrer por outra causa".[102]

A Bíblia, ao referir-se ao nosso ser interior, à nossa personalidade e ao centro dos nossos pensamentos, das nossas emoções e vontade, fala com freqüência do coração. Devemos orar como o salmista: "Cria em mim, ó Deus, um coração puro, e renova dentro em mim um espírito reto" (Sl 51.10). A morte de Jesus possibilitou a resposta a essa oração.

4. *Senhor e Mestre*. Como o nosso Senhor e Mestre, Cristo é o caminho para a realização plena da criatura humana. Recebendo-o não apenas como

Salvador, mas também como Senhor supremo, o cristão obedece-lhe em tudo, aceitando para o seu viver cotidiano a direção que ele lhe dá tanto na sua Palavra escrita, a Bíblia, como mediante o Espírito Santo, o Consolador, que nos guia em toda a verdade e faz de nosso corpo o seu templo.

O PROPÓSITO DA PREGAÇÃO DO EVANGELHO

Na teologia da libertação o propósito do Evangelho está voltado muito mais para a comunidade do que para o indivíduo em si. O resultado que o Evangelho deve produzir é, primeiramente, uma reflexão sobre a atual condição social e política, e, em seguida, a motivação para fazer alguma coisa no sentido de mudar essa condição. Ser convertido é, segundo Gutierrez, "comprometer-se com o processo da libertação dos pobres e oprimidos, comprometer-se lúcida, realística e concretamente".[103]

Para esse liberacionista peruano, sem uma mudança nas opressoras estruturas sociais, "não há conversão".

Gutierrez afirma ainda que a pregação do Evangelho tem "uma função conscientizadora" ou, em outros palavras, politizadora. Essa função conscientizadora, entretanto, não se torna real e significativa a não ser mediante a vivência e a proclamação do Evangelho a partir do compromisso pela libertação dos oprimidos. "Somente na solidariedade concreta e efetiva com as pessoas e classes exploradas", afirma esse teólogo, "somente participando nas suas lutas podemos compreender e fazer com que incida na história essas implicações. A pregação da palavra seria vazia e anti-histórica se pretendesse escamotear essa dimensão".[104]

SER CONVERTIDO É, SEGUNDO GUTIERREZ, "COMPROMETER-SE COM O PROCESSO DA LIBERTAÇÃO DOS POBRES E OPRIMIDOS, COMPROMETER-SE LÚCIDA, REALÍSTICA E CONCRETAMENTE".

De acordo com o pensamento liberacionista, somente a partir do estágio de solidariedade concreta e efetiva com os pobres é que se deve assumir a nova consciência teológica que revela o poder libertador de Deus e a sua promessa, e vê a fé por meio de uma luz totalmente nova, ou seja, através dos olhos dos pobres. Nesta definição, a fé assume um significado político sob a análise marxista da sociedade, e Jesus, o Salvador, se transforma no Deus dos pobres.

Seria essa a verdadeira linguagem do Novo Testamento ao tratar dos propósitos do Evangelho de Jesus Cristo?

É claro que não podemos divorciar do Evangelho o seu aspecto social, do qual falaremos mais adiante. Porém, a ênfase do Evangelho é primeiramente espiritual. Em poucas e simples palavras, a pregação do Evangelho deve induzir o pecador a dar os seguintes três passos:

1. *Fé salvadora*. Essa fé significa crer na pessoa de Jesus como aqueEle que morreu na cruz para nos salvar.

2. *Arrependimento*. O arrependimento, ou tristeza pelos pecados, inclui a confissão dos pecados a Deus e o pedido de perdão.

3. *Recebimento da salvação*. A posse da salvação, ou vida eterna, inclui a disposição de viver essa nova vida de comunhão com o Pai celeste mediante a ação do Espírito Santo, a oração e a leitura da Palavra de Deus, a Bíblia.

Todos esses resultados ocorrem inicialmente no plano pessoal e espiritual. O apóstolo Paulo resume essa obra divina no pecador com as palavras: "Justificados, pois, mediante a fé, temos paz com Deus, por meio de Jesus Cristo" (Rm 5.1).

AS CAUSAS DA SALVAÇÃO

Justificação e paz com Deus equivalem à salvação. A teologia clássica explica que essa salvação possui três causas: a originadora, a meritória e a instrumental.

1. *A causa originadora*. Essa causa é a abundante graça de Deus que nos proveu um substituto na pessoa de Jesus Cristo, quando, em conseqüência das nossas ofensas, estávamos condenados à morte eterna, perdidos, "mortos em ofensas e pecados" (Ef 2.1).

A Bíblia afirma em 2 Coríntios 5.18,19: "E tudo isto provém de Deus, que nos reconciliou consigo mesmo por Jesus Cristo, e nos deu o ministério da reconciliação; isto é, Deus estava em Cristo, reconciliando consigo o mundo, não lhes imputando os seus pecados, e pôs em nós a palavra da reconciliação".

Em Tito 3.4-7, o apóstolo Paulo não poderia ser mais claro ao tratar da origem da nossa salvação: "Mas quando apareceu a benignidade e caridade de Deus, nosso Salvador, para com os homens, não pelas obras de justiça que houvéssemos feito, mas segundo sua misericórdia, nos salvou pela lavagem da regeneração e da renovação do Espírito Santo, que abundantemente ele derramou sobre nós por Jesus Cristo nosso Salvador, para que, sendo justificados pela sua graça, sejamos feitos herdeiros segundo a esperança da vida eterna".

2. *A causa meritória*. Essa causa é a própria pessoa do Substituto. Ao obedecer à lei de Deus e ao sofrer, na cruz, a condenação pela transgressão dessa lei, sem que a tivesse transgredido, Jesus satisfez plenamente à justiça divina. A perfeita obra redentora de Cristo constitui a base do nosso perdão e da nossa justificação, como afirma Atos 13.38,39: "Tomai, pois, irmãos, conhecimento de que se vos anuncia remissão de pecados por intermédio deste; e por meio dele todo o que crê é justificado de todas as coisas das quais vós não pudestes ser justificados pela lei de Moisés".

3. *A causa instrumental*. Finalmente, essa causa instrumental da nossa salvação é a fé salvadora, pois o mérito da obra realizada por Cristo não opera o nosso perdão "como um efeito necessário e inevitável".[105]

Após ouvirmos o Evangelho, temos de fazer a nossa parte, que é a de crer. A enfática pregação de Jesus: "Arrependei-vos e crede no Evangelho" (Mc 1.15), foi também a principal mensagem dos seus apóstolos e demais discípulos. Deve também ser a nossa.

A CONVERSÃO

Gutierrez diz: "Ser convertido é comprometer-se com o processo da libertação dos pobres e oprimidos, comprometer-se lúcida, realística e concretamente. Sem uma mudança nestas estruturas não há conversão".[106]

Na Bíblia Sagrada, a verdadeira Igreja de Cristo é constituída exclusivamente de novas criaturas que experimentaram em suas vidas o milagre operado pelo próprio Deus ao qual chamamos de novo nascimento. "E lhes darei um mesmo coração, e um espírito novo porei dentro deles; e tirarei da sua carne o coração de pedra, e lhes darei um coração de carne" (Ez 11.19).

Ao ser humano, vencido pelo pecado e incapaz de enfrentar por si só as potestades das trevas, é impossível transformar-se a si mesmo ou ser transformado por outro ser humano naquilo que Deus deseja que ele seja. O máximo que o homem e suas instituições podem obter de outro homem é uma reeducação através de drogas ou de lavagem cerebral, ou de ambas, procedimento comum nas ditaduras políticas e em algumas seitas orientais. Somente em Cristo podemos tornar-nos "nova criatura". E somente na condição de nova criatura, vivendo em novidade de vida, pertencemos à Igreja resgatada e santificada pelo Espírito Santo.

A ênfase da teologia da libertação nunca é sobre o novo homem em Cristo e regenerado pelo Espírito Santo, mas sobre a nova ordem social na qual o Salvador, como Deus apenas dos pobres, perde toda a sua graça e glória e assemelha-se a um guerrilheiro. Também quando se referem à Igreja, os liberacionistas a vêem mais como comunidade político-social do que como o corpo de Cristo ou a noiva de Cristo, a qual o próprio Cristo vai apresentá-la "a si mesmo igreja gloriosa, sem mácula, nem ruga, nem coisa semelhante, porém santa e sem defeito" (Ef 5.27).

> A VERDADEIRA IGREJA DE CRISTO É CONSTITUÍDA EXCLUSIVAMENTE DE NOVAS CRIATURAS QUE EXPERIMENTARAM EM SUAS VIDAS O MILAGRE OPERADO PELO PRÓPRIO DEUS AO QUAL CHAMAMOS DE NOVO NASCIMENTO.

Clodovis Boff, tratando do reino de Deus na sua infra-estrutura, repete com ênfase a expressão "só quando" para indicar que "*só quando* me aproximo dos oprimidos é que estou-me aproximando de Deus, do qual eles são a imagem e filhos prediletos. E *só quando* sou fiel aos companheiros de opressão é que sou fiel à aliança com Deus. E *só quando* sigo os pobres é que estou seguindo a Jesus Cristo, que fez deles o seu sacramento salvador universal e absolutamente necessário. E assim por diante".[107]

Gutierrez afirma que o homem é *"o sacramento de Deus"*.[108] Para esse teólogo, "oprimir o pobre é atentar contra o próprio Deus; conhecer a Deus é praticar a justiça entre os homens. Encontramos a Deus no encontro com os homens: o que se faz aos outros faz-se ao Senhor".[109]

A Bíblia, porém, além de não apoiar esses radicalismos, afirma que só encontramos a Deus por intermédio de Jesus Cristo, que é o caminho, e a verdade e a vida, e nunca que "encontramos a Deus no encontro com os homens", ou, como disse acima Clodovis Boff, só quando sigo os pobres é que estou seguindo a Cristo. Em se tratando da salvação eterna, a advertência bíblica é para que não confiemos no homem: "Maldito o homem que confia no homem", mas no Senhor: "Bendito o homem que confia no Senhor, e cuja esperança é o Senhor" (Jr 17.5,7).

Outro princípio bíblico é jamais colocar as obras antes da fé: "Porque pela graça sois salvos, mediante a fé; e isto não vem de vós, é dom de Deus; não de obras para que ninguém se glorie. Pois somos feitura dele, criados em Cristo Jesus para boas obras, as quais Deus de antemão preparou para que andássemos nelas" (Ef 2.8-10). Segundo o mesmo apóstolo Paulo, cada membro da Igreja foi salvo "mediante o lavar regenerador e renovador do Espírito Santo, que ele derramou sobre nós ricamente, por meio de Jesus Cristo nosso Salvador" (Tt 3.5,6), e, por isso, "se alguém está em Cristo, nova criatura é: as coisas velhas já passaram; eis que tudo se fez novo" (2 Co 5.17).

A CONTEXTUALIZAÇÃO DO EVANGELHO

Segundo Arthur F. McGovern, a teologia da libertação tem a sua origem em "determinada situação sócio-política e não com a Bíblia ou com os dogmas da Igreja, como fazia e ainda faz a teologia tradicional".[110]

Na América Latina, esse começo tem as suas origens na situação político-econômica, especialmente dos "pobres", como uma "contextualização" do Evangelho. É o "Evangelho" que brota do contexto social, político e econômico de determinada cultura. A teologia da libertação, fazendo uso distorcido de expressões evangélicas, identifica os pobres com o proletariado, as denúncias proféticas com as críticas marxistas ao capitalismo, a libertação divina com a revolução armada, e o reino de Deus com a sociedade socialista. Acerca dessa indevida aplicação de expressões bíblicas, são oportunas as palavras do papa João Paulo I: "Mas é errôneo declarar que a libertação política, econômica e social coincide com a salvação em Jesus Cristo, que o reino de Deus coincide com o reino do homem, que `ubi Lenin, ibi Jerusalém´ (onde está Lenin, aí está Jerusalém.)".[111]

Se a teologia da libertação não relacionasse os pobres da Bíblia com os atuais pobres da América Latina, e a opressão de Faraó com explorações capitalistas, à luz da práxis marxista ela perderia todo o seu significado e a sua razão de existir. O próprio propósito dos liberacionistas é relacionar o mundo de Deus com um contexto sócio-político ideal para o homem e por este construído, que no caso seria o socialismo marxista. O problema é que a teologia da libertação determina por antecipação o que vai encontrar na práxis, estabelecendo, no processo de análise, apenas categorias marxistas.

A IGREJA SECULARIZADA

Na Bíblia Sagrada, a verdadeira Igreja de Cristo não é somente "a igreja do submundo do pobre, casada com a causa dos pobres, encarnando-se no seu ambiente social, sendo a causa latente da profecia e da justiça e a semente de uma nova ordem social".[112]

A verdadeira igreja de Cristo não está restrita a classes sociais. O pobre não é automaticamente membro da igreja só por ser pobre, nem o rico está banido da igreja só por ser rico. O apóstolo Tiago dirige-se tanto a ricos como a pobres na Igreja. A mensagem de João 3.16 é de que "Deus amou o mundo de tal maneira, para que todo aquele que nele crê não pereça, mas tenha a vida eterna". Tanto "mundo" como "todo aquele" são inclusivos. Deus não faz acepção de pessoas.

Em 1979 um guerrilheiro rodesiano disse que atiraria em Jesus pelo fato de Jesus ser "um homem branco". Mas o Deus revelado na Bíblia não pode ser chamado de Deus dos brancos, ou dos pobres, ou dos negros, ou do Ocidente. Ele não segrega a ninguém: nem branco, nem negro, nem oriental, nem rico, nem pobre, nem sábio, nem ignorante. Aliás, ninguém que viva na Palestina, nem mesmo Jesus, pode considerar-se um "homem branco". Jesus é o Deus de todos os que nEle confiam. A única condição é a aceitação da graça salvadora mediante a fé, pois a graça é suficiente para transformar qualquer pecador em discípulo fiel de Jesus. Assim como alguém pelo fato de nascer numa garagem não é um automóvel, da mesma forma o nascer na pobreza ou na riqueza não faz de ninguém um cristão.

O POBRE NÃO É AUTOMATICAMENTE MEMBRO DA IGREJA SÓ POR SER POBRE, NEM O RICO ESTÁ BANIDO DA IGREJA SÓ POR SER RICO.

Um seminarista comentou com Leighton Ford que Billy Graham, pelo fato de se recusar a pregar o Evangelho a um auditório segregado, deixava de cumprir o seu propósito de pregar a toda criatura. Ford respondeu que, justamente por se recusar a pregar a um auditório segregado, Graham estava pregando o Evangelho, uma vez que esse Evangelho é acerca de um Deus que não faz acepção de pessoas.

À luz do marxismo moderno presente na teologia da libertação, Zaqueu, como mau burguês, não poderia ser alvo do amor de Deus. Entretanto, a maravilhosa conversão e transformação de Zaqueu mostram que o Evangelho é o poder de Deus para a salvação de todo aquele que crê, independente de classes sociais.

Finalmente, a verdadeira Igreja de Cristo não se conforma com este mundo, não usa os recursos seculares como os únicos meios de reformar a sociedade e, embora contribua para melhorar as condições sociais do mundo, não busca implantar aqui na terra o seu paraíso. A transcendência da esperança cristã cristaliza-se nas seguintes passagens bíblicas: "No mundo tereis aflições" (Jo 16.36). "Se esperamos em Cristo só nesta vida, somos os mais miseráveis de todos os homens" (1 Co 15.19).

O REINO DE DEUS

Sobressai nos evangelhos a ênfase que Jesus Cristo deu ao Reino de Deus, ao qual Ele se referiu nada menos que 70 vezes, enquanto apenas duas vezes à Igreja. Por isso o Evangelho é também conhecido como o Evangelho do Reino, presente em quase todas as parábolas contadas pelo Salvador. Esse Reino de Deus, já inaugurado por Jesus há dois milênios, ainda não está consumado, mas continua avançando. Esse mundo vindouro, em certo sentido, já chegou, pois temos provado o seu poder presente na Igreja.

Embora sejamos filhos de Deus e não mais escravos do pecado, ainda não entramos na plena "liberdade da glória dos filhos de Deus" (Rm 8.21), pois o velho mundo, ou antiga era, ainda não passou completamente. O cristão precisa manter o equilíbrio entre o já e o ainda não. "A ênfase exagerada no "já" conduz ao triunfalismo, a reivindicação de perfeição — moral (falta de pecado) ou física (saúde completa) — que pertence somente ao reino consumado, o "ainda não". A ênfase exagerada no "ainda não" leva ao derrotismo, uma aquiescência à continuação do mal incompatível com o "já" da vitória de Cristo."[113]

Os teólogos da libertação, entretanto, não crêem assim. Leonardo Boff, num dos seus livros mais vendidos no Brasil (tenho em mãos a décima-primeira edição), afirma que a "nova e derradeira manifestação de Cristo não deve ser representada como algo que vem de fora, dentro de uma catástrofe cósmica. Mas como um irromper daquilo que já estava presente e atuante no mundo. A vinda de Cristo (parusia) constitui realmente uma epifania (aparição, manifestação), isto é, a emergência da sua presença atuante neste mundo mas invisível (cf. 1 Jo 3.2). O fim do mundo se dará quando se manifestar a completa e transparente visibilização da ação de Cristo dentro do mundo humano e cósmico. Quando isso se der, então terá acabado também a função unitiva e redentora do Cristo cósmico: *et tunc erit finis*, o mundo implodirá e explodirá para dentro da sua verdadeira meta".[114]

O mesmo autor diz, mais adiante, que "os textos apocalípticos do Novo Testamento, nos Sinóticos e no Apocalipse de João, não visam fazer uma reportagem antecipada dos últimos dias do mundo".[115]

À luz desses pensamentos liberacionistas, como devemos compreender as claras palavras dos dois varões vestidos de branco aos discípulos, quando estes assistiam à ascensão do seu Mestre e Senhor: "Varões galileus, por que estais olhando para as alturas? Esse Jesus que dentre vós foi assunto ao céu, assim virá do modo como o vistes subir" (At 1.11)?

Há, na Bíblia, seis pontos salientes acerca do reino de Deus para os quais devemos atentar:

1. O reino de Deus é de fato o reinado de Deus e não do homem.

2. Trata-se de um reino espiritual, pois o reto e soberano Deus reina sobre aqueles que são redimidos e que aceitam viver em obediência à vontade dEle. Por isso Jesus disse que o seu reino não era deste mundo (Jo 18.36).

3. O reino é invisível. Jesus disse: "Não vem o reino de Deus com visível aparência" (Lc 17.20).

4. O reino está no coração do homem. É o grande poder de Deus ativo no coração humano.

5. O reino é individual e social. Esse reino não pode vir ao mundo a não ser através do indivíduo, pois somente quando as pessoas aceitam o reino de maneira pessoal é a sociedade aos poucos transformada para melhor, sem, contudo, tornar-se o reino de Deus, pois esse reino não pode ser identificado com o progresso social.

6. Finalmente, o reino é ainda futuro no sentido de estarem todas as coisas sujeitas ao domínio soberano de Deus. O próprio Jesus, depois do seu reino milenial, entregará o reino ao Pai: "Quando, porém, todas as coisas lhe estiverem sujeitas [a Jesus], então o próprio Filho também se sujeitará àquele que todas as coisas lhe sujeitou, para que Deus seja tudo em todos" (1 Co 15.24-28).

À luz do ensino claro da Bíblia Sagrada, a Igreja, e somente esta, constitui hoje o reino de Deus na terra. Porém, igreja, aqui, não quer dizer cristandade e muito menos comunidade proletária. É a "igreja dos primogênitos arrolada nos céus" (Hb 12.23), constituída daqueles que foram comprados por Jesus para Deus "de toda tribo, língua, povo e nação" (Ap 5.9), na qual habita o Espírito Santo, que a guia "a toda a verdade" (Jo 16.13).

Não tem sentido, portanto, o ensinamento de que um "Cristo cósmico", presente no mundo atual, esteja lentamente a tornar-se cada vez mais visível. "Quando o Senhor já presente se tornar totalmente visível, então se alcançará o fim e a consumação da obra de Deus, tudo em todas as coisas".[116]

Resumindo, o reino de Deus nunca será o reino do homem, nunca será o resultado de transformações sociais geradas pelos homens, por mais bem intencionados que estejam. Muito menos poderá ser o resultado do estabelecimento do marxismo como filosofia econômica e política. Portanto, sem perder de vista a transcendência da igreja cristã, esta, enquanto aqui estiver, possui, como tarefa primordial, a responsabilidade da pregação do reino de Deus mediante a evangelização do mundo.

Tendo definido neste capítulo e no anterior, a mensagem do Evangelho de Jesus como a encontramos nas Escrituras, resta-nos analisar outra questão teológica de tremenda implicação na América Latina — a pretensão liberacionista de que a Igreja deve fazer uma opção preferencial pelos pobres. Os seguintes dois capítulos tratam desse interessante tema.

PERGUNTAS PARA REVISÃO

1. O que significa evangelização para os liberacionistas?
2. Qual é o verdadeiro propósito do Evangelho de Jesus Cristo?
3. Defina o que é ser convertido, segundo os liberacionistas e segundo a Bíblia.
4. Em que consiste o Reino de Deus?

23 O PROBLEMA DA POBREZA

AS CAUSAS DA POBREZA

Os teólogos liberacionistas, que recorrem aos sociólogos e não à Bíblia para descobrirem as raízes da opressão, afirmam que esta resulta de injustas estruturas sociais, como as que vigoram hoje em toda a América Latina, e por isso a pobreza é, em si mesma, um pecado.

Assumindo tal postura, a teologia da libertação rejeita as explicações empirista e funcionalista como causas da pobreza, ou seja, pobreza como vício e como atraso, e acata a explicação dialética: pobreza como opressão. Partindo, assim, da análise do contexto sócio-econômico dos pobres, os liberacionistas estimulam esses pobres, como vítimas dos sistemas opressores, a se organizarem e mudarem a sua condição social.

Nesse ponto, segundo escreveu Dom Boaventura Kloppenburg, bispo de Novo Hamburgo, esses teólogos "se encontram com os marxistas. Mas não lhes têm medo, cuidando poder digerir bem o marxismo à luz destas três normas: a) Na teologia da libertação, o marxismo é tratado sempre a partir e em função dos pobres. b) Por isso, usa o marxismo de modo puramente instrumental, aproveitando de modo livre algumas indicações metodológicas (isto é, a análise marxista da história e da sociedade capitalista). c) Marx não é guia, mas pode ser companheiro de caminhada".[117]

É claro que a pobreza pode advir do vício, do atraso e da opressão. No caso, por exemplo, da pobreza como vício, a Bíblia ensina com clareza que os nossos problemas sociais resultam, quase sempre, das nossas próprias ações pecaminosas, das decisões erradas que tomamos na vida, ou do mal uso e abuso que fazemos das liberdades e oportunidades que recebemos da parte de Deus.

A Bíblia apresenta, como causas da pobreza, a preguiça (Pv 6.6-11), a exagerada busca do lazer e do prazer (Pv 21.21), a inveja (Sl 85.68), a poligamia, o adultério, a prostituição, a avareza (Pv 28.22), os vícios e as extravagâncias (Pv 20.13; 23.21), a escravidão e a apostasia religiosa, sendo esta última uma das principais razões da pobreza, da injustiça e da miséria social na história humana.

Nenhuma nação cuja força religiosa é a idolatria ou a feitiçaria livrou-se da miséria econômica e moral. Se Deus está atento ao comportamento de povos e nações, e os julga já em nossos dias, como acreditamos que esteja, então devemos encarar a pobreza e outras desgraças também à luz do texto bíblico: "Filho do homem, se um país pecar contra mim, cometendo uma infidelidade, estenderei a mão contra ele e lhe cortarei os suprimentos de pão, enviarei a fome e extirparei homens e animais" (Ez 14.13, Círculo do Livro).

A pobreza como atraso, embora tenha como fonte principal sistemas sociais injustos, pode, em grande parte, ser debitada ao mau uso das oportunidades que a vida oferece. Há muitos exemplos de estudantes pobres que chegaram ao doutorado e melhoraram tanto a sua própria condição sócio-econômica como a da sua família, graças ao incentivo que os países livres — inclusive o Brasil e outros do continente latino-americano — dão aos alunos mais aplicados aos estudos.

Eu mesmo tenho mais de um bom exemplo na minha própria família: A Elaine, que cursou Psicologia na Universidade Federal Fluminense e fez outros cursos na mesma escola inteiramente por conta do Governo, e a Elaíse, que depois de fazer no Brasil o segundo grau, conclui seu quinto ano de estudo universitário nos Estados Unidos graças a bolsas fornecidas pelo Governo norte-americano.

Há, ainda, a pobreza decorrente de calamidades naturais, como as enchentes que quase anualmente assolam o Sul do Brasil e os países vizinhos, deixando milhares de famílias ao relento e obrigando os governos a desembolsar vultosas quantias no socorro às vítimas. Há as secas periódicas do Nordeste brasileiro que levam os sertanejos a abandonar o sertão em busca da cidade grande, empobrecendo ainda mais a periferia pobre dessas cidades.

Poderíamos mencionar ainda, como causa da pobreza, grandes inundações ou secas provocadas por furacões e outros fenômenos da natureza, como o *El Ninho*. Na região do Caribe, em 1988 o furacão *Gilbert* destruiu na Jamaica, em apenas um dia, tudo o que aquele país construiu em dez anos, e em 1998 o grande furacão Mirt provocou imensa destruição e causou milhares de mortes na América Central.

Eis uma síntese de manifestações violentas da natureza em anos recentes:

Em julho de 1996, enchentes na China deixaram dois milhões de desabrigados, 810 mil casas destruídas. As chuvas torrenciais atingiram vários países asiáticos, causando milhares de mortos.[118]

Em agosto de 1996, as enchentes atingiram 890 mil pessoas em 974 localidades da China. Segundo as autoridades da região de Longyan, foi a pior enchente dos últimos 500 anos.[119]

Após a pior seca do século, ocorrida no ano de 1996, o Chile sofreu uma das maiores tempestades de chuva e neve dos últimos cem anos. A maior parte do território chileno foi declarada zona de catástrofe.[120]

Em julho de 1997, a Polônia, a República Tcheca, a Alemanha e a Áustria foram vítimas de imensas inundações que atingiram 1.107 povoações. Pelo menos 97 pessoas morreram, 2.500 ficaram feridas, e mais de 10 mil perderam suas casas.[121]

E que falar das terríveis estiagens que periodicamente assolam algumas nações africanas, como a Etiópia, levando à morte pela fome parcelas imensas da população?

Todavia, nem sempre as calamidades consideradas naturais são realmente naturais quando investigadas a fundo. Muitas secas prolongadas originam-se de desmatamentos criminosos, como as do Brasil e de diversas outras regiões do Globo, e muitas epidemias e epizootias ocorrem por ignorância ou descuido das autoridades responsáveis. Há ainda o mau uso de inseticidas agrícolas que envenenam rebanhos bovinos e ovinos, e exterminam aves e peixes.

Finalmente, se tomarmos o antigo Israel como exemplo, pragas e más colheitas podem ainda ser o resultado do julgamento de Deus (Dt 11.17;

Am 4.6-8; Jl 1.15-20). Este último profeta anunciou que a seca, os celeiros vazios e o gemido do gado não provinham do acaso, mas eram "assolação do Todo-Poderoso" com o propósito de levar a nação ao arrependimento (Jl 2.12-17).

REALIDADE E RELATIVIDADE DA POBREZA

A pobreza é uma realidade que se tem tornado assunto político nestes últimos tempos. É a esfera da vida na qual os comunistas se agitam constantemente nos países livres de todo o mundo, concitando os pobres a derrubarem a sociedade livre e a desenvolverem um sistema socialista que elimine a pobreza.

Aqui está um exemplo prático do comportamento dos comunistas: Em Portugal, nas eleições de 1985, embora os partidos de esquerda sofressem fragorosa derrota, não se deram por vencidos. Usaram a tática de desviar a atenção pública da derrota deles para os males do Governo, fazendo a este duros ataques nos quais salientavam, como prova da pobreza do país, a emigração de tantos portugueses. Ao ouvir esse argumento, um líder cristão comentou: "Gostaria de saber quantos desses emigrantes portugueses escolheram viver em algum país do paraíso comunista!"[122]

A pobreza é uma realidade que pode ser explorada e pode ser removida. Todos aqueles que amam a Deus e defendem a verdadeira justiça social devem regozijar-se na liberdade e procurar remover a causa da pobreza, ou pelo menos aliviá-la mediante a aplicação do remédio indicado pela Palavra de Deus.

Que a injustiça social é escandalosa não há dúvida. Anos atrás um jornalista, ao examinar o lixo de algumas mansões de Brasília, mostrou ao povo brasileiro até onde chega a extravagância e o desperdício de algumas autoridades. Havia latas de alimentos caríssimos, importados, com sobras pela metade. Na mesma ocasião a televisão mostrava cenas chocantes de favelados disputando com corvos, no lixão de Recife, pedaços de carne estragada. A situação desses miseráveis levou um cônsul estrangeiro em Recife a pedir ajuda à sua nação a fim de amenizar tanta pobreza.

Embora real, a pobreza, tanto quanto a riqueza, é relativa, pois sempre acharemos alguém mais pobre ou mais rico do que nós. O *lixo* de uma pessoa pode ser o luxo de outra. Aquele que ganha pouco às vezes é mais feliz do que o que ganha muito. As taxas de suicídio têm sido muito mais elevadas entre os ricos do que entre os pobres. A alegria verdadeira não consiste na quantidade das coisas que possuímos, pois ela é espiritual na sua essência. Por isso, o homem honesto e humilde e que se esforça sinceramente de acordo com os seus talentos a fim de aproveitar as oportunidades da vida, contenta-se com aquela medida de prosperidade e segurança social conquistada mediante o seu próprio esforço ao longo da vida.

> A ALEGRIA VERDADEIRA NÃO CONSISTE NA QUANTIDADE DAS COISAS QUE POSSUÍMOS, POIS ELA É ESPIRITUAL NA SUA ESSÊNCIA.

Em muitos casos, a pobreza pode levar a pessoa para mais perto de Deus, e nesse caso é uma bênção. O indolente, entretanto, que rejeita a disciplina necessária à felicidade humana, que desperdiça as oportunidades, que nega tanto a sua condição pecaminosa quanto a soberania e providência divina, acaba culpando os outros pela sua miséria e se rebelando contra a ordem social. A rebelião, quer contra o sistema social, quer contra alguém, reflete a rebelião maior contra Deus.

Assim como nem toda pobreza pessoal é devida ao pecado, assim também nem toda miséria é fruto de injustiça social.

Embora cada caso em particular resulte de fatores e circunstâncias peculiares, a Bíblia Sagrada, no entanto, responsabiliza sempre a pessoa, nunca o Estado. Por essa razão o melhor remédio contra a pobreza é a Palavra de Deus. A verdadeira justiça social somente poderá ser promovida pela transformação espiritual do ser humano no ambiente de uma sociedade livre. Este, enquanto corrompido e perdido em pecados, jamais mudará para melhor as estruturas sociais em que vive.

Ao mesmo tempo, não devemos confundir a distinção de classes — vocações, profissões e talentos, os quais são dons soberanos de Deus — com a injustiça social, que é devida ao pecado e que pode ser relativamente corrigida. Um pastor, a cada minuto interrompido por seu filhinho perguntador, não conseguia concentrar-se no preparo de sua mensagem. Então teve uma idéia brilhante: apanhou um mapa do mundo, recortou-o em pedaços e pediu ao filho que o remontasse. Esperava assim entretê-lo por um bom tempo. Qual não foi a sua surpresa quando, apenas minutos mais tarde, o garoto lhe traz todo o mapa reconstruído. Surpreso e orgulhoso da inteligência do menino, o pai perguntou-lhe como havia conseguido realizar a difícil tarefa em tão pouco tempo. Mostrando ao pai o outro lado do mapa, em que havia a figura de um homem, respondeu o filho: "Eu consertei o homem, e o mundo se endireitou".

O tema da mensagem desse pastor não poderia ser outro: "Consertemos o homem e endireitaremos o mundo".

QUEM É O POBRE?

"Os pobres evangelicamente são aqueles que se põem à disposição de Deus na realização dos projetos dele neste mundo, e portanto tornam-se instrumentos e sinais do reino divino. A teologia da libertação gostaria de ver a todos os cristãos, incluindo os sócio-economicamente pobres, e pobres evangelisticamente. O objetivo é aplicar a dimensão libertadora da fé para que os frutos do reino de Deus possam ser fruídos dentro da história. Esses frutos são, principalmente, agradecimento ao Pai, aceitação da adoção divina, vida e justiça para todos, e comunhão universal".[123]

A VERDADEIRA JUSTIÇA SOCIAL SOMENTE PODERÁ SER PROMOVIDA PELA TRANSFORMAÇÃO ESPIRITUAL DO SER HUMANO NO AMBIENTE DE UMA SOCIEDADE LIVRE.

Gutierrez, ao definir os pobres como "os portadores do sentido da história",[124] identifica-os com o proletariado de Marx. Seria essa uma definição bíblica de "pobre"? Podemos substituir, na Bíblia, "pobre" por "proletário"? De acordo com o profeta Jeremias, pobre é o aflito e o necessitado (Jr 22.16).

Herman Riderbos, interpreta "pobres" no sentido de "pobres de espírito", seguindo uma exegese que o próprio Gutierrez em certo sentido defende como o "poder de acolher a Deus, uma disponibilidade para Deus, uma humildade diante de Deus".

O teólogo europeu G. D. Gort, por sua vez, enfatiza a necessidade e o direito que também o rico tem de ser salvo e conseqüentemente de ser liberto da sua pobreza sociológica. Ao assumir essa posição, ele discorda, assim, do conceito exclusivista do Evangelho aceito pelos liberacionistas latino-americanos, e questiona uma das proposições doutorais do Dr. Costas na Universidade Livre de Amsterdã, na qual se afirma que o Evangelho está dirigido particularmente aos pobres.

O Dr. Orlando Costas, ao discordar tanto do ponto de vista de Riderbos e Gort quanto do sentido radical marxista que alguns grupos de cristãos dão ao termo "libertação", faz desse termo uma reinterpretação à luz da Bíblia e das injustiças sociais reinantes nos países pobres. A conclusão do Dr. Costas é a de que a igreja possui missão integral tríplice: proclamar as boas novas, fazer discípulos e comprometer-se no processo de libertação social, econômica e política dos povos oprimidos.

Depois de salientar que a ênfase à evangelização dos pobres não tem nada de glorificação da pobreza, Costas diz que a Bíblia, longe de glorificar a pobreza, condena-a como algo escandaloso e exige justiça para com o pobre, e que, precisamente por esta razão, Deus se identifica com o pobre.

"Por isso", afirma Costas, "Jesus optou por uma vida de pobreza e por isso Paulo associa a pregação da cruz com o humilde e ignorante (1 Co 1.18). O Evangelho é um protesto contra o escândalo da pobreza e um chamado a erradicá-la da vida humana. Os que respondem à sua mensagem devem renunciar a todo tipo de manipulação e opressão e consagrar-se ao bem comum. Devem submeter-se totalmente a Deus, que em Cristo Jesus prometeu libertar o mundo da opressão. E a opressão (conseqüência óbvia do pecado) é uma causa fundamental da pobreza".[125]

Jesus mostrou que a pobreza não é uma coisa ruim, pecaminosa ou vergonhosa em si mesma. Temos aqui outro erro fundamental da teologia da libertação, que parte da premissa de que só existem ricos e pobres, e de que os ricos são sempre maus e os pobres sempre bons. Esse dualismo, pelo fato de polarizar toda a humanidade em apenas duas classes, não dignifica a raça humana e nem honra a Escritura Sagrada, que parte de princípios muito diferentes. A análise liberacionista não se baseia em nenhum critério objetivo, racional ou comprovado, e muito menos bíblico.

Por outro lado, a teologia da libertação não se preocupa em definir quem é o rico e quem é o pobre, esquecida de que há milhares de diferenças econômicas entre os povos, cujo nível social está sempre em estado de fluxo. É, portanto, impossível e irracional classificar os grupos sociais como sendo fixos e permanentes, e muito menos fazê-los inimigos mortais entre si a fim de justificar a luta de classes.

TEMAS SECULARES

Uma coisa é reconhecer e defender a causa e as necessidades dos pobres, mas outra bem diferente é advogar uma análise e uma solução marxista para o problema da pobreza. É esta última mensagem estranha ao contexto bíblico que algumas entidades ecumênicas latino-americanas estão pregando, como a CELAM (Conferência Episcopal Latino-Americana), o CONIC (Conselho Nacional de Igrejas Cristãs), organizado no Brasil em 1982, do qual participam a Igreja Católica Romana, a Igreja Evangélica de Confissão Luterana, a Igreja Metodista, a Igreja Episcopal e a Igreja Cristã Reformada, e o CLAI (Conselho Latino-Americano de Igrejas).[126]

A finalidade do CONIC é acompanhar a realidade brasileira, comprometendo-se no esforço pela promoção da dignidade, dos direitos e deveres da pessoa humana, na busca e no serviço do amor, da justiça e da paz, com a finalidade de aglutinar forças para encaminhar ações comuns em favor dos pobres. A sua primeira diretoria estabeleceu, como metas principais, ampliar contatos com outras igrejas cristãs ainda não filiadas, cumprir os programas sociais da pastoral da terra, da família e urbana, e ampliar a reflexão sobre a realidade brasileira.[127]

O CLAI (Conselho Latino-Americano de Igrejas), criado também na década de 1980 por quase uma centena de representantes de igrejas latino-americanas, inclusive de Cuba e Nicarágua, ocupa-se de temas seculares, como relações humanas, amor e justiça, massacre de crianças, discriminação de mulheres e idosos, exilados políticos, tortura, direitos humanos, pecado social, carreira armamentista, e considera a doutrina da segurança nacional um instrumento para "fazer calar as vozes dos que clamam pelos pobres".

O EXEMPLO DE JESUS

Jesus não fez uma "opção preferencial pelos pobres", como o Deus deles, segundo entendeu o encontro de Puebla em 1979, nem ensinou um conceito político de salvação ou libertação. Pelo contrário, manifestou-se como a graça de Deus que traz salvação "a todos os homens" (Tt 2.11), pois todos pecaram e carecem da "lavagem da regeneração e da renovação do Espírito Santo" (Tt 3.5).

Jesus nunca desprezou a ninguém e a ninguém rejeitou. Ele proferiu palavras de fé, de esperança e de amor a todos os que cruzaram o seu caminho, entre os quais havia desde os mais humildes da sociedade, como os samaritanos e os leprosos, até os mais elevados, como Nicodemos, Jairo e o comandante romano de Cafarnaum (Lc 7.1-10; 8.40-56; Jo 3.1-21). Conhecido teólogo comentou a atitude de Jesus em relação às pessoas com estas palavras: "Ele reconheceu o valor dos homens e os amou, e, amando-os, aumentou-lhes ainda mais o valor".[128]

> JESUS NUNCA DESPREZOU A NINGUÉM E A NINGUÉM REJEITOU. ELE PROFERIU PALAVRAS DE FÉ, DE ESPERANÇA E DE AMOR A TODOS OS QUE CRUZARAM O SEU CAMINHO, ENTRE OS QUAIS HAVIA DESDE OS MAIS HUMILDES DA SOCIEDADE, COMO OS SAMARITANOS E OS LEPROSOS, ATÉ OS MAIS ELEVADOS, COMO NICODEMOS, JAIRO E O COMANDANTE ROMANO DE CAFARNAUM.

Não há evidência bíblica alguma de que Jesus tivesse tentado reunir os pobres numa insurreição que derrubasse as "opressivas estruturas do poder" de Roma! John Pollock, na sua *Vida de Jesus*, infere das Escrituras que grande multidão de pobres procurara a Jesus na esperança de que Ele os liderasse numa cruzada contra o devasso, cruel e opressor Herodes Antipas. Essa tentativa de comprometer Jesus numa revolta armada teria ocorrido após a decapitação de João Batista. Antipas, como se sabe, silenciara a voz do grande e popular profeta do deserto da Judéia, cuja mensagem contra o pecado incomodava o monarca.

Herodes, Pilatos e outros governadores da Palestina representavam o opressivo e corrupto Império Romano, que com as suas constantes extorsões, intolerâncias, torturas e injustiças, zombava da dignidade humana. Por isso estavam na moda as insurreições e os movimentos de libertação, alguns destes de caráter religioso. Os sicários, por exemplo, eram agitadores e terroristas que, portando armas brancas bem escondidas sob as vestes, infiltravam-se nos ajuntamentos públicos a fim de assassinar autoridades romanas.

Embora Jesus vivesse no meio de tanto ódio e injustiça, jamais liderou uma insurreição dos oprimidos contra os opressores, e não tentou uma reforma civil nem condenou os inimigos da nação. Pelo contrário, ajudou alguns comandantes militares romanos e tornou-se amigo de publicanos — os odiados traidores da nação, que cobravam os impostos para Roma — e até hospedou-se na casa de um dos principais deles, Zaqueu. Por quê? Lucas, ao narrar a conversão de Zaqueu, cita as palavras de Jesus: "Porque o Filho do homem veio buscar e salvar o perdido" (Lc 19.10).

Jesus, ao conservar-se afastado dos governantes da época e ao recusar-se a interferir na administração dos que detinham o poder, revelava a sua descrença em que medidas humanas e externas pudessem debelar a injustiça e o sofrimento. Profundamente identificado com as misérias humanas, Jesus trouxe a este pobre mundo o único remédio verdadeiramente eficaz para uma cura verdadeiramente eficaz, ou seja, a regeneração do coração. O reino de Deus não pode ser estabelecido mediante decreto dos grandes deste mundo, nem pela violência da luta de classes ou pela substituição de um sistema político por outro, mas pela presença e operação do Espírito Santo no âmago da criatura humana. Somente esse poder pode reerguer a criatura humana, razão por que o Evangelho, como instrumento dessa realização divina, "é o poder de Deus para a salvação de todo aquele que crê" (Rm 1.16).

A MUDANÇA TEM DE COMEÇAR NO HOMEM

A chamada "opção preferencial pelos pobres", como tem sido pregada aos povos latino-americanos pelos teólogos liberacionistas, é antibíblica e desonesta. É antibíblica por duas razões: discrimina as pessoas que têm o mesmo valor diante de Deus, e adota a falsa premissa de que o fim justifica os meios. É desonesta porque fecha os olhos às recentes lições dos movimentos de libertação em todo o mundo, que em vez de libertar escravizam ainda mais as pessoas.

Comparando os países "não libertados" da América Latina com os já "libertados" no mesmo continente, como Cuba e Nicarágua, quais os que, honestamente, necessitam de libertação? Para aqueles que têm mantido contato com refugiados de Cuba, Nicarágua, Moçambique e Angola, e ouvido as suas quase inacreditáveis histórias de sangue e ódio, a resposta é óbvia.

> O REINO DE DEUS NÃO PODE SER ESTABELECIDO MEDIANTE DECRETO DOS GRANDES DESTE MUNDO, NEM PELA VIOLÊNCIA DA LUTA DE CLASSES NEM PELA SUBSTITUIÇÃO DE UM SISTEMA POLÍTICO POR OUTRO, MAS PELA PRESENÇA E OPERAÇÃO DO ESPÍRITO SANTO NO ÂMAGO DA CRIATURA HUMANA.

Aliás, os defensores da "opção preferencial pelos pobres" nunca falam dos verdadeiros milhões de pobres — realmente pobres em todos os sentidos — que gemem escravizados sob os regimes totalitários marxistas em várias partes do mundo. Por que os liberacionistas não pregam nesses países a sua mensagem de "libertação" e de direitos do pobre? Por que nenhum liberacionista condena esses governos marxistas pelas constantes violações das liberdades básicas do homem?

O líder cristão equatoriano, Washington Padilha, referindo-se à teologia da libertação no seu aspecto social, escreveu que "as necessidades físicas do homem são coisas que o Cristianismo, seguindo o exemplo do seu fundador, reconhece plenamente, certo de que privar alguém dos meios materiais de subsistência é cometer crime e atentar contra todos os princípios da humanidade e juízo. Os médicos sociais têm diversos remédios segundo as suas ideologias, buscando todos, através da legislação social, da estruturação econômica e das reformas políticas, remédios para as enfermidades que impedem o progresso dos nossos povos. Nunca devemos esquecer-nos de que, para que um sistema econômico, político ou social tenha pleno êxito, é imprescindível que o homem seja mudado, que a natureza humana seja transformada, que o egoísmo, a ambição, a injustiça, e a crueldade dos homens sejam trocados, mudados pelas virtudes morais e espirituais que constituem as bases da vida humana, sobre as quais esses sistemas econômico-sociais podem erigir belos edifícios das suas aspirações".[129]

"Além disso", observa Le Roy, "não há nenhum país marxista no mundo, hoje, onde o governo esteja fazendo uma opção preferencial pelos pobres. Pelo contrário, o povo pobre nesses países está-se levantando contra os seus 'libertadores' em busca de uma liberdade autêntica, como aquela que é defendida no mundo livre hoje em dia. Infelizmente, o grito deles pela liberdade tem sido violentamente sufocado pela ideologia totalitária do marxismo".[130]

KARL MARX SE ENGANOU?

Mas há, ainda, outra falha básica na "opção preferencial pelos pobres". Enquanto essa opção enfatiza os direitos da pessoa, a Bíblia enfatiza os deveres e as responsabilidades dessa mesma pessoa, seja ela pobre ou rica. Nos Dez Mandamentos, como de resto em toda a Escritura Sagrada, são claros os deveres verticais e horizontais do ser humano — primeiramente em relação a Deus, depois em relação ao seu semelhante. A inversão completa das prioridades de Deus e do homem favorece a tese marxista que, por sua vez, acaba por destruir os verdadeiros, legítimos e fundamentais direitos da criatura humana.

Os liberacionistas, ao pretenderem que toda pobreza é basicamente devida às "forças econômicas inevitáveis e dominadoras", acabam cometendo clamoroso engano. Le Roy, ao analisar essa tese, afirma ser ela "outra farsa inventada por Karl Marx, que encarou toda a realidade do mundo do ponto de vista materialista e ateísta". O mesmo autor conclui que essa tese "não corresponde à realidade espiritual do homem (sua pecaminosidade), nem à sociedade, nem à Bíblia, que afirma que existem muitas outras razões para a pobreza... Na realidade, as estruturas ou 'as forças ecumênicas inevitáveis', como causa da pobreza em si, não são mencionadas nem uma só vez nas Escrituras".[131]

UMA "GRANDE FARSA"

Finalmente, a "opção preferencial pelos pobres", em virtude de basear-se em princípios marxistas, ignora o fato de que a chamada "ditadura do proletariado" não passa de uma elite que assume o poder através da violência, que impõe o seu controle absoluto sobre o povo oprimido e que vive às custas desse mesmo povo agora ainda mais miserável e empobrecido. O comunismo nunca repartiu riqueza em parcelas iguais a todos, mas o que tem feito é distribuir a pobreza. Foi assim na Rússia, foi assim em Cuba, e assim tem sido em todo o mundo. A julgar pela angústia desses povos realmente oprimidos, se houvesse eleições livres e democráticas nesses países, o comunismo seria totalmente banido.

Essa elite torna-se o próprio estado e vive no maior luxo, enquanto os "pobres", o proletariado verdadeiro, luta pela sobrevivência como escravos do "estado", sem as condições ou as liberdades necessárias para melhorar a sua posição sócio-econômica.

À luz dos fatos e da Bíblia, a "opção preferencial pelos pobres" não conduz a uma libertação verdadeira. Segundo Le Roy, ela não passa de "uma grande farsa"[132] imposta a milhões de almas que sofrem problemas autênticos e que anseiam viver uma vida melhor, mas que acabam iludidas, manipuladas e exploradas pelo falso proletariado que, em nome da libertação, se torna assim nova elite opressora. O capítulo seguinte analisa a liberdade sob vários aspectos, tanto à luz da Bíblia quanto dos conceitos liberacionistas.

PERGUNTAS PARA REVISÃO

1. O que significa "pobreza" para os teólogos liberacionistas?
2. Segundo a Bíblia, quais são as causas da pobreza?
3. Qual é o remédio para a injustiça social?
4. O que pregam algumas entidades ecumênicas a respeito da pobreza?

24 LIBERDADE E LIBERTAÇÃO

O VALOR DA LIBERDADE

Inicio este capítulo citando palavras de Franklin Delano Roosevelt, proferidas durante um discurso no Congresso dos Estados Unidos da América, em 1941: "Esperamos um mundo fundado sobre as quatro liberdades humanas essenciais. A primeira é a liberdade de palavra e de expressão — por toda a parte no mundo. A segunda é a liberdade da pessoa de reverenciar Deus à sua maneira — por toda a parte no mundo. A terceira é a de ficar livre da necessidade — por toda a parte no mundo. A quarta é a de ficar livre do medo — por toda a parte no mundo".

Se é verdade, como disse Voltaire, que "se o homem nasceu livre deve governar-se, e se ele tem tiranos há de destroná-los", é também verdade, como afirmou Rousseau, que "o homem nasceu livre e por toda a parte vive acorrentado".[133]

É claro que tanto o presidente Roosevelt como os filósofos franceses acima referidos falaram da liberdade no plano secular, que abrange as áreas política, social, econômica e religiosa. Essa liberdade oferece de fato ambiente favorável a todos os homens, permitindo-lhes expressar os seus pensamentos, planejar o seu futuro, trabalhar mediante justa remuneração, casar e criar os seus filhos, alcançar os seus sonhos conforme os talentos, habilidades e desejos de cada um. Essa liberdade, mesmo no plano secular, é tão preciosa que por ela inúmeras pessoas deram a vida. "Dez vidas eu tivesse, dez vidas eu daria", disse Tiradentes, o mártir da independência do Brasil, pouco antes de ser enforcado e esquartejado no Rio de Janeiro pelas autoridades portuguesas. O slogan do Estado de New Hampshire, nos EUA, é: "Viva livre ou morra". Realmente, sem liberdade a vida não vale a pena ser vivida.

A liberdade, contudo, nunca será libertinagem, nunca será licença nem anarquia. Por isso deve ser rigorosamente limitada ou controlada pela lei a fim de evitar possíveis abusos e injustiças. Concordo com Milton, o poeta inglês, que disse que "ninguém pode amar a liberdade sinceramente, senão pessoas boas; as demais amam não a liberdade, mas a licenciosidade".

No meio de um povo corrupto, a liberdade não tem vida longa, mas essa mesma liberdade, "quando começa a criar raízes, é uma planta de crescimento rápido", disse George Washington. "Quem quer garantir a própria liberdade", disse Thomas Paine, "deve preservar da opressão o próprio inimigo; pois, se fugir a esse dever, estará estabelecendo um precedente que até a ele próprio há de atingir". Muitos pensadores concordam em que é mais difícil preservar a liberdade do que obtê-la.

Tratando da liberdade com relação à Pátria, Rui Barbosa, um dos maiores juristas do Brasil, afirmou: "Das idolatrias conhecidas na história da cegueira popular, nenhuma é menos sensata que a das formas de governo. Acima destas está a felicidade da pátria. Mas acima da pátria há ainda alguma coisa: a liberdade; porque a liberdade é a condição da pátria, é a consciência, é o homem, é o princípio divino do nosso existir, é o único bem, cujo sacrifício a pátria não nos pode reclamar, senão deliberada ao suicídio, com que o amor da pátria não nos permitiria condescender".

A liberdade não acompanha automaticamente o nosso nascimento, independentemente do país em que nascemos, mas devemos procurá-la, alcançá-la e mantê-la com grande sacrifício. Alguns povos tristemente "libertados" só perceberam o valor da liberdade quando a perderam por completo.

Partindo da premissa da teologia da libertação de que as populações opressas devem ser libertas, isto é, devem ser trazidas à liberdade, como será essa liberdade? Seria aquela liberdade definida por Roosevelt e Rui Barbosa? pelo Evangelho de Cristo? por Marx, Engels e Lenin?

LIBERDADE BÍBLICA

A Bíblia condena a opressão sob todas as suas diferentes formas. Na história de Israel os profetas clamaram contra a exploração do homem pelo homem. São exemplos eloqüentes dessa verdade: "Ele te declarou, ó homem, o que é bom; e que é o que o Senhor pede de ti, senão que pratiques a justiça e ames a beneficência, e andes humildemente com o teu Deus?" (Mq 6.8). No Salmo 15 Davi afirma que o cidadão do céu é aquele "que vive com integridade, e pratica a justiça... que não faz mal ao próximo".

Oséias e Daniel, em épocas e circunstâncias distintas, igualmente condenaram a opressão que havia no seu tempo. O primeiro clamou aos israelitas: "Semeai para vós outros em justiça, ceifai segundo a misericórdia... porque é tempo de buscar ao Senhor, até que ele venha e chova a justiça sobre vós" (Os 10.12). O segundo, dirigindo-se ao rei Nabucodonosor, exortou-o nestes termos: "Põe termo a teus pecados pela justiça, e às tuas iniqüidades usando de misericórdia para com os pobres" (Dn 4.27).

C. Biber emite importantes conceitos sobre a liberdade, dos quais destacamos estes: "A liberdade é a condição de quem é propriedade direta de Deus... A liberdade bíblica não é simplesmente uma conquista ou uma emancipação individual ou social do homem entre os homens. Longe de dar relevo ao homem, como se fosse este um herói ou uma meta final da libertação, a Escritura coloca-o diante de Deus: ele é o objeto do divino amor, mas pode ser, igualmente, o joguete das forças mundanas. A sua libertação é, pois, mera reintegração à hierarquia da criação, feita exclusivamente sob a autoridade divina... A História celebra libertações e resgates que, biblicamente falando, não passam de mudanças de amo. A liberdade verdadeira consiste na aceitação amorosa do domínio de Deus sobre nós".[134]

À luz da Bíblia Sagrada, portanto, a única liberdade que temos, de fato, é a de escolher a quem queremos servir, uma vez que nunca deixaremos de estar sujeitos a alguma autoridade. Alguém disse corretamente que há "homens e mulheres que orgulhosamente proclamam a liberdade de serem escravos dos seus próprios vícios".

Jesus Cristo nos liberta do pecado e da conseqüência natural deste, que é a morte. Essa libertação que Deus nos preparou em seu Filho ataca as raízes da tirania, que são a corrupção interior e a morte. Para aqueles que reconhecem a autoridade de Jesus, a liberdade já começou. Rodolfo Schuricht, jovem e dinâmico líder de cinco mil jovens comunistas na Alemanha Oriental, depois de se converter dramaticamente a Cristo, disse que "o Cristianismo é uma vida para se viver aqui na terra, e a única vida para a qual vale a pena viver".[135]

> À LUZ DA BÍBLIA SAGRADA, A ÚNICA LIBERDADE QUE TEMOS, DE FATO, É A DE ESCOLHER A QUEM QUEREMOS SERVIR, UMA VEZ QUE NUNCA DEIXAREMOS DE ESTAR SUJEITOS A ALGUMA AUTORIDADE.

A Bíblia afirma que Cristo dá em resgate a própria vida para nos obter o perdão e ressuscita de entre os mortos para reabrir o caminho da liberdade perdida no Éden. Por isso Ele liberta o homem do cárcere do próprio pecado, revelando-lhe que a pretensa liberdade humana é pura escravidão. Embora as pessoas oponham resistência à sua própria libertação, todo aquele que seguir a Jesus Cristo até o fim desfrutará a verdadeira liberdade e a vida eterna, no novo mundo que se aproxima rapidamente e no qual se manifestará a glória dos filhos de Deus.

Portanto, mesmo que por ora o ser humano esteja sujeito à morte, "aos olhos da fé e da esperança", afirma C. Biber, "iniciou-se já o tempo da liberdade, e vencidos estão o pecado e a morte... Viver livre consiste, pois, em colocar-se sob a soberania efetiva do Deus vivo e ser possuído pelo Espírito Santo... Viver livre, finalmente, não implica anarquia social. O cristão, iniciado pela própria salvação recebida às misericórdias do Senhor dos senhores, deve sujeitar-se às autoridades humanas na medida em que a ordem estabelecida não contrariar a ordem eterna e absoluta".[136]

LIBERDADE E IGUALDADE

O Marquês de Custine, no século passado, certamente à luz do fracasso do lema da Revolução Francesa, que era "Liberdade, Igualdade, Fraternidade", disse que quem primeiro pensou que a liberdade e a igualdade podiam entender-se "era ou idiota ou charlatão", e que "a igualdade está tão longe de concordar com a liberdade que a exclui".[137]

A "carapuça" lançada por Custine tem caído em milhões de cabeças, por mais de um século, em todos os continentes e até sobre governos que se orgulham de suas avançadas conquistas sociais, como é o caso da Suécia.

Em data recente, o professor Eric Brodin, doutor em Relações Internacionais e Ciências Políticas pelo Instituto de Estudos Internacionais da Universidade de Genebra, no seu livro *Quando Somos Livres,* dá as razões por que deixou a Suécia: "Embora exista na Suécia liberdade formal de expressão, como o Estado controla totalmente as estações de rádio e de televisão, não há espaço para opiniões divergentes". E acrescenta, mais adiante: "Deixei meu país porque lá me negaram os frutos do meu trabalho... Não consegui continuar vivendo num país em que a verdade, como a vejo, não mais tinha o poder de se fazer crível".[138]

O testemunho do Dr. Brodin ressalta a opinião hoje cada vez mais aceita de que, pelo fato de todas as pessoas nascerem igualmente incapacitadas e atingidas pelo pecado, todas merecem os mesmos direitos, embora não sejam criadas iguais. Ressalta também que o socialismo igualitarista, mesmo fora do âmbito do comunismo e do nazismo, fere direitos humanos básicos, ao negar à pessoa o fruto justo do seu trabalho honesto. Portanto, o possuir os mesmos direitos não significa ser igual, pois cada pessoa faz uso diferente das oportunidades que a vida lhe oferece. A igualdade não é um dom de Deus, mas o é a vida.

POSSUIR OS MESMOS DIREITOS NÃO SIGNIFICA SER IGUAL, POIS CADA PESSOA FAZ USO DIFERENTE DAS OPORTUNIDADES QUE A VIDA LHE OFERECE.

Talvez pela razão de alguns homens e mulheres possuírem talentos superiores continuem surgindo tantos atritos sociais nos regimes igualitaristas, em que todos são submetidos a um único padrão. As pessoas possuidoras de maior potencial não podem satisfazer-se nem podem limitar-se ao nível ou à lentidão da mediocridade. Querem exercer plenamente a sua capacidade e o seu potencial, virtudes mais bem desenvolvidas neles, não a fim de serem iguais aos outros, mas a fim de obterem êxito na vida.

Especialmente o fiel e diligente cristão não tem interesse em igualar-se aos outros, mas em superá-los, de sorte que lhes sirva de modelo, não para a sua vanglória, mas para a glória de Deus, sabendo que o seu galardão será diferente. Eis as palavras de Jesus: "Porque vos digo que, se a vossa justiça não exceder em muito a dos escribas e fariseus, jamais entrareis no reino dos céus" (Mt 5.20). E o autor da carta aos Hebreus exorta os seus leitores a que sejam "imitadores daqueles que, pela fé e pela longanimidade, herdam as promessas", e, acerca dos que lhes pregaram o Evangelho, diz: "Considerando atentamente o fim da sua vida, imitai a fé que tiveram" (Hb 6.12; 13.7).

Portanto, não é pecado desejar ser o melhor possível, nem significa esse desejo a exploração do próximo. Os homens nascem iguais em virtude de todos serem pecadores, mas a partir do momento em que começam a servir-se das oportunidades da vida, nenhuma legislação ou regime político pode torná-los iguais entre si. Mesmo que o estabelecimento do igualitarismo fosse possível, equivaleria a uma escravatura e talvez ao maior dos crimes contra os direitos humanos, contra o progresso social entre as pessoas, contra a humanidade, e contra Deus, que nos criou diferentes. Entre os cerca de cinco bilhões de pessoas da terra, não há sequer duas iguais, nem mesmo nas suas simples impressões digitais!

Por causa dessa liberdade inerente à criatura humana, tanto a história de Israel como a de outros povos antigos e modernos mostram que Maquiavel tinha razão ao dizer que "é tão difícil e perigoso querer libertar um povo disposto a viver escravo, como reduzir à servidão um povo que queira viver livre".

A liberdade abençoada e apoiada por Deus, pelo fato de capacitar-nos a manter as nossas desigualdades, não deve ser confundida com a igualdade. São os povos desiguais que têm formado as grandes nações livres, como os Estados Unidos, originalmente formado por treze estados tão diferentes entre si que ninguém, naquela época, acreditaria que pudessem permanecer unidos. Stanley Jones comenta que um inglês, em 1760, depois de visitar essas colônias, disse: "Será mais fácil misturar óleo com água do que unir essas colônias".[139] Entretanto, eles o conseguiram, e hoje, em número que ultrapassa a casa dos cinqüenta, esses estados continuam desiguais nas suas leis, na sua economia, nos seus costumes e nas suas tradições, porém fraternalmente unidos.

Temos de concordar com William Le Roy quando afirma que são os povos desiguais, como os grandes benfeitores da raça humana, que têm liderado as massas, ajudando-as a subir a escada do progresso. As pessoas que se esforçaram para vencer na vida não se preocuparam com a igualdade, mas com a superioridade. O alvo delas "não foi o nível das massas, mas um nível acima das massas".[140]

PERGUNTAS PARA REVISÃO

1. De acordo com a Bíblia Sagrada, o que significa viver livre?
2. Em que consiste a liberdade, para os liberacionistas?
3. Explique a relação entre a igualdade e a liberdade abençoada por Deus.

25 A VERDADEIRA MISSÃO DA IGREJA

A FÉ E AS OBRAS

Evangelizar é, portanto, comunicar as boas novas de que Deus, no seu eterno propósito de redimir um povo para si mesmo, perdoa e recebe como filho a qualquer pecador que confie na obra expiatória efetuada por Jesus Cristo, o Filho de Deus. Um resumo do Evangelho está em João 3.16: "Porque Deus amou ao mundo de tal maneira que deu o seu Filho unigênito, para que todo o que nele crê não pereça, mas tenha a vida eterna", e também em Romanos 5.8: "Mas Deus prova o seu próprio amor para conosco, pelo fato de ter Cristo morrido por nós, sendo nós ainda pecadores".

Seguindo o exemplo de Cristo, a evangelização inclui o serviço. Disse Jesus: "Eu para isso nasci e para isso vim ao mundo, a fim de dar testemunho da verdade" (Jo 18.37), e: "Pois o Filho do homem não veio para ser servido, mas para servir e dar a sua vida em resgate por muitos" (Mc 10.45). Comentando o pedido dos filhos de Zebedeu, de se assentarem um à direita e o outro à esquerda de Jesus, John Stott afirmou que "o símbolo de uma liderança autenticamente cristã não é a veste de púrpura de um imperador, mas o avental batido de um escravo; não um trono de marfim e ouro, mas uma bacia de água para a lavagem dos pés".[141]

Meu amigo, pastor Ricardo Gondim Rodrigues, que realiza em Fortaleza, no Nordeste brasileiro, notável obra espiritual e social, disse, num dos boletins semanais da sua grande e atuante congregação, que a igreja evangélica, omissa em muitas de suas áreas, deve voltar às suas origens, ao primeiro amor de uma fé simples sem ser simplista. Eis suas palavras: "A Igreja não é lugar de posições, títulos, e fama. Aqui se aprende a servir. Aprendemos a arte de amar, a Deus e ao semelhante. Organização, comissões, atas e plenárias devem ficar sempre na perspectiva de servir à visão maior que é levar as pessoas a amarem e servirem o Deus vivo. Evangelizar, cuidar e orar deveriam ser conjugados em todos os tempos com todos os pronomes".

O SÍMBOLO DE UMA LIDERANÇA AUTENTICAMENTE CRISTÃ NÃO É A VESTE DE PÚRPURA DE UM IMPERADOR, MAS O AVENTAL BATIDO DE UM ESCRAVO; NÃO UM TRONO DE MARFIM E OURO, MAS UMA BACIA DE ÁGUA PARA A LAVAGEM DOS PÉS.

Curtis Vaughan salienta, em seu comentário da carta aos Efésios, que temos tido tanto medo de que nos acusem de ensinar a salvação pelas obras que não temos dado a devida atenção à ênfase bíblica a elas como fruto e prova da salvação. E acrescenta: "Jesus andou fazendo o bem. Deveríamos seguir o seu exemplo. Deveríamos acudir às necessidades dos pobres das nossas comunidades. Deveríamos contribuir com os nossos recursos para socorrer aos milhões que morrem de fome em todo o mundo, ajudar os que não têm lar, ser amigos de quem não tem amigos, cuidar dos doentes e dos que sofrem. Em suma, a compaixão que professamos possuir tem de ser traduzida em atos positivos de bondade e generosidade".[142]

O PRÁTICA DO AMOR

Afirma a teologia da libertação que devemos "amar a todos, mas não é possível amar a todos da mesma maneira: nós amamos os oprimidos libertando-os; amamos os opressores, combatendo-os. Amamos os oprimidos libertando-os de sua miséria, e os opressores, liberando-os do seu pecado".[143]

É possível amar empunhando armas destruidoras e mortais, quando a Bíblia diz que a nossa luta não é contra o sangue e a carne, e que as armas da nossa milícia não são carnais, mas poderosas em Deus para destruir fortalezas, anulando sofismas? (2 Co 10.4; Ef 6.12) Como, então, justificar a luta de classes, que não é outra coisa senão o ódio em ação?

O amor de Deus revelado na pessoa do Senhor Jesus Cristo e derramado em nossos corações pelo Espírito Santo que nos foi dado é o maior de todos os temas da Bíblia. Esta diz: "A ninguém fiqueis devendo coisa alguma, exceto o amor com que vos ameis uns aos outros: pois quem ama ao próximo, tem cumprido a lei" (Rm 13.8).

A prática do amor implica, portanto, o cumprimento de toda a vontade de Deus expressa nos mandamentos da lei, que aqui certamente cobre todo o Antigo Testamento. O amor é a mais elevada de todas as virtudes, e viver na prática dessa virtude deve ser o alvo de todo cristão sincero. O capítulo 13 de 1 Coríntios, considerado a mais profunda descrição do amor, revela que o homem não convertido, ou seja, natural, não pode possuir essa virtude que se relaciona com a Pessoa do próprio Pai, que "é amor" (1 Jo 4.8).

> O AMOR DE DEUS REVELADO NA PESSOA DO SENHOR JESUS CRISTO E DERRAMADO EM NOSSOS CORAÇÕES PELO ESPÍRITO SANTO QUE NOS FOI DADO É O MAIOR DE TODOS OS TEMAS DA BÍBLIA.

No referido capítulo do amor, o apóstolo Paulo afirma que essa virtude é mais importante do que a eloquência, a profecia e o conhecimento dos mistérios do Universo tanto no passado como no futuro; o amor é maior do que a filantropia, do que o ascetismo (sacrifício próprio), do que o humanismo, do que o ato de repartir os próprios bens e alimentar os pobres.

O amor cristão, pelo fato de proceder do coração de Deus para o nosso coração, "é paciente, é benigno, o amor não arde em ciúmes, não se ufana, não se ensoberbece, não se conduz inconvenientemente, não procura os seus interesses, não se exaspera, não se ressente do mal; não se alegra com a injustiça, mas regozija-se com a verdade; tudo sofre, tudo crê, tudo espera, tudo suporta" (1 Co 13.4-7). Por ser eterno, o amor durará mesmo quando já não houver profecia, línguas, e ciência.

À luz da Bíblia, a prática do verdadeiro amor de Deus é a base para a solução de todos e quaisquer problemas que possam surgir nos relacionamentos humanos. Barnette afirma que "a vida no nível do amor é inclusiva e se levanta por cima dos melhores requisitos éticos da comunidade".[144]

"NÃO ESTÃO NA MINHA PELE"

Quando não nos esforçamos para combater com ação e promoção sociais as injustiças em nossa comunidade, somos nós os primeiros prejudicados. A esse respeito há diversos exemplos na história. Um deles vem da Índia, país onde as classes sociais elevadas ignoraram os párias sob a fácil e irresponsável alegação: "Não estão na minha pele".

O que aconteceu, então, quando a Índia desejou a independência?

Os párias representaram o maior obstáculo às lutas pela liberdade justamente por estarem entranhados, como um câncer, no corpo de toda a sociedade.

Outro exemplo vivo vem da Rússia czariana, onde a Igreja Ortodoxa, embora riquíssima, fechava os olhos à miséria de vastas camadas da população. Alguém sugeriu, então, que a igreja usasse parte de seus recursos materiais no socorro aos miseráveis, mas a reação do líder religioso — o patriarca — não poderia ser mais anticristã, ao afirmar que jamais permitiria que se desse do ouro da igreja aos necessitados. Não demorou muito para que aquela multidão de famintos, sob a revolução bolchevique, saqueasse os templos e assassinasse os seus líderes religiosos. Pior ainda: aproveitando-se da confusão reinante no país, os comunistas usurparam as rédeas da revolução e implantaram, mediante um dos maiores derramamentos de sangue da história, a opressiva e materialista ditadura do proletariado.

Como o mundo seria diferente se os cristãos levassem a sério o ensino da Bíblia, se cumprissem, por exemplo, estes preceitos de Provérbios: "Abre a tua boca em favor do mudo, pelo direito de todos os que se acham desamparados. Abre a tua boca, julga retamente, e faze justiça aos pobres e aos necessitados" (Pv 31.8,9).

Principalmente na realidade latino-americana, conturbada com tantas injustiças sociais, com tantos famintos, desamparados e marginalizados, cabe-nos a tarefa de fazer as duas coisas: testemunhar e servir. Se é verdade que somos justificados diante de Deus mediante a fé (Rm 5.1; Ef 2.8,9), é também verdade que essa mesma fé precisa ser justificada diante dos homens mediante as boas obras (Tg 2.26), "as quais Deus de antemão preparou para que andássemos nelas" (Ef 2.10). Tiago enfatiza a necessidade das boas obras quando diz: "Mostra-me essa tua fé sem as obras, e eu, com as obras, te mostrarei a minha fé" (Tg 2.18).

O EXEMPLO DE JESUS

O propósito divino de salvar os perdidos, presente em toda a Bíblia, alcança o seu pleno desenvolvimento na Igreja, mediante a qual o Senhor visita os gentios "a fim de constituir dentre eles um povo para o seu nome" (At 15.14). Dessa forma, o conteúdo da evangelização, que chamamos também de mensagem do Evangelho ou ensinamentos bíblicos, relaciona-se com alguma coisa que as pessoas ouvem, entendem, crêem nela e então passam a viver a nova vida de comunhão com Deus como propriedade peculiar dEle.

Entretanto, o fato de a Igreja ser povo de Deus não a afasta do mundo, no qual ela tem por missão estar presente, testemunhando e servindo, servindo e testemunhando. Como instituição, a igreja cristã é totalmente contrária à seita dos fariseus ou dos tipos mencionados na parábola do samaritano (o sacerdote e o levita), que fugiram à responsabilidade de socorrer o necessitado.

O Relatório da Consulta Internacional realizada em junho de 1982 em Grand Rapids, sob a presidência de John Stott, como desdobramento do Congresso de Lausanne, afirma que a ação social e a evangelização são como as duas lâminas da tesoura ou como as duas asas do pássaro, e que essa relação pode ser vista claramente no ministério público de Jesus, "que não somente pregou o Evangelho, mas alimentou os famintos e curou os enfermos".

"No ministério de Cristo", prossegue o relatório, "o kerygma (proclamação) e a diakonia (serviço) caminhavam de mãos dadas. Suas palavras expunham suas obras, e suas obras dramatizavam suas palavras. Eram ambas a expressão de sua compaixão pelas pessoas. Assim também ambas deveriam expressar o nosso amor. Ambas emanam do senhorio de Jesus, pois ele nos envia ao mundo tanto para pregar como para servir. Se nós proclamamos as boas novas do amor de Deus, precisamos então manifestar seu amor, servindo aos necessitados. E, de fato, a relação entre a proclamação e o serviço é tão íntima que elas acabam-se justapondo".[145]

Concordo com o teólogo cubano Justo Gonzales, quando diz que ante "a revolução intelectual, econômica, social, política, e moral do século vinte, a Igreja não pode contentar-se em render adoração a seu Deus dentro de suas quatro paredes, mas fazê-lo também fora da sua comunidade, nas fábricas, nas escolas e nos centros onde se forja a vida da sociedade".[146]

UMA SOCIEDADE DE ESPÍRITOS HUMANOS

A "nova compreensão da fé" — que também é definida como conscientização pelos liberacionistas — conduz, por sua vez, a uma nova compreensão da igreja e do papel que esta deve assumir na situação histórica da América Latina, pois deixa de ser o corpo místico de Cristo para ser o corpo político do proletariado; deixa de pregar o Evangelho para contextualizar o Evangelho; deixa de anunciar o vindouro reino de Cristo para proclamar o advento do estado socialista. Nesse seu novo papel liberacionista, a igreja não passaria de condutora de uma revolução que implantasse no mundo a verdadeira justiça social.

Minha resposta a esse conceito estranho da missão da igreja cristã é que esta, na sua ação evangelizadora, adquire significado incomparavelmente mais elevado do que o proposto pela teologia da libertação. Mediante a comunicação das boas novas, a igreja se ergue acima de toda instituição, cooperando com o que porventura haja de bom na ordem social contemporânea, criticando o mal que porventura exista nela e procurando erradicar esse mal mediante o emprego de recursos que sejam moral e espiritualmente lícitos. Tudo isso ela faz porque, segundo afirmou Lynn

Harold Hough, ela "representa, não meramente uma sociedade de corpos humanos, mas uma sociedade de espíritos humanos".[147]

Na sua missão evangelizadora, a Igreja apresenta-se perante a sociedade com o exemplo de Cristo. Ela não existe simplesmente para servir aos interesses de algum sistema social, mas para fazer com que as pessoas encontrem em Cristo a nova vida que se entrega a ideais elevados e, a partir daí, exerçam livremente sua força no mundo. Mediante a vivência do Evangelho, que inclui a sua proclamação, a Igreja exerce forte influência espiritual, moral e social. Nesta ordem: espiritual, porque vive movida pelo Espírito Santo; moral, porque quem está em Cristo é nova criatura; social, porque exercita o Evangelho na assistência e promoção social da coletividade.

A Igreja, portanto, transcende métodos e fórmulas humanas pelo fato de servir-se dos sobrenaturais recursos divinos, que produzem vida plena de riqueza moral e espiritual naqueles que a integram. Hough, depois de definir a igreja como um organismo que "pensa os melhores pensamentos, aceita os mais elevados ideais e os reveste de uma linguagem irresistível", afirma que o Cristianismo "não elabora fórmulas, mas cria os homens capazes de insuflar força moral em qualquer fórmula".[148]

Imbuída do mesmo sentimento "que houve também em Cristo Jesus" (Fp 2.5), pensando com a mente de Cristo e não segundo teologias, teorias ou ideologias humanas, a Igreja serve à sociedade infundindo nela poder criador e libertador, mesmo que essa sociedade seja economicamente pobre por causa das injustiças que existem neste mundo caído.

Esse poder libertador da igreja e o tipo de libertação que ele produz serão analisados no próximo capítulo, em confronto com as propostas libertárias dos teólogos liberacionistas.

PERGUNTAS PARA REVISÃO

1. Como a Igreja deve praticar a evangelização?
2. Segundo a Teologia da Libertação, como deve ser a prática do amor?
3. Quais são as características do amor cristão?
4. Qual a importância da ação social e da evangelização para a Igreja?

26 OS CAMINHOS DA LIBERTAÇÃO

DIFERENTES FORMAS DE OPRESSÃO

Interrogado na Europa sobre como ia o Brasil, um humorista brasileiro respondeu: "O Brasil vai muito bem. Cinco por cento da população não têm de que se queixar, e noventa e cinco por cento do povo não têm a quem se queixar".

Essa definição simplista, que possui boa dose de verdade, poderia igualmente ser aplicada aos demais países latino-americanos, todos, sem exceção, com poucos muito ricos e muitos muito pobres.

Contudo, a opressão, em nossos dias, assume outras formas além da econômica. A todas elas o povo de Deus deve ajudar a combater através de metas traçadas a partir da própria realidade social em que suas igrejas estiverem estabelecidas. Essas formas de opressão podem ser:

1. Internacionais, se invadem e anexam territórios estrangeiros.
2. Políticas, se subjugam as minorias dissidentes.
3. Legais, se castigam pessoas não julgadas e sentenciadas.
4. Raciais, se segregam e humilham o semelhante por causa da sua raça ou da sua cor.
5. Sexuais, se discriminam e oprimem as mulheres.
7. Educacionais, se negam a todos igual oportunidade.
8. Religiosas, se interferem no direito que cada cidadão tem de ouvir o Evangelho, de crer nele ou de rejeitá-lo, e de viver segundo os ditames da sua fé.

9. Econômicas, se toleram as desigualdades entre cidadãos e fomentam o subemprego, o desemprego e a pobreza.

EM BUSCA DE "UM MUNDO NOVO"

Procurando combater de modo particular a injustiça econômica, a Conferência Episcopal Latino-Americana (CELAM), reunida em Medellín, Colômbia, em 1968, estabeleceu que a tarefa da Igreja é indicar caminhos que levem a uma saída da situação de dependência em que se encontram as populações pobres da América Latina, enfatizando que uma das exigências da fé cristã é assegurar o aparecimento de um mundo novo, fundamentado em comunhão, solidariedade, justiça e paz.

No cumprimento dessas metas, os liberacionistas latino-americanos, também chamados de progressistas, criaram diferentes organizações e reestruturaram outras com o propósito de combaterem a opressão. Entre essas organizações — para mencionar apenas as surgidas no Brasil através de católicos progressistas — encontram-se o Conselho Indigenista Missionário, a Ação Católica Operária, a Associação Difusora de Técnicas e Projetos, a Frente Nacional do Trabalho, o Movimento Feminino pela Anistia (que atuou especialmente antes da Nova República), a Comissão Pontifícia de Justiça e Paz, a Comissão Arquidiocesana de Pastoral das Comunidades Eclesiais de Base e, finalmente, a Associação de Estudos, Orientação e Assistência Rural.

Talvez a força maior dos liberacionistas resida nas comunidades eclesiais de base, cuja expansão os teólogos liberacionistas têm procurado estimular. Nessas comunidades, que hoje são cerca de 80 mil no Brasil e 150 mil em toda a América Latina, as lideranças procuraram ligar as suas experiências concretas de organização e luta com a religiosidade popular. Assim, os participantes discutem os problemas da libertação à luz da abundante literatura de tendência esquerdista fartamente distribuída pela ala progressista da Igreja Católica.

Para se ter idéia da influência dessas células comunitárias, os próprios sandinistas afirmam que se não fosse a participação ativa das CEBs na Nicarágua, a revolução sandinista não teria sido vitoriosa.

Outra entidade surgida no Brasil, porém de caráter mais ecumênico — dadas as suas raízes protestantes liberais — é o Conselho Nacional de Igrejas Cristãs, organizado no mesmo espírito do Conselho Latino-Americano de Igrejas e pelas mesmas cúpulas denominacionais que criaram o CMI em 1948. Essas entidades, destinadas a promover uma frente de unidade cristã em favor dos direitos humanos, na realidade servem "como instrumentos de ativismo social e agitação política diante dos governos da América Latina".[149]

O CAMINHO LIBERACIONISTA

Diante de realidade da opressão, como lutar contra ela? O teólogo Rubens Alves afirma que o caminho da libertação "é o processo pelo qual os oprimidos, partindo de sua própria condição cultural, e aceitando-a como verdadeiramente expressiva de suas dores e aspirações, se lançam na transformação do mundo. O problema dos pobres não será resolvido enquanto os ricos não se decidirem a dar-lhes uma fatia maior do bolo".[150]

Leonardo Boff, por sua vez, afirma que o caminho da libertação deve incluir o alargamento do nível de consciência dos pobres "acerca da realidade sobre a qual sofrem; criação de comunidades eclesiais de base, onde se dá a união entre Evangelho e vida, oração e compromisso, conscientização dos problemas e iluminação deles à luz da fé, da doutrina da Igreja e da reflexão dos teólogos; incentivo à criação de todo tipo de grupos de reflexão e de ação; apoio aos organismos populares nos quais os próprios pobres assumem a reflexão, usam da palavra e organizam sua prática solidária, impondo limites às estratégias da dominação e dando passos de libertação rumo a uma sociedade mais participada e justa. Tais práticas, para a fé, produzem bens do Reino".[151]

> O PROBLEMA DOS POBRES NÃO SERÁ RESOLVIDO ENQUANTO OS RICOS NÃO SE DECIDIREM A DAR-LHES UMA FATIA MAIOR DO BOLO.

Gutierrez chega a afirmar que "negar o fato da luta de classes é, na realidade, tomar partido em favor dos setores dominantes. Impossível a neutralidade nesta matéria". E mais adiante: "Quando a Igreja rejeita a luta de classes, está procedendo objetivamente como peça do sistema imperante: este, com efeito, pretende perpetuar, negando sua existência, a situação de divisão social em que se baseiam os privilégios de seus usufrutuários. É uma opção classista, enganosamente encoberta com a pretensa igualdade perante a lei".[152]

Araya vê a opressão como culto idólatra cujos deuses desumanizam os homens, empobrece-os e os matam. Afirma ele: "Quando as forças da morte estão livres para assassinar, quando a vida é ignorada ou cruelmente massacrada, os deuses falsos da morte estão no poder. Essas falsas divindades da morte podem explicitar-se religiosa ou secularmente como 'a propriedade privada', 'a riqueza', 'o consumismo', 'a segurança nacional'."[153]

Como se percebe, não há nesses pronunciamentos, nem no contexto da teologia da libertação, a necessidade da expiação, do poder do sangue de Jesus, do arrependimento e da confissão e do abandono do pecado, de genuína conversão, de profunda mudança interior, de nova vida em Cristo, de leitura da Palavra de Deus, de fruto do Espírito. A mensagem dos liberacionistas não leva em conta os fundamentos bíblicos da verdadeira liberdade: "E conhecereis a verdade, e a verdade vos libertará. Se, pois, o Filho vos libertar, verdadeiramente sereis livres" (Jo 8.32,36).

Esse tipo de libertação, que não pode ser o preconizado pela Escritura Sagrada, porventura solucionaria os problemas básicos do povo latino-americano e de outros povos pobres de nosso mundo?

O CAMINHO DO EVANGELHO

O governador hebreu Neemias, ao combater duramente a opressão no meio dos retornados do exílio babilônico, dá ele próprio o exemplo de justiça e misericórdia, não exigindo, sequer, "o pão devido ao governador". Repreendendo os nobres e magistrados, diz: "Nós resgatamos os judeus, nossos irmãos, que foram vendidos às gentes, segundo nossas posses; e vós outra vez negociaríeis vossos irmãos, para que sejam vendidos a nós?" (Ne 5.7,18) O resultado dessa repreensão foi arrependimento e restituição da parte dos opressores, contentamento geral da parte dos oprimidos e bênção da parte de Deus. Lamentavelmente, essa ocorrência foi como pequeno oásis no imenso deserto da vida espiritual e nacional do povo de Deus do Antigo Testamento.

Entretanto, assim como Israel, que por não ter sido perfeito não conseguiu banir a opressão do seu próprio seio, a Igreja de Cristo, também imperfeita, tem falhado na prática da justiça. Mesmo havendo imperfeição na igreja, esta, como comunidade do reino de Deus, deve seguir o exemplo de Neemias: praticar a justiça e a misericórdia, denunciar as causas da opressão e defender o direito dos fracos e oprimidos. Tiago nos dá bom exemplo dessa denúncia contra os opressores: "Eis que o salário dos trabalhadores que ceifaram os vossos campos, e que por vós foi retido com fraude, está clamando; e os clamores dos ceifeiros penetraram até aos ouvidos do Senhor dos Exércitos" (Tg 5.4).

Embora ciente de que a opressão só será definitivamente banida por ocasião da manifestação plena do reino de Deus, por ocasião da volta de Jesus como o Rei que firmará o seu reino mediante "o juízo e a justiça" — quando "a terra se encherá do conhecimento do Senhor, como as águas cobrem o mar" (Is 11.9), a Igreja tem o dever de praticar o amor e a justiça, contribuindo assim para o fim da opressão, tanto a nível local, como nacional e internacional.

Não há dúvida de que o amor e a justiça são o caminho do Evangelho. Quando amamos as pessoas, interessamo-nos por suas necessidades e anseios básicos, quer falando-lhes da vida eterna como a essência do Evangelho, quer ajudando-as a melhorar a sua condição social. O amor e a justiça, unidos, se opõem a todas as situações injustas. Os cristãos verdadeiramente comprometidos com o Evangelho pleno não permanecem indiferentes aos sofrimentos da sua comunidade, mas agem motivados pelas exigências dessas virtudes do Evangelho.

A IGREJA TEM O DEVER DE PRATICAR O AMOR E A JUSTIÇA, CONTRIBUINDO ASSIM PARA O FIM DA OPRESSÃO, TANTO A NÍVEL LOCAL, COMO NACIONAL E INTERNACIONAL.

Não basta termos pena das vítimas da injustiça e manifestarmos essa pena mediante protestos nas ruas e na imprensa, como fazem muitos pseudo-amigos dos pobres e oprimidos. Para que a situação de injustiça seja mudada, é necessário não apenas que sejamos protestantes (que realmente protestem) e manifestantes, mas acima de tudo bons samaritanos que socorram os que são assaltados e atacados. Melhor ainda, como disse John Stott, seria que como cristãos "limpássemos dos assaltantes a estrada que desce de Jerusalém para Jericó".

"A filantropia cristã em termos de alívio e ajuda é necessária", continua Stott, "mas o desenvolvimento a longo prazo é melhor, e não podemos fugir de nossa responsabilidade política de partilhar da mudança de estruturas que inibem o desenvolvimento. Os cristãos não podem ver com equanimidade as injustiças que estragam o mundo de Deus e rebaixam as suas criaturas. A injustiça deve ferir o Deus cuja justiça se expôs de modo tão brilhante na cruz; deve ferir também ao povo de Deus".[154]

William Booth, na Inglaterra do século passado, nos deu bom exemplo de como o povo de Deus pode contribuir para melhorar o nível de vida moral e econômico da sociedade. Mobilizando o seu recém-organizado *Exército de Salvação*, ele influiu decidida e positivamente nos rumos de seu país, tanto mediante a pregação do Evangelho e a prática da justiça e promoção sociais, quanto pela sábia orientação política que substituiu por leis justas aquelas que inibiam o desenvolvimento de grandes parcelas da população.

A lição do fundador do Exército de Salvação é válida hoje especialmente para o Brasil e demais países da América Latina, onde a falta de conscientização política de boa parte das lideranças evangélicas tem coberto de vergonha o povo de Deus. Após um ano eleitoral, meu amigo Caio Fábio disse-me que se sentia profundamente frustrado pelo fato de tantos pastores se venderem a si próprios e ainda comprometerem as suas igrejas em troca de milheiros de tijolos e outros presentes oferecidos por políticos desqualificados para o exercício de um mandato público. Ele se referia à região de quinhentos quilômetros entre Belo Horizonte e Rio de Janeiro, que vale como amostragem do que ocorre em todo o Brasil.

De tanto ver o comportamento desonesto da maioria dos políticos brasileiros, inclusive de candidatos *evangélicos*, um amigo meu definiu política como "a arte de conciliar os próprios interesses".

Eu mesmo fui vítima desse forte jogo de interesses que leva líderes cristãos a se comportarem como se nem sequer fossem cristãos.

Na condição de candidato a um cargo eletivo em um dos municípios da Grande São Paulo, procurei certo pastor amigo a fim de apresentar-lhe os meus objetivos, caso fosse eleito, e pedir-lhe o apoio. Como ele me prometesse apoiar, entreguei-lhe boa quantidade de propaganda política e contei com o seu trabalho. No dia das eleições, lá estava o irmão distribuindo com entusiasmo propaganda política de outro candidato, por puro interesse financeiro, enquanto o material que eu lhe havia dado fora totalmente perdido, ignorado a algum canto do seu gabinete pastoral.

Minha decepção foi enorme, pois considerei que, se não podemos esperar que um pastor evangélico cumpra a sua palavra dada a um bem-intencionado irmão na fé, menos ainda nos resta esperar dos de fora. Se é esse o tipo de luz que alguns líderes espalham na sua comunidade, pobre dessa comunidade!

Foi por certo com o propósito de conscientizar politicamente a liderança evangélica brasileira que outro amigo meu, Josué Silvestre, escreveu interessante livro sob o título: *Irmão Vota em Irmão*.

Fatos tristes e humilhantes como esses espezinham o Evangelho e tratam a Igreja como se esta não passasse de uma massa ignorante manipulável para fins eleitoreiros e promoção pessoal de indivíduos mal intencionados. Urge, portanto, que os ministros da Palavra e líderes cristãos encarem com seriedade os grandes desafios que se agigantam diante deles, e utilizem sabiamente o potencial espiritual, moral e cívico do povo de Deus, redirecionando-o no sentido de melhorar as leis e as condições de vida de suas comunidades. No bom sentido, a Igreja deve ser o bom fermento que leveda *toda* a massa, e isso inclui a política.

PERGUNTAS PARA REVISÃO

1. Quais são as formas de opressão existentes em nossos dias?
2. Qual deve ser a postura da Igreja ante à opressão?
3. De acordo com os liberacionistas, qual é o caminho para livrar-se da opressão?
4. Como o Evangelho combate a opressão?

27 A ORIGEM E O CARÁTER DO MARXISMO

QUEM FAZ A HISTÓRIA?

Deixando o palco latino-americano em que atuam os liberacionistas, vamos deter-nos por um pouco no socialista Karl Marx (1818-1883) e nas suas idéias. O marxismo moderno tem suas origens nesse político e filósofo alemão que, ainda moço, tornou-se o líder do círculo hegeliano de jovens na Universidade de Berlim. Em 1846, com Engels, Marx fundou a Associação de Empregados Alemães em Bruxelas. Em 1848 os dois se tornaram membros da liga comunista e publicaram o *Manifesto Comunista*, no qual consta o conhecido apelo: "Proletários de todos os países, uni-vos!"

Em 1864, Marx tornou-se presidente da Primeira Internacional Comunista, fundada nesse ano, e seu líder de fato. Três anos mais tarde, em 1867, veio à lume sua principal obra intitulada *O Capital*.

O pensamento de Marx, também conhecido como Filosofia da História, resume-se nestas suas palavras: "Toda história nada mais é do que a transformação contínua da natureza humana", e explica que essa transformação ocorre mediante as forças da produção. Para Marx, a história não é feita nem pelas grandes idéias nem pelos heróis, mas pelo homem (como classe, não como indivíduo), segundo as condições que lhe são dadas. O marxismo ensina ainda que "o modo da produção determina o caráter geral dos processos da vida".[155]

PARA MARX, A HISTÓRIA NÃO É FEITA NEM PELAS GRANDES IDEIAS NEM PELOS HERÓIS, MAS PELO HOMEM...

Por acreditar que é o modo da produção, ou seja, o clima, os recursos, a tecnologia e a mão-de-obra, que determina todos os processos da vida, incluindo diferenças sociais, políticas e religiosas, Marx supunha que poderia mudar todo o sistema social se a classe boa, a proletária, assumisse o lugar da classe má, a burguesa. Daí a expressão *luta de classes*. Filosoficamente falando, ele fundiu o conceito materialista da história, de Ludwig Feuerbach (1804-1872), com o conceito de progresso ou evolução da dialética otimista de Georg W. F. Hegel (1770-1831).

OS MESTRES DE MARX

Conhecer as fontes nas quais abeberaram Marx e Engels é conhecer as razões por que o marxismo continua inflexível em sua luta contra a religião, a burguesia e a democracia. Feuerbach, de quem Marx extraiu seu ateísmo, ensinou que a religião é apenas a objetivação da espécie, uma forma indireta de o homem conhecer-se a si mesmo. O pecado é a alienação entre o que o homem deve ser e a espécie. Deus, longe de ser ente real, onipotente, onisciente, onipresente e transcendente, não passa da natureza humana tida como verdade absoluta. Em resumo, Feuerbach reduziu a teologia à antropologia.[156]

Hegel, por sua vez, nega por completo a revelação, identifica o Espírito como força imanente no mundo, pendendo assim para o panteísmo (só o mundo é real, e Deus é a soma de tudo o que existe) e para o panenteísmo (todos os seres estão em Deus). Hegel enfatizou também que o espírito nacional, como realidade essencial, "gera em última instância todas as instituições e inspira todas as ações que hão de ilustrar essa época... Cada *Espírito Nacional*, depois de ter-se desenvolvido e realizado, conhece o destino de toda a individualidade: perece. A totalidade das suas produções e das suas formas objetivas torna-se então a 'matéria-prima' de uma nova criação do Espírito Mundial, ele próprio formado na experiência desta individualidade nacional".[157]

É provável que o *espírito nacional* de Hegel, que termina num *espírito mundial*, tenha levado os marxistas ao conceito de que as idéias de Marx nunca poderão funcionar em um mundo dividido, de que o comunismo só será plena realidade quando todo o mundo estiver sujeito a ele, e de que o marxismo representa o ponto mais avançado do desenvolvimento social do ser humano, do qual não pode haver retrocesso. Assim, feudalismo, imperialismo, capitalismo e democracia seriam estágios inferiores desse desenvolvimento político, econômico e social.

O MARXISMO NO BRASIL

Desde a revolução cubana, os movimentos revolucionários na América Latina têm contado com o apoio do governo de Havana. Esse apoio começou com a Guatemala, em 1960, e tem-se estendido por toda a América Central e do Sul, transpondo mesmo o Atlântico e alcançando Angola, Moçambique e Etiópia, na África.

O Brasil, pelo fato de ser a maior nação latino-americana tanto em área territorial como em população, recebeu atenção muito especial de diversos movimentos comunistas internacionais, os quais ajudaram diferentes grupos terroristas no início dos anos sessentas. Essas organizações destinadas a promover a expansão do comunismo no mundo sabem que, para onde o Brasil pender, penderão os países vizinhos. Talvez por essa razão os liberacionistas sejam mais atuantes no Brasil, especialmente através das comunidades eclesiais de base (CEB) que aqui se multiplicam mais do que em qualquer outro lugar. Há mais CEBs no Brasil do que em todos os outros países americanos, juntos.

O BRASIL, PELO FATO DE SER A MAIOR NAÇÃO LATINO-AMERICANA TANTO EM ÁREA TERRITORIAL COMO EM POPULAÇÃO, RECEBEU ATENÇÃO MUITO ESPECIAL DE DIVERSOS MOVIMENTOS COMUNISTAS INTERNACIONAIS...

Além de atuarem nos diversos partidos comunistas legalmente registrados — que representam as linhas soviética, albanesa, chinesa e cubana —, os comunistas estão presentes em diversos outros partidos de centro e de esquerda.

Nas eleições municipais de 1988, o que mais se via nos comícios da oposição eram bandeiras comunistas. Era de impressionar a incrível movimentação de veículos com essas bandeiras e potentíssimos alto-falantes pelas ruas de São Paulo, mobilizando as massas para os últimos e decisivos comícios, que resultaram afinal, em 1988, na eleição de uma marxista para dirigir a maior cidade da América do Sul.

Ainda com relação ao Brasil e às eleições de 1988, greves e mais greves, com inúmeras reivindicações, detiveram importantes áreas de produção industrial.

Logo após as eleições em que os comunistas obtiveram imensas vantagens políticas, todas as greves desapareceram como por milagre, levando alguns analistas políticos a reconhecer que elas haviam sido deflagradas com objetivos estritamente políticos.

Foi esse o caso dos metroviários de São Paulo, cuja greve durou muito pouco tempo por causa da pressão popular. Ao tomar conhecimento dos salários dos grevistas, muito acima da média de outros trabalhadores em funções semelhantes, o povo indignou-se e exigiu a volta dos trabalhadores aos seus postos.

NOS PAÍSES HISPÂNICOS

1. *Argentina e Uruguai*. Bem ao sul do Brasil, os tupamaros na Argentina e os motoneros no Uruguai, embora recebessem ajuda de Cuba e de outras fontes interessadas na expansão do comunismo, não lograram a tomada do poder. Tanto na Argentina como no Uruguai, as feridas profundas abertas por revolucionários e contra-revolucionários ainda não se cicatrizaram, resultando, especialmente na Argentina, na instabilidade do governo democrático.

2. *Chile*. O apoio de Cuba ao regime de Allende — que também contava com a simpatia dos cristãos marxistas — quase levou o país ao comunismo.

3. *Guatemala e El Salvador.* A partir de 1978, a extinta União Soviética, com apoio cubano, voltou-se para a América Central e tratou de conquistar novas cabeças-de-ponte continentais, reacendendo a guerrilha na Guatemala e incentivando os revolucionários de El Salvador, país até hoje devastado por violenta guerra civil.

4. *Nicarágua.* Nesse país, os sandinistas, também com a ajuda cubana, puseram fim ao regime de Somosa e, em 1983, já possuíam "a força militar mais numerosa e mais bem equipada da América Central", segundo discurso do presidente Reagan perante o Congresso dos Estados Unidos.[158]

5. *México.* Finalmente, a ação comunista na América Latina não ignora o México, por pertencer ao continente norte-americano e constituir ameaça direta aos Estados Unidos.

Entre as diversas organizações mexicanas destinadas a promover a comunicação de seu próprio país, está o CUC (Centro Universitário de Convivência), sob a tutela de religiosos católicos dominicanos, o qual funciona junto à Universidade Nacional Autônoma do México. Esses religiosos, "além de difundir a teologia da libertação, promovem a pornografia através de cine-clubes, revistas e reuniões".[159]

Em todos os movimentos guerrilheiros atuantes na América Latina tem sido certa a presença de religiosos, especialmente de sacerdotes europeus treinados em seminários liberais que apóiam a teologia da libertação.

MEU CONTATO COM O MARXISMO

Não sou apenas observador externo do marxismo, pois o conheci bem de perto. Nos anos de 1956 a 1959, através do contato com comunistas e da leitura de cerca de duas dezenas de obras que enaltecem essa ideologia, mergulhei na ideologia de Marx até o ponto de ser convidado a participar de reuniões secretas do Partido Comunista, naquele tempo considerado ilegal. Tratávamos, nessas reuniões, de assuntos locais, estaduais, nacionais e internacionais, o que nos enchia de orgulho por pertencermos a algo que nos parecia realmente grandioso. Conheci a história da revolução bolchevique, da revolução de Mao Tsé-tung na China, e da "Coluna Prestes" no Brasil. Admirava heróis e heroínas comunistas, elogiava o sistema educacional da União Soviética e defendia com ardor a implantação do marxismo em minha Pátria.

Embora eu tenha nascido num lar cristão e tenha participado, na infância e adolescência, de algumas reuniões em que se entoavam cânticos evangélicos e se lia e explicava a Bíblia, a literatura marxista produziu em mim verdadeira lavagem cerebral. Tornei-me ferrenho inimigo do imperialismo norte-americano e do sistema político brasileiro, irreverente crítico da Bíblia e mordaz zombador dos crentes. Estes, com suas Bíblias debaixo do braço, me pareciam grandes tolos, necessitados de urgente reeducação. A idéia da existência de Deus, ou mesmo da necessidade de Deus, era para mim absurdo.

Meus familiares e amigos admiravam-se do conhecimento que eu demonstrava possuir ao falar-lhes com eloqüência, horas a fio, de política internacional, dos elevados objetivos do comunismo para o mundo e dos grandes males que representavam os Estados Unidos, responsáveis — na minha opinião e na de meus amigos comunistas — pela pobreza e atraso dos meus patrícios e de milhões de outras pessoas em várias partes do mundo.

Outra lição que aprendi no meu relacionamento com o marxismo diz respeito às suas metas internacionais, à abundância de informações sobre o seu progresso em todo o mundo e à seriedade com que os marxistas encaram a sua missão e avançam em busca de seus objetivos. Ouvi relatórios acerca do avanço do comunismo não somente no município em que vivíamos, mas também no Brasil e em várias partes do mundo.

No âmbito local, o encontro de que participei escolheu um nome para vereador e fez a previsão de quantos votos ele receberia. O candidato indicado foi eleito com apenas um voto a menos do que o previsto.

PANORAMA MUNDIAL

De acordo com a *World Christian Encyclopedia* (Enciclopédia Cristã Mundial), editada por David B. Barrett, do ponto de vista político havia no mundo, em 1980, 74 países livres, 81 parcialmente livres e 68 não livres. Do total da população mundial, apenas 853 milhões viviam nesses países politicamente livres, dos quais 566 milhões eram cristãos em geral.

Em relação à atitude do Estado perante a religião, em 1900 havia 145 países oficialmente religiosos, 78 países não religiosos e nenhum oficialmente ateu.

Com o aumento da secularização no presente século, o número de países oficialmente religiosos caiu para 114 em 1970 e chegou a 101 em 1980. O número de países oficialmente não religiosos aumentou de 78 para 92 em 1980.

O número de países ateístas, de 0 em 1900, passou para 17 em 1970 e chegou a 38 em 1980. Ainda em 1980, um bilhão e trezentos milhões de pessoas viviam em países considerados religiosos, um bilhão e 580 milhões viviam em países de regimes seculares, e um milhão e 488 milhões sob regimes ateístas.

Do total dos cristãos, 662 milhões viviam em países religiosos, 513 milhões sob regimes seculares, e 254 milhões sob regimes ateístas.

O NÚMERO DE PAÍSES ATEÍSTAS, DE 0 EM 1900, PASSOU PARA 17 EM 1970 E CHEGOU 38 A EM 1980.

No que se refere à liberdade de religião e à perseguição, em 79 países dois bilhões e duzentos milhões de pessoas viviam em 1980 debaixo de restrições, apesar de esses países terem assinado a Declaração Universal dos Direitos Humanos, da ONU, e possuírem em suas constituições garantia de liberdade religiosa.

Tendo ainda por base o ano de 1980, 60,4% de todos os cristãos da chamada Igreja do Silêncio, ou igreja subterrânea viviam sob restrições tanto civis quanto religiosas. Um total de 224 milhões de cristãos (16%) viviam sob severa interferência do Estado e duras perseguições religiosas. Finalmente, cerca de 320 mil cristãos viviam sob regimes empenhados na total supressão ou erradicação do Cristianismo e de todo o tipo de religião.

O combate sistemático à idéia da existência de Deus é próprio do marxismo-leninismo, pois, como disse o próprio Lenin, o ateísmo é parte inseparável do marxismo, "da teoria e prática do socialismo científico".[160]

Por isso, somente na extinta União Soviética mais de dois milhões de pessoas trabalhavam até recentemente, e possivelmente ainda trabalham, a fim de provar que Deus não existe, esforçando-se para que diariamente "quarenta mil lições" em defesa do ateísmo sejam ministradas.

Tendo como pano de fundo esse sombrio quadro de restrições à liberdade religiosa, causado principalmente pela ideologia de Marx e seus discípulos, passemos agora a analisar o marxismo latino-americano e sua presença na teologia da libertação.

O EXEMPLO DE RESTREPO

Entre os principais inspiradores da teologia da libertação encontra-se o padre e sociólogo colombiano Camilo Torres Restrepo, que escolheu o caminho da guerrilha, ingressando no ELN (Exército de Libertação Nacional) com o propósito de libertar da opressão as classes pobres do seu país.

Nas suas próprias palavras, Restrepo diz que optou pelo cristianismo por considerar que nele se encontrava a forma mais pura de servir ao seu próximo. Afirma ele: "Como sociólogo, desejei que esse amor se tornasse eficaz mediante a técnica e a ciência; ao analisar a sociedade colombiana, percebi a necessidade de uma revolução que pudesse dar de comer ao faminto, de beber ao sedento, de vestir ao nu e pudesse realizar o bem-estar da maioria do nosso povo. Acho que a luta revolucionária é uma luta cristã e sacerdotal. Somente por meio dela, nas circunstâncias concretas da nossa pátria, podemos realizar o amor que os homens devem ter ao seu próximo".[161]

A maioria dos liberacionistas acha correta a opção pela violência armada tomada pelo padre Restrepo, que foi morto em 16 de fevereiro de 1966 pelo exército colombiano e tornou-se um herói e mártir da causa revolucionária.

MST – UMA CAUSA CRISTÃ?

A Comissão Pastoral da Terra – CPT, afirma ser um serviço cristão em defesa dos camponeses e trabalhadores rurais do Brasil. Segundo essa entidade, a realidade e os anseios desses camponeses definem a missão da Comissão Pastoral da Terra, que tem como base os seguintes objetivos:

1. Viver na solidariedade e com criatividade o serviço pastoral ecumênico das igrejas cristãs aos pobres da terra, para que a possuam em paz e façam produzir para o bem de todos e todas;
2. Promover e valorizar o direito à plena cidadania dos excluídos da terra e o respeito do seu direito à diferença;
3. Celebrar em comunidade a fé em Deus da terra e da vida e animar a esperança dos pobres da terra.

A CPT/RS é uma comissão ecumênica que, a partir dos princípios da fé, presta serviço ao homem do campo de modo especial, na promoção dos direitos humanos e resgate da cidadania, no desenvolvimento de atividades ligadas à luta pela terra, na garantia de políticas públicas e na formação de lideranças junto aos movimentos sociais do campo.

Ocorre que, com o apoio de setores da Igreja Católica e de entidades ditas ecumênicas, o Movimento dos Sem-Terra tem praticado saques e invasões de bens alheios que não encontram nenhum respaldo que possa ser considerado cristão. Eis alguns exemplos:

> *O MST ocupou duas agências do Banco do Nordeste do Brasil (BNB) na Bahia, anteontem, e pode repetir a ação nos próximos dias caso o Incra não libere créditos agrícolas do Procera, criado para dar suporte financeiro aos assentados. Cerca de 600 pessoas ficaram 10 horas protestando pela liberação de R$ 25 milhões – valor aprovado pelo Incra em setembro mas ainda não depositado.*
> *A fazenda Jacaré Grande, em Curionópolis (PA), pertencente ao prefeito Osmar Ribeiro da Silva (PSC) foi invadida por 350 famílias do MST e do Movimento de Luta pela Terra (MLT). O MLT diz que ocupou primeiro e tem "direito adquirido", enquanto o MST, que invadiu a área posteriormente, garante que seus lavradores são realmente sem-terra e não especuladores e também reivindicam a condição de assentados pelo Incra.[162]*

> *Cerca de cem trabalhadores sem-terra do acampamento Bananeiras saquearam um caminhão de açúcar ontem, por volta das 5h, na BR-104, em Quipapá (PE). Meia hora depois, outras 50 famílias ligadas ao movimento reocuparam pela terceira vez o Engenho Barro Branco, de 425 hectares, em Belém de Maria. As duas ações fazem*

parte da Jornada de Luta..., que prevê novos saques e mais de 20 ocupações e reocupações até o fim de semana. Sob comando da CUT – Central Única dos Trabalhadores, 200 famílias de sem-terra invadiram a Fazenda Austrália, de 3.050 hectares, no Mato Grosso do Sul. Os invasores montaram 200 barracas de lona no centro da área, perto de um córrego. É esta a 15ª vez que os sem-terra invadem fazendas no MS este ano (1998), e segundo Paulo César Farias, um dos coordenadores da CUT-MS, as ocupações serão mais freqüentes.[163]

O FIM JUSTIFICA OS MEIOS?

No Brasil, o pastor protestante brasileiro Roberto T. Lessa cita o sandinista David Chavarria: "Não sei por que você se surpreende, de nós, cristãos, termos empregado a violência na Nicarágua. Os bispos e pastores instaram com Somosa para que ele mudasse de conduta. Como não mudasse, tivemos de tirá-lo à força. Jesus disse: 'Amai os vossos inimigos', reconhecendo que eles existem. A nossa forma de amar o ditador foi combatê-lo".[164]

À luz do ensino de Jesus, pretexto algum justifica o uso da violência, mesmo com o melhor dos propósitos. Por essa razão o liberacionismo, em virtude de apresentar características muito mais sociais e políticas do que propriamente religiosas, deveria eliminar da sua terminologia o vocábulo *teologia*, que está ali totalmente fora de lugar no seu sentido cristão. Em vez de *teologia*, seria melhor que usasse um termo mais condizente com o caráter e propósito do movimento, como, por exemplo, *sociologia* ou *partido*.

É inteiramente descabido o uso do termo "teologia" num sistema político e ativista que, além de ignorar os princípios do Evangelho, visa motivar e orientar a pessoa na dialética da luta de classes do marxismo.

Outro aspecto do liberacionismo que assusta aqueles que crêem na Escritura Sagrada é a insegurança com que seus teólogos definem algumas das suas "verdades". Um estudioso desse assunto, William R. Le Roy, comenta que é estranho o fato de uma entidade a serviço desse movimento — no caso o Conselho Latino-Americano de Igrejas — se dizer cristã e estar ainda "em busca da verdade".

Como é possível ignorar a verdade quando a Bíblia Sagrada, através dos profetas, dos apóstolos e do próprio Cristo sempre afirmou — e a teologia cristã clássica e tradicional sempre ensinou — que Jesus Cristo, o Filho de Deus, é a verdade? Jesus é ainda mais do que a verdade. Ele é também o único caminho para o Pai e o único em quem podemos ter vida eterna (Jo 14.6; 17.3).

O "IMPERATIVO" DA REVOLUÇÃO

Aos ouvidos dos verdadeiros cristãos evangélicos — que nasceram de novo, que são templo do Espírito Santo, que estão em paz com Deus e possuem a paz de Deus, que acreditam na infalibilidade da Escritura Sagrada e que sempre ouviram falar de teologia como coisa sagrada, voltada para o estudo de doutrinas bíblicas ou da pessoa de Deus — sei que soa por demais estranho a associação da palavra "teologia" com o marxismo, o comunismo, a revolução armada e a luta de classes. Mas, por mais lamentável que seja, é esse um fato presente não apenas no continente latino-americano, mas também em várias outras nações do Terceiro Mundo.

Defendendo a legitimidade da violência, o teólogo Trujillo não usa de meias palavras. Argumentando a favor da necessidade da luta de classes, ele diz que a dominação burguesa, pelo fato de se servir, além de outros instrumentos, da política, da economia e da cultura, sendo a sua causa fundamental a econômica, a única resposta é o rompimento total e drástico com essa situação que deriva do sistema capitalista.

Para Trujillo, "a *revolução* é um imperativo. Tudo o que não seja revolução (presumivelmente violenta) se cataloga como 'desenvolvimento', intento inútil e falaz. A prova está na experiência da década de 60 com o fracasso da Aliança para o Progresso. Estabelece-se como fato incontroverso que *só há uma saída*. Nem se suspeita que, entre revolução e desenvolvimento, poderia encontrar-se um termo médio. O único possível é *a mudança do sistema*, a qual não se produzirá, de nenhuma maneira, com a aceitação dos poderosos. Daí a justificação da organização para procedimentos violentos".[165]

Trujillo prossegue desenvolvendo a sua tese revolucionária e afirma que "o dever da Igreja é então apoiar, preparar, encabeçar, organizar e realizar a revolução". E mais adiante: "Não se quer sustentar que a revolução é incompatível com a fé. Apenas se intenta assinalar como facilmente invade outros campos".

Dentro desse raciocínio, as tarefas e ambições revolucionárias da igreja devem levá-la a assumir o lugar do transcendente. Para alguns desses cristãos, seguindo o pensamento de Trujillo, o que inicialmente é cristão ou "religioso" se tornará menos importante ou em obstáculo à ação revolucionária da igreja. "Que facilmente, no fragor do combate, Cristo vá sendo substituído por Marx e a Igreja universal pelo proletariado!"[166]

Essas palavras parecem eco do que revolucionários latino-americanos têm dito, como Che Guevara: "Os cristãos devem optar definitivamente pela revolução, e especialmente no nosso continente, onde a fé cristã é tão importante entre a massa popular. Quando os cristãos se atreverem a dar um testemunho revolucionário integral, a revolução latino-americana será invencível, já que até agora os cristãos permitiram que sua doutrina fosse instrumentalizada pelos reacionários".

E agora Fidel Castro: "Sugerimos uma aliança entre o cristianismo e o marxismo. Os objetivos humanos de Cristo e Marx, cada qual com a sua própria filosofia, são os mesmos. Não podemos falar sobre o outro mundo, mas neste mundo podemos ter completa concordância, com fraternidade e solidariedade".[167]

O QUE INICIALMENTE É CRISTÃO OU "RELIGIOSO" SE TORNARÁ MENOS IMPORTANTE OU EM OBSTÁCULO À AÇÃO REVOLUCIONÁRIA DA IGREJA. "QUE FACILMENTE, NO FRAGOR DO COMBATE, CRISTO VÁ SENDO SUBSTITUÍDO POR MARX E A IGREJA UNIVERSAL PELO PROLETARIADO!"

Seria possível essa "fraternidade e solidariedade" entre Cristo e Marx? Seria possível unir a "luta de classes" e a evangelização? Estaria o Senhor Jesus, como o Deus dos pobres, realmente identificado com as massas opressas e empenhado na sua libertação política e econômica, como pregam os liberacionistas?

Alguns teólogos acham que sim, como Leonardo Boff que, ao ser interrogado sobre o problema da violência dentro da teologia da libertação, respondeu que "a função da aplicação da violência na tomada do poder não cabe à Igreja como instituição, porque não cabe a ela comandar os destinos políticos de uma nação. Mas respeita os cristãos que, à luz da consciência conjugada com uma análise da realidade, num dado momento histórico, usam da violência para uma eficácia libertadora que restaura uma justiça mais alta, maior do que aquela que se vira antes..."

O padre Girardi, por sua vez, chega mesmo a afirmar que a perspectiva de "outra vida" na qual toma corpo o projeto de uma "sociedade totalmente distinta", não se apresenta como alternativa da construção histórica do futuro, senão como novo motivo para o cristão comprometer-se nela. Ele afirma que o amor revolucionário encontra "novas razões para ir até o fim" tanto na paternidade de Deus quanto na fraternidade de Cristo.[168]

Se esse "ir até o fim" significa comprometer-se até às últimas conseqüências numa revolução armada, é claro que nem na paternidade de Deus nem na fraternidade de Cristo — de acordo com o caráter do Pai e do Filho que encontramos na Bíblia — revolucionário algum encontrará "novas razões" para a sua luta.

Prosseguiremos, no próximo capítulo, nossas considerações sobre a impraticabilidade da síntese marxismo *versus* Cristianismo pretendida pelos liberacionistas.

PERGUNTAS PARA REVISÃO

1. *Quem foi Karl Marx?*
2. *Segundo Marx, como se faz a história?*
3. *Quem foram os mestres de Marx?*
4. *Como se iniciou o marxismo no Brasil?*

28 O CRISTÃO MARXISTA É UMA CONTRADIÇÃO

O FIM JUSTIFICA OS MEIOS?

Dentro do propósito de estabelecer na sociedade latino-americana a "justiça mais alta" pregada por Leonardo Boff, o que seria feito mediante o "amor revolucionário" do padre Girardi, por sua vez obedecendo ao "imperativo da revolução de Trujillo", a teologia da libertação não tem dificuldade em aceitar o princípio maquiavélico de que "o fim justifica os meios".

É evidente, contudo, que essa "justiça mais alta" tem como modelo justamente a revolução sandinista da Nicarágua, que o "amor revolucionário" não pode ser o amor de Deus "derramado em nossos corações pelo Espírito Santo que nos foi outorgado" (Rm 5.5), e que o "imperativo da revolução" de Trujillo e outros liberacionistas, seguindo a trilha filosófica de Maquiavel implícita no marxismo, não pode trazer bem-estar às populações carentes da América Latina, por força da sua própria natureza.

O resultado das revoluções que os liberacionistas tomam como modelo tem sido a alienação das populações de todo o tipo de liberdade, como tem ocorrido na Nicarágua e em outras partes do mundo, alienação inclusive da liberdade política que, embora precária, ainda existe na democracia.

Na Nicarágua, por exemplo, os revolucionários agiram na força do ódio imanente no marxismo, ódio que alguns rotulam de "amor revolucionário", e não no poder do amor cristão. Essa revolução, realizada com o auxílio das comunidades eclesiais de base, sem as quais — afirmam os próprios sandinistas — a derrubada da ditadura seria impossível, culminou numa enorme festa popular originada pela notícia do assassínio de Somosa no Paraguai. Essa alegria não poderia estar mais longe do "amai os vossos inimigos" de Jesus.

É claro que, na Nicarágua, os comunistas agiram dentro do movimento sandinista e dentro das CEBs a fim de conquistar o poder político. Esse poder, entretanto, nunca emana democraticamente do povo em benefício do povo, mas centraliza-se nas mãos da rígida hierarquia do partido único como terrível imposição sobre o povo que, enganado com utópicas promessas, apóia os revolucionários. É oportuna, aqui, a advertência do arcebispo de Porto Alegre, Dom Cláudio Colling: "O comunismo, enquanto minoria, é bem comportado. Mas, no momento em que cresce e passa a ser maioria, engole a todos".

Dom Cláudio compara o comunismo "a uma cobrinha, que pequena não faz mal a ninguém, mas que quando começa a crescer se torna uma ameaça". Por esse motivo, ele não concordava com a legalização dos partidos comunistas no Brasil, já que entendia que a democracia seria colocada em risco. "A democracia seria asfixiada. E quem tem por objetivo sufocar a democracia, não tem o direito de se estabelecer, mesmo num sistema como o democrático, que permite a participação de várias correntes políticas".[169]

SÍNTESE IMPRATICÁVEL

É possível unir a fé cristã ao marxismo ateu? Grifei, de propósito, as palavras que representam o maior de todos os contrastes do século XX, reconhecido, aliás, por João Paulo II: "Esta é uma questão curiosa. Ninguém pode ser, ao mesmo tempo, cristão e materialista; ninguém pode ser, ao mesmo tempo, crente e ateu". A essas palavras, proferidas às vésperas da Conferência de Puebla, em janeiro de 1979, o papa acrescentou que "o tipo de libertação pregada pelo clero progressista da América Latina não corresponde à mensagem da Igreja Católica".

Ricardo de La Cierva, na conclusão de sua resposta aos liberacionistas, afirma que "a síntese entre cristianismo e marxismo que os liberacionistas propõem é impossível, porque marxismo e cristianismo não são somente contrários, mas também contraditórios, ainda que os marxistas cristãos pretendam assumir dialeticamente esta antítese. Não é possível — como profetizou Orwell — a síntese do amor com o ódio, da fé em Deus com a negação de Deus; da escravidão com a liberdade".[170]

Os teólogos liberacionistas, porém, nem negam a sua simpatia para com o marxismo, nem recuam. Defendem-se com o argumento pueril de que "o oposto da fé em Deus não é o ateísmo (negação da existência de Deus), mas a idolatria". "Por que seria o marxismo um 'fruto proibido'?", perguntam os irmãos Boff em sua resposta ao Prefeito da Congregação para a Doutrina da Fé, cardeal Joseph Ratzinger, que o Vaticano enviou ao Brasil a fim de inteirar-se da crise que divide os católicos brasileiros.[171]

> NÃO É POSSÍVEL A SÍNTESE DO AMOR COM O ÓDIO, DA FÉ EM DEUS COM A NEGAÇÃO DE DEUS; DA ESCRAVIDÃO COM A LIBERDADE.

Como conciliar a posição liberacionista com a declaração do revolucionário soviético V. Stapanov: "Precisamos de lutar contra o padre, seja ele denominado pastor, abade, rabino, *mullah* ou papa. De certa época em diante essa batalha deve transformar-se em luta contra Deus, seja ele denominado Jeová, Jesus, Buda ou Alá"?[172]

Apesar de Leonardo Boff salientar a existência no marxismo de um aspecto frontal com o Cristianismo, pelo fato de Deus, naquele sistema, não passar de "um vocábulo vazio, projeção do fundo onírico da mente humana alienada", e que essa metafísica "se opõe a todas as concepções espiritualistas e religiosas",[173] não havendo, portanto, composição possível entre ambos, ele próprio considera a revolução sandinista na Nicarágua como modelo para os demais países latino-americanos. Ajudados pelos cristãos "progressistas" e liberacionistas de seu país — e considerando-se a si próprios cristãos — os sandinistas proclamaram que todos os *verdadeiros cristãos* apoiaram a revolução.

Sob o pretexto dessa falsa definição, os revolucionários sandinistas têm combatido em seu país os verdadeiros cristãos, por causa da fé bíblica destes.

NOVOS ÍDOLOS

No que diz respeito ao marxismo em qualquer parte do mundo, seu propósito de destruir Deus sempre continua de pé, mesmo quando defendem a teologia da libertação! É esse o caso do governante cubano, que "está devotando considerável atenção aos significados político e ético da teologia da libertação latino-americana", informa Boff, "considerando seus argumentos como mais persuasivos do que aqueles do marxismo. Ele pessoalmente tem estudado e discutido os trabalhos de seus principais autores".[174]

Esse mesmo teólogo informa ainda que "setenta teólogos de países socialistas encontraram-se com um grupo de teólogos da América Latina em Matanzas, Cuba, em janeiro de 1979, para discutir as responsabilidades sociais dos cristãos frente aos desafios de nosso tempo".[175]

Por outro lado, é claro que o oposto da fé é também o ateísmo, que é um dos piores tipos de idolatria. É fácil perceber nos países oficialmente ateístas quais são os ídolos populares!

Alexander Soljenitsin, ganhador do prêmio Nobel de Literatura de 1970, dá idéia da divinização *forçada* dos dirigentes comunistas, ao contar a seguinte história: "Stalin, certo dia, apareceu diante de um grupo dos seus fiéis. Após a conclusão do seu discurso, a assistência, de pé, ovacionou-o longamente. Ninguém ousava ser o primeiro a parar de bater palmas, pois sabiam que a polícia secreta estava vigiando. Desse modo, os aplausos continuavam indefinidamente até que o Presidente da Câmara teve um colapso e prostrou-se exausto, sentando-se. Pouco tempo depois foi encarcerado".[176]

É FÁCIL PERCEBER NOS PAÍSES OFICIALMENTE ATEÍSTAS QUAIS SÃO OS ÍDOLOS POPULARES!

Os ídolos do comunismo estão presentes nos lares, nas praças das cidades e em enormes cartazes ao lado das rodovias: são os retratos dos líderes do Partido. Estes, por causa da pressão da propaganda oficial, transformam-se em verdadeiras divindades.

Mas, mesmo partindo da falsa premissa liberacionista, teria a teologia da libertação abolido a idolatria do seu seio, quando é ela a principal defensora da religiosidade popular com todo o seu sincretismo?

Ouçamos Jeremias: "Cortam do bosque um madeiro, obra das mãos do artífice, com machado; com prata e ouro o enfeitam, com pregos e martelos o fixam, para que não oscile. Os ídolos são como um espantalho em pepinal, e não podem falar; necessitam de quem os leve, porquanto não podem andar" (Jr 10.3-5).

Ouçamos ainda Isaías: "O artífice funde a imagem, e o ourives a cobre de ouro, e cadeias de prata forja para ela. O sacerdote idólatra escolhe madeira que não se corrompe e busca um artífice perito para assentar uma imagem esculpida que não oscile" (Is 40.19,20). Porventura poderiam os teólogos da libertação fazer suas as palavras desses profetas bíblicos?

LOBOS EM PELES DE OVELHA

Mesmo não levando em conta o que a Bíblia tem a dizer a respeito desses comprometedores pronunciamentos dos teólogos, temos de reconhecer que o avanço contínuo das idéias subversivas do marxismo-leninismo, tanto dentro do catolicismo romano como de igrejas e instituições protestantes liberais, exige de nós que alertemos os fiéis e nos mantenhamos vigilantes em relação ao nosso povo e às nossas escolas bíblicas.

O intercâmbio às vezes imperceptível entre a teologia e a agitação política se assemelha ao tumor maligno cujas raízes mortíferas penetram lentamente todo o corpo da igreja. Não é segredo algum que o marxismo, em seu propósito de dominar o mundo, sabe aproveitar-se até mesmo dos movimentos mais distantes de seus próprios princípios.

Para os discípulos de Marx e Lenin, não importa que a religião tenha sido inventada pelo homem com o propósito de alcançar um imaginário céu, que ela seja a única consolação e compensação dos pobres contra a exploração capitalista. Para esses países oficialmente ateus, nada mais oportuno do que instrumentalizar certa idéia religiosa e aproveitar-se dela com a maior hipocrisia, desde que dessa maneira se desestabilize a ordem social na sociedade que desejam conquistar.

É claro que há pobreza, injustiça social e opressão nas sociedades latino-americanas, mas também há nelas igrejas abertas e que crescem, e o governo não mantém um *paredón* para calar o Evangelho e a oposição, como ocorre nos regimes vermelhos e como aconteceu na Espanha com o fuzilamento de bispos pelos republicanos durante a guerra civil.

Na Nicarágua, uma das primeiras coisas que os sandinistas fizeram após tomarem o poder com a ajuda dos liberacionistas e com a participação ativa das comunidades eclesiais de base, foi promover acampamentos para as crianças a fim de reeducá-las e afastá-las das "arcaicas" idéias religiosas acerca da Bíblia, da oração, de Deus e do céu. Em muitas localidades, as crianças desapareceram dos templos evangélicos, em especial da escola bíblica dominical.

Se é verdade que os teólogos da libertação desejam sinceramente o advento de uma sociedade humana justa e decente, na qual cada cidadão tenha as mesmas oportunidades de melhorar sua condição de vida, por que, então, apelar para a violência e para modelos políticos e econômicos que já provaram sua total falibilidade onde quer que foram implantados?

Se é verdade que alguns religiosos desejam contribuir com suas idéias para que a sociedade consiga superar as injustiças oriundas de sua própria estrutura corrupta — que produz leis injustas e patrocina hábitos e preconceitos nocivos — então não vêem ou não querem ver os muitos lobos vestidos de ovelhas que se infiltram em seu meio.

O MARXISMO É TOTALITARISTA

Deixando de lado o aspecto puramente econômico, o marxismo pode ser definido como ideologia totalitária, evolucionista, materialista e ateísta.

1. *O marxismo é totalitarista.* O totalitarismo, definido como regime, país ou governo em que um grupo detém todo o poder político e administrativo, não permite a existência de outros grupos e partidos políticos.

Pelo fato de condenar todos os outros caminhos como inviáveis ao bem-estar do proletariado, o marxismo é incompatível com quaisquer dissidências. Daí a oposição sistemática, nos países marxistas, a todos os que discordam da diretriz principal do partido comunista, o único. Até mesmo dentro do próprio partido, as dissidências minoritárias são esmagadas em prolongados e cruéis expurgos, levando à desgraça milhares ou milhões de pessoas. Haja vista a *Revolução Cultural* na China, iniciada em agosto de 1966 pelo próprio líder Mao Tsé-tung, que em menos de três anos levou à morte, à humilhação e ao desespero milhões de pessoas, inclusive comunistas.

2. *O marxismo é evolucionista*. Em segundo lugar, o marxismo é rigorosamente evolucionista, isto é, crê na teoria da evolução não como teoria — como é, em verdade —, mas como ciência. Por isso, no sistema educacional dos países comunistas, desde muito cedo a criança é ensinada a crer que o ser humano evoluiu de seres vivos inferiores, passando pelo macaco, e que não há lugar no Universo para um criador. Consideram ridícula e totalmente inaceitável a narrativa bíblica da criação. Nos países marxistas, negar-se a ensinar o evolucionismo como verdade científica é crime punível com prisão e trabalhos forçados.

3. *O marxismo é materialista*. Aliás, materialismo dialético é sinônimo de marxismo. Na introdução de *O Capital*, Marx afirma que "o ideal não é nada mais que o mundo material refletido pela mente humana e traduzido em termos de pensamento".[177]

Aceitando como realidade apenas a matéria, o marxismo opõe-se a toda sobrenaturalidade e prevê que o comunismo dará fim a toda religião: "Alcançando-se as metas centrais do marxismo, estas trarão consigo a abolição a) da presente ordem social, b) da propriedade privada, c) da vida familiar atual, d) do estado e e) da religião".[178]

NOS PAÍSES MARXISTAS, NEGAR-SE A ENSINAR O EVOLUCIONISMO COMO VERDADE CIENTÍFICA É CRIME PUNÍVEL COM PRISÃO E TRABALHOS FORÇADOS.

Infelizmente, certo tipo de materialismo tem-se estabelecido dentro do protestantismo, originando um Evangelho espiritualmente morto, social e sem manifestações sobrenaturais. Esses cristãos secularizados, pelo fato de acharem impossível usar os recursos da moderna tecnologia e ao mesmo tempo crer na existência de demônios e nos milagres conforme descreve o Novo Testamento, prestam péssimo serviço à fé cristã. É dentre esses que surgiram os *cristãos marxistas*, que tentam o milagre de conciliar o irreconciliável: o Cristianismo com o materialismo.

4. *O marxismo é ateísta*. Pelo fato de considerarem toda idéia religiosa como obstáculo ao pleno estabelecimento do socialismo, os marxistas movem guerra sem trégua contra a religião. O próprio Marx disse que a religião não é outra coisa "senão o refluxo das forças sociais na mente, as últimas forças que dimanam de uma força superior... O déspota terrestre, o capitalista, arrastará na sua queda o fantasma celeste..."[179]

CONSEQÜÊNCIAS TRÁGICAS DO ATEÍSMO

O historiador da igreja, o Dr. Vos, ao relacionar os inimigos da Igreja nestes últimos tempos, menciona o marxismo em primeiro lugar. Diz ele que em toda a parte aonde esse sistema ateísta tem ido, seu propósito tem sido "desarraigar por completo o Cristianismo — seja por investida direta, seja por subversão".[180]

Embora não seja meu propósito neste livro responder a todas as ênfases marxistas, transcrevo aqui um trecho do biólogo e pensador Leconte Du Noüy: "Ninguém pode compreender a evolução e ao mesmo tempo acreditar em Deus. Além disso, o caráter ateísta... da teoria se evidencia nas doutrinas sociais que tem inspirado. Nietzsche e Marx, ambos radicalmente ateus, foram influenciados pelas idéias de Darwin (seleção natural, sobrevivência do mais apto), e ambos aplicaram ao campo filosófico e social aquilo que Darwin havia tentado aplicar no biológico. E assim engendraram mortíferas ideologias".[181]

Se de Marx o mundo herdou o socialismo, o comunismo e o anarquismo, de Nietzsche herdou o militarismo. Percebe-se a presença dessa herança no pensamento político alemão e no seu excitado militarismo, que por sua vez acionou as duas grandes guerras mundiais para o holocausto de milhões de vidas. Mussolini, um dos mais zelosos discípulos de Nietzsche, herdou deste o fascismo. E dessa mesma fonte Hitler extraíu a sua perigosa ideologia racista, o nazismo.

TOTALITARISMO E ÓDIO

Minha experiência pessoal com o marxismo ensinou-me que essa ideologia, pelo fato de exigir de seus adeptos submissão plena, é religião totalitária que se move na força do ódio: ódio à burguesia, à religião, a Deus, ao "imperialismo".

Vivi sob a pressão desse ódio até que Cristo me salvou e me libertou em fins de 1959, numa conversão dramática. Desde essa época tenho estado convencido da impossibilidade de alguém ser cristão e ao mesmo tempo marxista. À conhecida alegação de que o comunismo foi praticado na Igreja cristã primitiva, quando "tudo, porém, lhes era comum" (At 4.32), respondo que a força motriz entre aqueles crentes era a do amor de Deus derramado em seus corações, e não a do ódio. Somente o cristão pode dizer: "o que é meu é teu", pois o comunista dirá sempre: "o que é teu é meu".

Alguns exilados cubanos que em 1989 acompanharam de perto o julgamento e a execução em seu país natal de quatro generais — condenados à morte sob a alegação de tráfico de drogas —, comentaram que se o governo de Havana tratou dessa maneira os seus velhos amigos de quarenta anos, como não estaria tratando os seus inimigos! Após o fuzilamento, as autoridades cubanas exibiram o filme da execução nos quartéis como advertência aos soldados, porém eliminando dele o som a fim de evitar que se ouvissem as palavras que um dos executados gritou à hora de morrer.

> SOMENTE O CRISTÃO PODE DIZER: "O QUE É MEU É TEU", POIS O COMUNISTA DIRÁ SEMPRE: "O QUE É TEU É MEU".

Descrevendo o ódio como característica do marxismo, Wurmbrand — que sofreu quatorze anos em prisões comunistas — fala de certa senhora que, a despeito de ser comunista, passou dezessete anos nas cadeias soviéticas, aprisionada pelos próprios companheiros do partido. Diz ele: "O comunismo não somente é anticristão, ou antijudaico, ou antiimperialista, é simplesmente antitodos. Um comunista odeia outro comunista. O comunista Kosygin põe algemas nos pulsos do comunista Dubcek. Mao odiava Kosygin. Kosygin odeia a Tito. Khrushchev foi mantido na prisão pela sua esposa durante oito anos. É uma religião de ódio".[182]

Mais adiante, Wurmbrand cita um documento em que Gus Hall, secretário do Partido Comunista dos Estados Unidos, disse o seguinte: "Eu sonho com a hora em que o último membro do Congresso for estrangulado com as tripas do último pregador. E uma vez que os pregadores gostam de falar a respeito de sangue, por que não lhes dar um pouco dele? Rasgar as gargantas dos seus filhos e arrastá-los sobre o banco das lamentações e púlpito e deixá-los encharcados no seu próprio sangue para ver se gostam de cantar os seus hinos".[183]

À luz do que o marxismo tem praticado no mundo, em nome do bem-estar social do proletariado, não há exagero algum nas citações acima. Em 1871, quando a comuna de Paris controlou a França durante breve período, houve cerca de 40.000 mortes sem julgamento. Conhecido escritor norte-americano disse que é do conhecimento geral que na maioria das nações sob a ditadura comunista, "os líderes religiosos foram previamente catalogados e, se se recusaram a ser *reeducados* e resistiram, não cooperando, foram presos, torturados e mortos".[184]

Esse mesmo autor registra ainda a afirmação do senador Barry Goldwater de que os comunistas chineses, em sua escalada do poder, "assassinaram pelo menos 50 milhões de pessoas. Sob Pol Pot e seus sucessores, comunistas típicos, quase toda uma nação (Camboja) foi praticamente eliminada. Outros milhões não noticiados têm morrido, e multidões ainda estão perecendo diariamente na Rússia, no Vietnã, na Etiópia... e em todas as nações conquistadas pelos comunistas, no mundo todo".[185]

HISTÓRIAS QUASE INCRÍVEIS

Na própria América Latina o marxismo tem feito suas vítimas. Um amigo meu que viveu sob o atual regime de Havana aproximadamente sete anos, contou-me que certo dia, desesperado por não ter o que dar à sua filhinha de apenas seis meses de idade, que chorava de fome, chegou a aplicar-lhe algumas palmadas a fim de fazê-la aquietar-se de susto e de medo. Outro cubano disse-me que, meses antes de deixar o seu país em 1969, procurou durante meses certo tipo de goiabada muito apreciada e outrora abundante em toda a ilha, sem contudo encontrá-la. Ao exilar-se na Espanha, encontrou lá, ao acaso, a referida goiabada, exportada por Cuba com a observação na embalagem de que se tratava de excedente de produção!

A última história igualmente verdadeira segundo testemunho de outros refugiados, pareceu-me à primeira vista inacreditável: As autoridades cubanas chamam a atenção dos estrangeiros em visita à ilha para o novo interesse que a população "libertada" tem para com a cultura e para com as notícias do país, apontando para o grande número de pessoas que, por todos os lados, levam um exemplar do jornal oficial do regime, o único à venda. A verdade, porém, é que o Governo deixa faltar no mercado papel higiênico a fim de forçar a população a adquirir o órgão oficial do partido.

Para aqueles que porventura achem excessivamente enfáticas as minhas referências ao ódio neste capítulo, esclareço que não estou atribuindo o ódio a pessoas — embora estas possam ser seus agentes —, mas a sistemas satânicos, dos quais o marxismo tem sido o mais atuante nestes últimos dias. Nós, cristãos, não podemos odiar as pessoas, nem mesmo os ativistas do comunismo, mas amá-las, pois a "nossa luta não é contra o sangue e a carne, e, sim, contra os principados e potestades, contra os dominadores deste mundo tenebroso, contra as forças espirituais do mal, nas regiões celestes" (Ef 6.12).

Gladys Aylward, uma inglesa que realizou grande trabalho na China de 1933 a 1953, depois de conhecer o terrível sofrimento das vítimas do comunismo, chegou à mesma conclusão a que muitos outros também chegaram quanto à força motora que faz o comunismo avançar no mundo.

Ao cruzar a Rússia em direção ao seu campo missionário, essa missionária presenciou cenas de que jamais pôde se esquecer. Numa estação ferroviária, viu guardas conduzindo cerca de cinquenta pessoas — homens, mulheres e até meninas — acorrentadas umas às outras pelas mãos e pés, aos acampamentos de trabalhos forçados da Sibéria. Aquela cena de desespero, choro e histeria levou a jovem inglesa a registrar: "Daquele momento em diante, odiei o comunismo com todo o meu coração".[186]

Essa mesma missionária, pouco antes de deixar a China, vinte anos depois do incidente ocorrido na Rússia, presenciou a morte, por degolação em praça pública, de duzentos estudantes universitários recém-convertidos a Cristo, dos quais nem um só negou a sua preciosa fé.

DEVEMOS AMAR OS NOSSOS INIMIGOS

Todavia, quando a vítima do ódio não possui em si mesma o amor de Deus, até mesmo evangelizá-la é difícil. Meu amigo Rodolfo Beutenmüller, evangelista residente em Miami, disse-me que uma das maiores barreiras que tem encontrado na evangelização dos cubanos que vivem na Flórida é o ódio que estes devotam a Castro. "Esses cubanos acham que jamais perdoarão a Castro pelo que ele fez a eles e a seus familiares, e por isso recusam a mensagem do perdão de Deus. Estão com o coração cheio de ódio", afirma Beutenmüller.

Por que o marxista odeia? O marxista odeia porque o sistema o transforma numa máquina de odiar. Esse tipo de ódio, pelo fato de se alimentar de ódio, chega às últimas consequências diante do amor. Só o amor vence o ódio. Wurmbrand conta, num de seus livros, que depois de torturado durante horas com requintes de crueldade por soldados comunistas, estes, zombando, lhe pediram um milagre do Cristo dele. Sua resposta foi: "Eu sou um milagre. Vocês me odeiam e fazem de tudo para que eu os odeie, e no entanto eu os amo!"

Muitos comunistas, entretanto, já estão ficando cansados desse sistema de ódio, especialmente os jovens, razão por que tantos estão crendo em Cristo nos países comunistas, apesar da severa repressão. Certo jovem universitário chinês certamente falou por muitos de seus colegas, quando desabafou: "A China deseja que lutemos uns contra os outros, contra o céu, contra a terra, contra o homem. Estou cansado da batalha. Quero amar".[187]

PERGUNTAS PARA REVISÃO

1. É possível uma união entre o marxismo e o Cristianismo?
2. De que maneira os dirigentes comunistas são tidos pelo povo?
3. Explique a ideologia totalitarista, evolucionista, materialista e ateísta do marxismo.
4. Como combater o sistema de ódio do marxismo?

29 O ESTADO

NECESSITAMOS DE UM ESTADO?

Embora Marx se tenha referido ao Estado como algo temporário e dispensável na futura sociedade comunista, para o cristão, essa instituição surge de um impulso natural implantado por Deus no homem, por causa da condição decaída da sociedade. O cristão não defende sozinho esse conceito, pois já o filósofo Aristóteles reconhecia a existência desse impulso social no homem e acima da individualidade deste. Modernamente, damos o nome de instinto gregário a esse impulso que leva o homem a se agrupar em famílias, tribos, clãs e nações.

Esse instinto gregário, contudo, por si só não explica a origem do Estado, que é mais do que a sociedade em si. O Estado é uma sociedade com governo organizado a fim de alcançar objetivos bem definidos. Daí os programas governamentais ou as metas partidárias dos que pretendem assumir o poder num regime democrático, ou livre.

De acordo com o escritor calvinista Henry Meeter, o Estado surge no momento em que um grupo de pessoas, em certo território independente, se une em busca do bem-estar geral e reconhecem que, para a consecução de fins comuns, necessitam de administradores, magistrados, leis, juízes, polícia, exército. Concordo com esse autor quando afirma que a formação do Estado, com a conseguinte nomeação de governantes que promovam os interesses comuns, o bem-estar do grupo e a administração da justiça, "é, também, uma disposição providencial de Deus com respeito ao homem".[188]

Supondo que o mundo não houvesse caído em pecado, então o Estado seria o reino de Deus. Mas mesmo nesse estado perfeito algumas pessoas exerceriam autoridade sobre outras. A Bíblia, quando se refere ao mundo celestial, fala de tronos, domínios, principados e potestades, o que prova a existência de hierarquia. Também na nova terra onde reinará a justiça, algumas pessoas assumirão cargos de governo, como, por exemplo, os doze apóstolos do Cordeiro, que governarão as doze tribos de Israel. Interpretando literalmente a parábola dos talentos, a pessoa que recebeu dez talentos terá poder sobre dez cidades.

> TAMBÉM NA NOVA TERRA ONDE REINARÁ A JUSTIÇA, ALGUMAS PESSOAS ASSUMIRÃO CARGOS DE GOVERNO, COMO, POR EXEMPLO, OS DOZE APÓSTOLOS DO CORDEIRO, QUE GOVERNARÃO AS DOZE TRIBOS DE ISRAEL.

Por causa da presença do pecado no mundo, o reino de Deus, ou estado perfeito, não poderá existir por meios naturais, mas somente através de Jesus Cristo e da sobrenatural graça divina. Esse reino, que já teve início neste mundo com a obra salvadora realizada por Jesus, começa com a redenção e a conseqüente regeneração, e continua na santificação. Na atual dispensação da graça esse reino consiste somente em realidades espirituais, mas um dia chegará a ser, a um só tempo, realidade espiritual e material. Como resultado da obra de redenção consumada por Jesus na cruz, a nova terra de justiça surgirá das cinzas deste velho mundo decaído.

Nesse reino divino no seu sentido mais amplo, Deus Pai exercerá sobre toda a criação o seu poder real, e Cristo, como o segundo Adão, exercerá a mais alta supremacia — e não a autoridade de nenhum Estado. Mesmo essa futura missão de Cristo como Rei dos reis e Senhor dos senhores será delimitada pela Igreja, e nunca pelo Estado.

O DEVER DO ESTADO

Na opinião dos liberacionistas, cabe ao Estado, evidentemente debaixo da administração do proletariado, suprir todas as necessidades do povo, do berço à sepultura, como pretendem os regimes totalitários de esquerda. Esse tipo de Estado, à luz dos muitos e tristes exemplos que hoje temos no mundo, tende sempre a tornar-se opressivo, destrutivo, e a cair no descrédito pelo fato de nunca cumprir suas promessas utópicas. Entre esses muitos exemplos está a própria Rússia com mais de setenta anos de regime totalitário, que necessita comprar do exterior milhões de toneladas de alimento a cada ano em virtude da falência de seu sistema econômico. Nesse país, no tempo de Kruschev, circulava a história em que uma senhora, numa alta roda social, contou ao Primeiro-Ministro o sonho que tivera, no qual todos os países do mundo haviam-se tornado comunistas. Assustado, exclamou o Premier: "Não diga uma desgraça destas! De onde, então, virá o nosso alimento?"

Cuba é outro exemplo. Neste país, as longas filas em busca do racionado alimento necessário à sobrevivência são a trágica realidade dos que lá ainda vivem, e a triste recordação dos milhares que tiveram a sorte de escapar desta pobre e opressiva ilha. Os refugiados cubanos têm uma interpretação própria da foice e do martelo que aparecem nas bandeiras comunistas, e que deveriam simbolizar o progresso no campo e nas fábricas. Dizem que com a foice os comunistas puxam pelo pescoço o pobre e indefeso trabalhador, e com o martelo partem-lhe a cabeça.

Outro exemplo de como o totalitarismo do Estado não funciona é a Nicarágua, que sofreu em 1988 uma fome só comparada à que assolou a nação em 1804, sem falar no terror que reina no país, na falta de liberdade de consciência e na destruição de igrejas evangélicas, especialmente entre os índios mosquitos. E que falar dos países marxistas da África, como Angola, Moçambique e Etiópia? Neste último, enquanto centenas de milhares de pessoas perecem de fome por causa da seca e da má administração pública, o governo fortalece-se com modernas, abundantes e caras armas importadas.

Não há dúvida de que a miséria reinante nessas sociedades sujeitas ao totalitarismo estatal decorre da negação do verdadeiro papel do Estado. O cristão defende forma diferente de governo em que este se restrinja a defender os direitos e as liberdades básicas de todos os cidadãos, a fim de que todos desfrutem igual proteção da lei e sejam encorajados a resolver os problemas sociais mediante a sua própria iniciativa e, acima de tudo contando com a ajuda de Deus. Na Bíblia Sagrada, é Deus quem promete cuidar do seu povo.

A igualdade perante a lei que cabe ao Estado manter, numa sociedade livre, não é igualdade de *status* social ou de progresso, pois essa depende da iniciativa individual de cada pessoa. À luz da Escritura Sagrada não é pecado desfrutar o fruto dos esforços próprios, nem é pecado possuir empregados. Abraham Lincoln disse que para ajudar o pobre é necessário apoiar o rico. Por que o povo norte-americano reelegeu o republicano Ronald Reagan para a presidência de seu país e depois elegeu outro republicano, George Bush, ambos considerados candidatos dos ricos? Por duas simples razões: emprego e bem-estar social. Apoiando o empresariado de seu país, Reagan ajudou a grande massa de trabalhadores a manter o seu emprego e a melhorar o seu padrão de vida.

A teologia da libertação engana-se quando acha que "o governo tem o dever de garantir emprego, alimento e cuidado para todos os cidadãos",[189] assumindo assim o papel de empresário paternalista. No caso do Brasil e de outros países do Terceiro Mundo, a origem da crise econômica está justamente no descuido do governo de suas funções específicas e na sua presença em áreas alheias. Muitas estatais, por exemplo, são organizadas com propósitos empreguistas e eleitoreiros, e afinal acabam gerando leis injustas que inibem e desestimulam a iniciativa privada.

> À LUZ DA ESCRITURA SAGRADA NÃO É PECADO DESFRUTAR O FRUTO DOS ESFORÇOS PRÓPRIOS, NEM É PECADO POSSUIR EMPREGADOS.

Já está sobejamente provado que o controle econômico de todos os meios de produção é destrutivo por sua própria natureza, e que nunca deu bons resultados em parte alguma do Globo, especialmente sob a égide da filosofia marxista. O dever do governo não é o de controlar a economia, mas manter a justiça regulativa, ou seja, retidão civil, e defender os direitos básicos de todos à "vida, liberdade e busca da felicidade".[190]

Quando o governo se mantém estritamente no seu campo de ação, podem as pessoas, no gozo da liberdade de consciência, fazer as suas opções profissionais, políticas, artísticas ou religiosas, e dedicar-se à busca dos seus alvos para a vida mediante o uso dos seus talentos e das suas oportunidades.

O EXERCÍCIO DA FÉ

Num país onde as liberdades de consciência são respeitadas, pode o cristão fazer uso da sua própria fé em Deus para realizar-se na vida. É absolutamente certo que o Evangelho, ao elevar o ser humano à condição de filho de Deus e herdeiro do mundo futuro, também o eleva no plano presente. São muitos os casos de pessoas e famílias que, em virtude de crerem em Jesus Cristo como seu Salvador, tiveram o seu padrão de vida incomparavelmente melhorado mediante o que conhecido autor chama de "fator redenção e elevação".[191]

É bem conhecida no Brasil a história verídica do operário que vivia em completa miséria com sua família, até que se converteu e começou a pregar o Evangelho. Um dia, testificando para um amigo sobre o milagre de Caná da Galiléia, no qual Jesus transformou a água em vinho, esse amigo disse que não acreditava nem na Bíblia nem nos milagres desta. Então esse novo cristão pediu ao amigo que o acompanhasse a sua casa, e lá, depois de apresentar-lhe a família e de mostrar-lhe os móveis novos que possuía, disse: "Se você não acredita nos milagres da Bíblia, acredite então nisto", e apontou para o seu lar bem arrumado, "pois o mesmo Jesus que transformou a água em vinho transformou a cachaça em alimento, o cigarro em roupas e a loteria em móveis".

Um pastor do rico Sul do Brasil, antes de pregar numa igreja pobre do interior de uma das regiões mais carentes do Norte brasileiro, percebeu que todos no templo estavam decentemente vestidos e calçados. Então perguntou quantos ali não haviam tido o café da manhã, ou o almoço ou o jantar. Surpreendeu-se com as respostas, pois nenhum sequer padecia a falta dessas necessidades essenciais. Lembrou-se, então, do que disse Davi: "Fui moço, e já, agora, sou velho, porém jamais vi o justo desamparado, nem a sua descendência a mendigar o pão" (Sl 37.25).

"O MESMO JESUS QUE TRANSFORMOU A ÁGUA EM VINHO TRANSFORMOU A CACHAÇA EM ALIMENTO, O CIGARRO EM ROUPAS E A LOTERIA EM MÓVEIS".

Uma das minhas mais antigas lembranças da infância relaciona-se com o meu pai. A cada manhã, antes de sair para o trabalho, abria ele a sua Bíblia e lia as consoladoras palavras do Salmo 128: "Bem-aventurado aquele que teme ao Senhor e anda nos seus caminhos! Do trabalho de tuas mãos comerás, feliz serás, e tudo te irá bem. Tua esposa, no interior de tua casa, será como a videira frutífera; teus filhos como rebentos da oliveira, à roda da tua mesa. Eis como será abençoado o homem que teme ao Senhor!" (vv. 1-4).

Como se cumpriram literalmente essas palavras! Com onze filhos, sem profissão lucrativa e vivendo numa região muito pobre do Estado de Minas Gerais, meus pais souberam confiar em Deus, de quem sempre tiveram a bênção da provisão. Recordo-me de uma época muito difícil, talvez 1947, quando durante diversos meses o único alimento da família, já numerosa naquele tempo, era batata cozida e temperada com o único ingrediente que possuíamos: o sal. Mas como éramos felizes! Em tudo sentíamos a bênção de Deus.

Minha mãe, crente fiel, falecida em 1981 aos 69 anos, nunca perdeu um filho, nem um neto ou bisneto, embora esses descendentes da segunda e terceira geração ultrapassassem a casa dos setenta. Suas últimas palavras antes de entrar no descanso eterno foram: "Meu Deus! Meu Deus!", o que revela bem as raízes da sua fé genuína e das muitas vitórias obtidas enquanto viveu. Meu pai, hoje com mais de 80 anos de idade, é homem feliz, que continua lendo a cada manhã o mesmo Salmo 128, fonte inesgotável de confiança nas provisões divinas, de onde tem retirado suas energias espirituais.

ELEIÇÃO DIVINA

Quando afirmo que a liberdade de consciência inclui a opção política, estou sendo fiel à Bíblia. Esta ensina que embora os governantes sejam nomeados por Deus, o povo participa nessa escolha, como no caso de Saul e Davi. Estes, mesmo tendo sido ungidos por ordem divina, somente chegaram a ocupar o trono de Israel depois de aceitos pelo povo. O próprio Jesus, apresentado pelo Pai a Israel como Rei, como tal teve de ser aclamado pelo povo antes de morrer na cruz também como Rei.

Acerca da supremacia da autoridade divina em relação à autoridade humana, a Bíblia afirma que os governantes são ministros de Deus escolhidos por Deus e não ministros do povo, pois a autoridade governamental vem diretamente de Deus. Meeter, à luz da Escritura Sagrada, observa que o direito do povo no Estado "é o de exercer controle, julgar e inclusive objetar decisões dos governantes".[192]

A questão da autoridade divina salienta-se quando comparamos duas importantes revoluções ocorridas na mesma época: a Revolução Francesa na Europa e a Guerra da Independência dos Estados Unidos, na América do Norte. A primeira, pelo fato de estar baseada na autoridade do povo e não na de Deus, chegou a resultados desastrosos, pois os revolucionários suprimiram toda autoridade, tanto divina quanto humana. As cabeças rolaram em profusão da guilhotina. A segunda, em virtude de o sentimento das massas ter sido bem influenciado pelo ensino do Evangelho, jamais deixou de reconhecer a soberania divina, o que se pode perceber no fato de os norte-americanos terem proclamado quatro festas em ação de graças a Deus, nos anos de 1777, 1784, 1789 e 1795.

Infelizmente o derramamento de sangue ocorrido na Revolução Francesa tem-se repetido em todos os governos que não reconhecem a autoridade divina, como nos regimes ateístas da Rússia, da China, do Camboja e outros, nos quais a implantação do comunismo tem custado a vida de dezenas de milhões, e a sua continuidade no poder tem levado milhões de outros às prisões e ao extermínio. O massacre de estudantes em Beijing, que comoveu o mundo livre no início de 1989, mostra que os líderes comunistas são capazes de tudo para se manter no poder.

O mesmo se pode dizer daqueles regimes em que o governo, embora religioso, procura instrumentalizar a igreja em seu próprio proveito político, como ocorreu na Itália de Mussolini e na Alemanha de Hitler, e talvez esteja ocorrendo em mais de uma nação em nossos dias. Tanto o nazismo como o fascismo, pelo fato de divinizarem o Estado e atribuírem aos seus líderes prerrogativas divinas, praticamente suprimiram a liberdade religiosa e a supremacia divina. O resultado foi o abuso do poder, a injustiça social, e inomináveis atrocidades.

Irineu Monteiro, em *Qual o Rumo da Igreja?*, afirma que em 1932 havia na Rússia 800.000 pessoas presas, sem contar os campos de trabalho forçado e as colônias. "No período de 1936-1940, o número de execuções subiu à casa dos 800 mil... Pessoas alojadas em acampamentos de concentração, segundo estatísticas de 1938: 8.000.000. Detidos de janeiro de 1937 a dezembro de 1938: 12.000.000. Dos detidos, 3.000.000 foram executados. Os detentos eram tratados como lixo. Cerca de um terço dos presos morria, principalmente de exaustão. Em 1937-38, cerca de um milhão deles morreram, a partir do recolhimento aos presídios".[193]

Meeter afirma que os deveres do Estado para com a Igreja poderiam ser agrupados da seguinte maneira: Em primeiro lugar, o Estado não pode permanecer neutro no que diz respeito à religião em geral, pois, assumindo tal atitude, chegaria a ser praticamente ateu, e com isso violaria a soberania de Deus em todas as esferas da vida. O Estado, além de reconhecer a existência de Deus, necessita também reconhecer a sua própria responsabilidade perante ele, como ocorre em alguns países, entre eles os Estados Unidos da América, em cuja Declaração da Independência se lê: "O Criador dotou as suas criaturas de certos direitos inalienáveis".

Falando da postura norte-americana em relação à religião, Meeter comenta: "A maior parte dos fundadores do grande país norte-americano eram cristãos, e desejavam manter a sua pátria debaixo da égide do cristianismo; porém, não estavam dispostos a restringir as liberdades dos estados constituintes; daí que não adotaram uma forma determinada de cristianismo para a nação".[194]

Resumindo, os cristãos entendem que ao Estado cabe a obrigação de promover o respeito ao Deus criador, como revelado na Bíblia, a proteção da liberdade religiosa e a observância e manutenção de princípios morais sadios em todos aqueles aspectos que se relacionem com o governo. Com referência aos seus cidadãos e especialmente em tempos de decadência moral, o ideal cristão é de que o Estado combata com energia a corrupção, coíba a imoralidade mediante o estabelecimento da censura nos meios de comunicação, e promova o respeito do povo pelos princípios da lei de Deus.

Seria atingível esse alvo? Muitos ainda acreditam que sim, apesar da experiência de alguns séculos parecer negar essa possibilidade. O que se deseja, na verdade, é que o Estado, ao garantir as liberdades básicas do ser humano, nos permita desfrutar "vida tranqüila e mansa, com toda piedade e respeito" (1 Tm 2.2). Esse tipo de vida seria o máximo que poderíamos esperar neste mundo, uma vez que a nossa verdadeira e bem-aventurada esperança está no mundo vindouro, do qual trataremos no capítulo seguinte.

PERGUNTAS PARA REVISÃO

1. Segundo o escritor Henry Meeter, quando acontece a formação de um Estado?
2. Qual é o papel do Estado, segundo os liberacionistas?
3. Que resultado se observa em um Estado totalitário?
4. Que forma de governo é defendida pelo cristão?
5. O que a Bíblia afirma sobre os governantes?

30 ESPERANÇAS DIFERENTES

A "BENDITA ESPERANÇA"

O apóstolo Paulo chama de "bendita esperança e a manifestação da glória do nosso grande Deus e Salvador Cristo Jesus" (Tt 2.13) ao retorno de Jesus, referindo-se tanto ao arrebatamento da Igreja ("bendita esperança") como à descida nas nuvens com poder e grande glória ("manifestação").

A doutrina do Novo Testamento acerca da volta de Jesus enfatiza o transcendente. O cristão está sempre esperando que o seu Redentor venha dos céus, e o próprio Jesus usou a expressão "erguei as vossas cabeças" (Lc 21.29), ao falar dos sinais dos tempos que haveriam de preceder a sua volta.

Embora enquanto no mundo tenhamos de pregar e viver o Evangelho no mundo, a nossa esperança não está no mundo nas suas condições atuais, nem na sua reforma através da ação política ou revolucionária (luta de classes). A nossa bem-aventurada esperança está na divina "restauração de todas as coisas" (At 3.21), ou "regeneração", quando "o Filho do homem se assentar no trono da sua glória" (Mt 19.28). Esse evento só ocorrerá com o estabelecimento do reino milenial aqui na terra.

Nessa época cumprir-se-ão estas palavras proféticas: "A ardente expectativa da criação aguarda a revelação dos filhos de Deus. Pois a criação está sujeita à vaidade, não voluntariamente, mas por causa daquele que a sujeitou, na esperança de que a própria criação será redimida do cativeiro da corrupção, para a liberdade da glória dos filhos de Deus. Porque sabemos que a criação a um só tempo geme e suporta angústias até agora. E não somente ela, mas também nós que temos as primícias do Espírito, igualmente gememos em nosso íntimo, aguardando a adoção de filhos, a redenção do nosso corpo" (Rm 8.19-23).

O mesmo apóstolo Paulo, ao falar da presença do Espírito Santo no crente, diz que "é o penhor da nossa herança até o resgate da sua propriedade", no qual estamos "selados para o dia da redenção" (Ef 1.14; 4.30). Que quer o apóstolo dizer por "dia da redenção", senão o mesmo que Jesus quis dizer em Lucas 21.29, ao falar dos sinais dos tempos: "porque a vossa redenção se aproxima"? Noutra carta Paulo menciona que esse corpo redimido é o "perfeito" ressurreto ou transformado por ocasião da vinda do Senhor (1 Co 13.10; 1 Ts 4.16).

O leitor não encontrará nada dessa "bendita esperança" na literatura liberacionista, que substitui a linguagem clara da Escritura por figuras que representem a intervenção humana no plano político. Diz Leonardo Boff: "Os textos apocalípticos do Novo Testamento, nos Sinóticos e no Apocalipse de São João, *não visam fazer uma reportagem antecipada dos últimos dias do mundo*. (Grifos meus)[195]

A RESSURREIÇÃO

A doutrina da ressurreição que o apóstolo Paulo expõe na primeira carta aos Coríntios apresenta os seguintes aspectos:

1. É a ressurreição da vida (1 Co 15.23), e ocorrerá por ocasião da vinda do Senhor Jesus.

2. O nosso corpo ressurreto terá alguma relação com o velho corpo, assim como o grão caído na terra se relaciona com a espiga (1 Co 15.37-38).

3. O corpo ressuscitado será glorioso, espiritual, incorruptível e poderoso, semelhante ao de Jesus (1 Co 15.42-44, 49; 1 Jo 3.1-2).

4. Os corpos dos santos que estiverem vivendo na terra por ocasião da vinda de Cristo serão transformados instantaneamente (1 Co 15.50-53; Fp 3.20-21).

A "ressurreição do juízo" (Jo 5.29), ou "para vergonha e horror eterno" (Dn 12.2), ocorrerá mil anos após à da vida. Nela ressurgirão todos os ímpios, que serão julgados segundo as suas obras e lançados no "lago do fogo", também conhecido como "segunda morte" (Ap 20.11-15).

Comentando 1 Coríntios 15.53: "Porque é necessário que este corpo corruptível se revista da incorruptibilidade, e que o corpo mortal se revista da imortalidade", Leonardo Boff diz que "se acreditamos em Jesus, então criamos relacionamentos de comunhão de irmãos e irmãs, e se conseguirmos nos elevar acima dos mecanismos de vingança, então nos encontramos penetrados pelos mecanismos da Ressurreição. Onde quer que, na vida mortal, a bondade triunfar sobre os instintos do ódio, onde quer que corações se abram uns para com os outros, onde quer que a atitude de justiça for construída e houver lugar para Deus, aí a Ressurreição começou".

Como deve ser esta vida ressurreta?

Leonardo Boff pergunta e responde: "Primeiro, uma vida ressurreta é uma vida genuinamente humana. O mesmo indivíduo-aqui. Jesus morreu e agora está entronizado em plenitude de vida. Na vida de Ressurreição, o corpo tanto como a alma são preservados e transfigurados. Não estamos, portanto, tratando com imortalidade espiritual, a imortalidade é uma das partes do ser humano. O ser humano completo e inteiro é introduzido na vida transfigurada. Segundo, precisamos ver que Ressurreição é nova vida, não outra vida, mas uma nova vida. Mesmo porque Deus tem poder para transformar velho em novo, e morto em vivente... Finalmente, uma vida ressurreta é uma vida plena. Alcançamos uma vida plena quando todos os nossos dinamismos latentes são expressos e ativados".

Comentando 1 Coríntios 15.53: "Porque é necessário que este corpo corruptível se revista da incorruptibilidade, e que o corpo mortal se revista da imortalidade", diz Leonardo Boff, numa frase, que a "ressurreição introduz a transfiguração da vida mortal".[196]

Como entender a vida ressurreta como uma vida "genuinamente humana" e com o mesmo "indivíduo-aqui", se a Bíblia afirma que o nosso corpo será um "corpo espiritual" e que seremos "homens celestiais"? (1 Co 15.48) "Semeia-se o corpo na corrupção, ressuscita na incorrupção. Semeia-se em desonra, ressuscita em glória. Semeia-se em fraqueza, ressuscita em poder. Semeia-se corpo natural, ressuscita corpo espiritual. Se há corpo natural, há também corpo espiritual" (1 Co 15.42-45).

À outra observação de Leonardo Boff de que não está tratando "com imortalidade espiritual", a Bíblia responde que o nosso corpo ressurreto será um corpo incorruptível, espiritual e imortal: "Porque é necessário que este corpo corruptível se revista da incorruptibilidade, e que o corpo mortal se revista da imortalidade" (1 Co 15.53).

O DESTINO DOS JUSTOS

Em primeiro lugar, os justos estão destinados à vida eterna, essa vida que existe desde a eternidade no passado e que existirá por toda a eternidade no futuro. É a vida de Deus que foi revelada no Senhor Jesus Cristo e da qual cada crente participa mediante o novo nascimento realizado pelo Espírito Santo (Jo 3.3-15).

Em segundo lugar, o destino dos justos é o mundo vindouro, em que desfrutarão a presença consumada do Deus agora invisível, pois verão a Deus face a face. Esse mundo vindouro, o céu, é chamado de paraíso (2 Co 12.4), onde Paulo esteve em arrebatamento e ouviu "palavras inefáveis" e deslumbrou-se com "a grandeza das revelações" (v. 7).

Certamente o Apóstolo tem em mente essas revelações divinas quando escreve que "os sofrimentos do tempo presente não são para comparar com a glória por vir a ser revelada em nós" (Rm 8.18). Jesus referiu-se a esse Paraíso como "casa de meu Pai" em que "há muitas moradas" (Jo 14.2), falando de descanso, conforto e comunhão no lar celestial.

> OS JUSTOS ESTÃO DESTINADOS À VIDA ETERNA, ESSA VIDA QUE EXISTE DESDE A ETERNIDADE NO PASSADO E QUE EXISTIRÁ POR TODA A ETERNIDADE NO FUTURO.

Em terceiro lugar, no fim do Milênio a Nova Jerusalém, o lar final dos remidos, descerá do céu, da parte de Deus, "a qual tem a glória de Deus" e cujo fulgor assemelha-se "a uma pedra preciosíssima, como pedra de jaspe cristalina" (Ap 21.10-11). "A Nova Jerusalém descerá do céu, faz parte do céu, e, portanto, é o céu no pleno sentido da palavra. Sempre que Deus se revela pela sua presença pessoal e glória celeste, aí é céu, e dessa maneira podemos descrever a Nova Jerusalém".[197]

"DEUS EM TODOS"

O reino de Deus, segundo a teologia da libertação, "embraça todas as coisas, proclamando a libertação de toda a realidade humana ou cósmica do pecado — do pecado da pobreza, do pecado da fome, do pecado da desumanização, do pecado do espírito de vingança, e do pecado da rejeição de Deus... Em João 18.36, o significado do Reino de Deus é o de que ele não é da mesma estrutura deste mundo de pecado, mas da estrutura de Deus no sentido objetivo: Deus é quem vai intervir (através de mediações que ele mesmo selecionará), e quem sarará pela raiz a totalidade da realidade, transformando este mundo de velho para novo".[198]

Bem diferente do ensino da Escritura Sagrada, a esperança liberacionista está sempre voltada para a totalidade de um mundo perdoado — sem se referir à substituição do pecador pelo Filho de Deus na cruz, sem se referir à expiação ou ao poder do sangue de Jesus. O pecado, na teologia da libertação, tem sempre sentido social, nunca pessoal.

Por estas e outras razões, Michael Novak caracteriza a teologia da libertação como culpada de "três heresias": 1) Coloca demasiada esperança na história. 2) Coloca as suas esperanças na humanização e santificação do mundo, da carne e do diabo, não através da graça, mas da política. 3) Assume que as vítimas da opressão são inocentes, boas, portadoras de graça, em lugar de recipientes de males tão devastadores quanto aqueles dos "opressores".[199]

Bem diferente do ensino da Escritura Sagrada, a esperança liberacionista está sempre voltada para a totalidade de um mundo perdoado — sem se referir à substituição do pecador pelo Filho de Deus na cruz, sem se referir à expiação ou ao poder do sangue de Jesus.

É evidente que Deus tem algo bem melhor para os seus redimidos do que o melhor que o homem possa fazer, e a história está aí para provar que o homem sem Deus não pode fazer muito, para não dizer que ele não faz nada. O prometido paraíso socialista continua sendo um sonho irrealizável. Mao Tsé-tung prometeu fazer mais pela China em dez anos do que o Cristianismo havia feito em cem. Mas hoje, dezenas de milhões de pessoas naquela nação, pelo fato de sofrerem com alegria por causa da sua fé em Cristo, estão respondendo ao marxismo e a todos os grandiosos projetos humanos que o homem é um fracasso, que o homem continua sendo o lobo do homem, e que a Bíblia tem razão ao afirmar: "Maldito o homem que confia no homem, faz da carne mortal o seu braço, e aparta o seu coração do Senhor!" (Jr 17.5)

Tive o privilégio de visitar alguns dos países mais ricos do mundo, possuidores das melhores leis sociais. Contudo, embora esses países se orgulhem de possuir a melhor distribuição da renda nacional, e neles não haja pobreza, vi nas suas praças e ruas as tristes e profundas marcas do pecado.

Pergunta o apóstolo Paulo em Romanos 8.32: "Aquele que não poupou a seu próprio Filho, antes, por todos nós o entregou, porventura não nos dará graciosamente com ele todas as coisas?"

Pearlman assim ilustra a felicidade futura dos filhos de Deus, como uma das bênçãos do céu: "Se um poderoso rei, possuidor de ilimitadas riquezas, quisesse construir um palácio para a sua noiva, esse palácio seria tudo quanto a arte e os recursos pudessem prover. Deus ama os seus filhos infinitamente mais do que qualquer ser humano. Possuindo recursos inexauríveis, ele pode fazer um lar cuja beleza ultrapasse tudo quanto a arte e a imaginação humanas poderiam conceber. 'Vou preparar-vos lugar'." [200]

Com essa linda promessa no coração, mas com os pés firmados na realidade latino-americana, chegamos à bifurcação da estrada. Caminhamos, na nossa jornada, pelos terrenos acidentados e escorregadios das ideologias e teologias humanas, mas também palmilhamos as estradas firmes e planas das eternas verdades bíblicas.

É de tremenda validade para estes dias a recomendação apostólica de Judas:

> *Meus queridos amigos. Eu estava fazendo todo o possível para escrever a vocês a respeito da salvação que temos em comum. Então senti que era necessário escrever agora para animá-los a combater a favor da fé que, uma vez por todas, Deus deu ao seu povo. Por-*

que alguns homens incrédulos, sem serem notados, entraram no meio da nossa gente. Eles modificam a mensagem a respeito da graça do nosso Deus e fazem isso a fim de arranjarem uma desculpa para as suas vidas imorais. E também rejeitam Jesus Cristo, o nosso único Mestre e Senhor" (Judas 3 e 4, A Bíblia na Linguagem de Hoje.)

REAÇÕES

São muitas as reações à teologia da libertação. Eclesiásticos, pensadores, autoridades e os próprios papas têm condenado aberta e duramente essa tendência, presente hoje em diversas partes do mundo, de contestação aos regimes vigentes, de aliança com grupos marxistas para a tomada do poder. Relacionamos, a seguir, algumas dessas manifestações, especialmente na imprensa:

Referindo-se a uma nota da Conferência nacional dos Bispos do Brasil (CNBB), que faz a defesa dos banidos pelas leis de exceção, escreveu Theóphilo de Andrade que enquanto muitos bispos reclamam falta de liberdade, mostram a sua admiração pelos regimes socializantes onde não há liberdade alguma. "Não há no documento uma só palavra de condenação ao comunismo, o que constitui ponto de toque de qualquer atitude política, hoje em dia".[201] O mesmo jornalista faz referência a D. Casaldáliga, que equiparou, em uma poesia, Che Guevara a Cristo.

A julgar pelo rumo que vão tomando as coisas desde a eleição do papa João Paulo I, é possível que os participantes da reunião de Puebla sejam surpreendidos por orientações vindas de Roma no sentido de que a Igreja na América Latina deixe esses sofisticados estudos sociológicos para os sociólogos e cuide da evangelização e da salvação das almas.[202]

Os regimes comunistas querem a normalização das relações com o Vaticano — mas não com seus cidadãos católicos, e ainda, menos com a religião católica, "ideologia alienada e alienante", ópio do povo — por motivos de prestígio e para justificar a colaboração dos seus quinta-colunas com os diversos movimentos católicos progressistas nas terras do Ocidente.[203]

Alexandre von Baungarten disse que a atuação do clero esquerdista está consentânea com os objetivos do Partido Comunista Brasileiro, e quem afirma isso são os próprios comunistas...[204]

Eldes J. Schenini Mesquita escreve:

O que me desaponta é precisamente o seu clero. São aqueles homens e mulheres que sublimaram a vida no sacrifício do sacerdócio e que hoje renegam os ensinamentos cristãos, bandeando-se para o lado perigoso das práticas materialistas, porque sovietizadas e sovietizantes... Abdicam de sua missão diocesana para pregar a contestação, a sublevação, a discórdia, a rebeldia e a desobediência, insuflando crentes menos avisados para arremessá-los contra a ordem nacional.[205]

Para Austregésilo de Ataíde, presidente da Academia Brasileira de Letras, é urgente "que o clero, o alto e o baixo, volte à catequese, abandonando a discussão de problemas que, pela sua natureza, são divisionistas. E espalham sizânia e ódio em vez de unir os homens fraternalmente pela fé comum".

Trocar a caridade pela justiça social é cometer um equívoco a respeito da missão que o Cristianismo ainda desempenha no mundo. O que une a todos é a caridade. A caridade une ricos e pobres, pois que a caridade é o amor ao próximo e esse amor é o maior de todos os mandamentos.

Mas é errôneo declarar que a libertação política, econômica e social coincide com a salvação em Jesus Cristo, que o reino de Deus coincide com reino do homem, que *ubi Lenin, ibi Jerusalém* (onde está Lenin, aí está Jerusalém.). Esta é uma questão curiosa. Ninguém pode ser, ao mesmo tempo, cristão e materialista, ninguém pode ser, ao mesmo tempo, crente e ateu.[206]

As igrejas protestantes, que, infelizmente, chegaram a ter muitos de seus membros e pastores a serviço da Teologia da Libertação, não ficaram omissas diante das ameaças do novo movimento. Referindo-se aos teólogos da violência, o filósofo Georges Gusdorf, de confissão protestante, disse que muitos pastores deveriam sair do ministério:

Tem-se a impressão de que Deus converteu-se, para eles, em ídolo irrisório, e que eles se enganam a si próprios prosseguindo, na Igreja, em atividades sociais e políticas que não correspondem, absolutamente, ao ministério sacerdotal.

Como Gusdorf, são vários os líderes protestantes ainda não engajados nesse movimento de contestação aos regimes políticos. As denominações conservadoras e fundamentalistas, pentecostais ou não, que representam talvez mais de 60 por cento do evangelismo pátrio, repudiam esse falso evangelismo.

Foi referindo-se a esse tipo de evangelho que um pastor do Estado do Espírito Santo registrou em sua coluna na imprensa de Vitória:

> Até mesmo a subversão já encontra guarida em muitos movimentos, que trazem o rótulo 'religioso', mas que na verdade são puramente politiqueiros e perniciosos à segurança e à paz da coletividade. Examinem alguns manifestos chamados religiosos e poderão constatar nossa declaração.[207]

O líder cristão equatoriano, Washington Padilha, referindo-se à Teologia da Libertação no seu aspecto social, escreveu que "as necessidades físicas do homem são coisas que o cristianismo, seguindo o exemplo de seu fundador, reconhece plenamente, pregando que privar alguém dos meios materiais de subsistência é cometer crime e atentar contra todos os princípios de humanidade e juízo".

Padilha prossegue mais adiante salientando que os médicos sociais têm diversos remédios segundo suas ideologias, buscando todos através da legislação social, da estruturação econômica e das reformas políticas, remédios para as enfermidades que impedem o progresso de nossos povos.

Nunca devemos nos esquecer de que, para que um sistema econômico, político ou social tenha pleno êxito, a necessidade imprescindível é que o homem seja mudado, que a natureza humana seja transformada, que o egoísmo, a ambição, a injustiça e a crueldade dos homens sejam trocados, mudados pelas virtudes morais e espirituais que constituem as bases da vida humana, sobre as quais esses sistemas econômicos-sociais podem erigir belos edifícios de suas aspirações.[208]

O Rev. José Coelho Ferraz, presidente do Supremo Concílio da Igreja Presbiteriana Independente do Brasil, registrou que "o homem na sociedade pode ser mudado somente por Cristo. Portanto, a relação pessoal de cada vida com o Senhor Jesus é algo de suma importância. O tipo de evangelismo que dá como resultado vidas transformadas é que devemos observar, se desejamos, mesmo aqui no mundo, dias melhores para os homens."[209]

Finalmente, o testemunho do Rev. Ephraim de Figueiredo Beda, em sua coluna *Vida Evangélica* num periódico paulista:

> *Para os que assistimos acirrados debates em torno da reunião do episcopado católico latino-americano em Puebla, no México, já se torna mais fácil de entender o que se passa também nos arraiais evangélicos, de uns tempos a esta parte, e que vez ou outra transpira pela imprensa secular: um grupo de "teólogos da libertação" luta a todo custo para assumir a direção das várias igrejas denominacionais...*
> *A estratégia que empregam, tanto lá como cá, tem sido a mesma. Primeiro procuram assenhorar-se, sutil e despercebidamente, dos seminários e dos institutos leigos. Com isso, visam ao preparo de uma liderança ministerial e leiga que esteja capacitada a levar avante seus planos. Selecionam os indivíduos mais promissores para criar uma "inteligência" cabocla. Aliciam-nos, com bolsas de estudo no estrangeiro. Açulam-lhes a vaidade. Não lhes economizam oportunidades de subir e de aparecer. E lá vão eles!*[210]

Segundo o mesmo colunista, os passos que tais teólogos procuram dar no sentido de assumir as rédeas de suas igrejas são mais ou menos estes:

Procuram açambarcar os meios de comunicação, como boletins, jornais e revistas oficiais das diversas denominações, e, se não conseguem, editam eles mesmos seus pasquins e os distribuem fartamente, dessa maneira disseminando pouco a pouco suas *novas idéias* e denunciando os "erros das velhas estruturas".

Criam slogans e usam versículos bíblicos de forma distorcida e tendenciosa, como: "Eis que faço novas todas as coisas" (Ap 21.5); "as coisas antigas já passaram" (2 Co 5.17); e assim por diante, dando a esses textos bíblicos sentido extranho e totalmente fora de seus contextos.

Aos poucos vão esses teólogos alcançando e ocupando os cargos de direção de departamentos da igreja, de igrejas locais, de federações de jovens, de senhoras e de homens.

Quando já se sentem senhores das bases, eles preparam o estágio seguinte: o domínio das cúpulas eclesiásticas. Esse, o assalto final. Esse, o passo mais difícil que exige arrojo, audácia e luta aberta.

Exame Crítico. Nas últimas décadas, o inimigo da sã doutrina tem lançado sucessivos assaltos contra as denominações evangélicas em geral.

Muitos desses assaltos ocorrem sob nomes sugestivos, como é o caso da teologia da libertação, e mais recentemente da teologia da prosperidade. E quem pode negar que o evangelho que pregamos não é, em seu verdadeiro sentido, um evangelho de libertação e de prosperidade?

Vitimados pois tais ataques sutis, alguns segmentos evangélicos, tanto denominacionais como pentecostais, outrora fervorosos na fé e firmes baluartes da sã doutrina, estão hoje inertes e até assumindo ares de heresias.

Para poder resistir aos avassaladores ataques desses últimos tempos, e não ficar desorientado, é necessário estar edificado sobre Jesus Cristo! Ele é a Pedra viva, eleita e preciosa, como afirma a Bíblia (1 Pe 2.6).

Na Bíblia Sagrada, a verdadeira Igreja de Cristo é constituída exclusivamente de novas criaturas. E esse novo nascimento é um milagre operado pelo próprio Deus. "E lhes darei um mesmo coração, e um espírito novo porei dentro deles; e tirarei da sua carne o coração de pedra, e lhes darei um coração de carne" (Ez 11.19).

Ao homem é impossível transformar-se a si mesmo ou ser transformado por outro homem. Somente em Cristo ele pode ser uma "nova criatura". E somente na condição de nova criatura, vivendo em novidade de vida, pertence ele à Igreja resgatada, santificada pelo Espírito Santo e que combate as postestades das trevas usando armas espirituais.

A missão da igreja é anunciar o Evangelho e não pregar ideologias políticas. O Evangelho, "poder de Deus para a salvação de todo aquele que crê", se encarregará, por si mesmo, de melhorar o indivíduo e, conseqüentemente, a sociedade.

A injustiça social é conseqüência do pecado arraigado no coração humano. Não basta condenar o pecado. É preciso, antes, anunciar ao pecador o remédio contra o pecado, que é o sangue de Jesus.

Somente um arrependimento sincero, através da aceitação plena da verdade evangélica, introduzirá o pecador numa nova maneira de viver, não mais segundo o curso deste mundo, mas segundo a graça divina. O fruto do Espírito Santo no crente é: "amor, gozo, paz, longanimidade, benignidade, bondade, fé mansidão, temperança" (Gl 5.22).

A mensagem libertadora da Teologia da Libertação não leva em conta os fundamentos bíblicos da verdadeira liberdade, conforme ensinou Jesus: "Se permanecerdes no meu ensino, verdadeiramente sereis meus discípulos. Então conhecereis a verdade, e a verdade vos libertará... Se, pois, o Filho vos libertar, verdadeiramente sereis livres"(Jo 8.31-32,36).

Finalmente, a verdadeira Igreja de Cristo não se conforma com este mundo, não usa as armas mundanas para reformar a sociedade, não busca implantar aqui na terra o seu paraíso. A trancendência da esperança cristã cristaliza-se nessas passagens bíblicas: "No mundo tereis aflições"; "O mundo inteiro jaz no maligno", "O meu reino não é deste mundo"; "Se esperamos em Cristo só nesta vida, somos os mais miseráveis dos homens" (Jo 16.33; 1 Jo 5.19; Jo 20.18; 18.36).

Embora infeliz quanto à interpretação de algumas doutrinas bíblicas, uma conhecida escritora norte-americana assimilou bem o sentido profundo do ministério terreno de Jesus, ao escrever:

O Governo sob que Jesus viveu era corrupto e opressivo; clamavam de todo lado os abusos — extorsões, itolerância e abusiva crueldade. Não obstante, o Salvador não tentou nenhuma reforma civil. Não atacou nenhum abuso nacional nem condenou os inimigos da nação. Não interferiu com a autoridade nem com a administração dos que se achavam no Poder.

Aquele que foi o nosso exemplo conservou-se afastado dos governos terrestres. Não porque fosse indiferente às misérias do homem, mas porque o remédio não residia em medidas humanas e externas. Para ser eficiente, a cura deve atingir o próprio homem, individualmente, e regenerar o coração. Não pelas decisões dos tribunais e conselhos, nem pelas assembléias legislativas, nem pelo patrocínio dos grandes do mundo, há de estabelecer o reino de Cristo, mas pela implantação de sua natureza na humanidade, mediante o operar do Espírito Santo.

"A todos quantos o receberam, deu-lhes o poder de serem feitos filhos de Deus; aos que creêm no seu nome, os quais não nasceram do sangue nem da vontade do varão, mas de Deus." Aí está o único poder capaz de erguer a humanidade. E o instrumento para a realização dessa obra é o ensino e a observância da Palavra de Deus.[211]

A missão da Igreja é pregar de Cristo a toda criatura, a tempo e fora de tempo; é colocar as mãos no arado e não olhar para trás. A Bíblia diz: "Nenhum soldado em serviço, se envolve em negócios desta vida, porque o seu objetivo é satisfazer àquele que arregimentou" (2 Tm 2.4).

Em uma palavra, transformar púlpitos em palanques políticos, ou substituir as Boas Novas de salvação por slogans revolucionários, é o mesmo que transformar bombeiros em incendiários.

PERGUNTAS PARA REVISÃO

1. Quem é o pioneiro na formulação da Teologia da Libertação?

2. Que representou para a Teologia da Libertação a Conferência de Medellín, realizada em 1968?

3. Qual o papel das comunidades eclesiais de base dentro dos propósitos da Teologia da Libertação?

4. Como Leonardo Boff vê o problema da violência dentro do movimento de libertação?

5. Como o papa João Paulo II define a Teologia da Libertação?

6. Qual a posição do evangelismo conservador em relação à Teologia da Libertação?

7. Como a Bíblia define a libertação do homem?

APÊNDICE

DECLARAÇÃO DO CONCÍLIO INTERNACIONAL DE IGREJAS CRISTÃS SOBRE A TEOLOGIA DA LIBERTAÇÃO

CONSIDERANDO que a "teologia da libertação", como escola de pensamento religioso liberal e radical, que hoje dá ênfase à identificação com o empenho em favor dos pobres e oprimidos do mundo através da revolução social e política, e se ocupa exclusivamente de valores horizontais e seculares, com sacrifício dos valores verticais e espirituais, está baseada numa exegese bíblica errônea dos termos "libertação", "salvação" e "redenção", como seu fundamento para uma ética social combativa, revolucionária e marxista;

CONSIDERANDO que o termo "salvação" na Bíblia é basicamente um conceito espiritual e claramente destaca Deus como o autor de todo e qualquer livramento, e não é uma coisa da qual o homem se serve para promover auto-emancipação, violência ou coerção da liberdade e dos direitos de outros;

CONSIDERANDO que, embora a idéia da dignidade do homem percorra as Escrituras, e seja originada no ser humano criado à imagem de Deus, e mesmo sendo um recipiente de bênçãos especiais na criação nós ainda somos chamados a sofrer ofensas e injustiças contra nós mesmos durante nossa existência terrena, não obstante a honra de nosso próximo deve ser mantida inviolável;

CONSIDERANDO que Cristo fez do serviço prestado a Deus e ao nosso próximo a obrigação básica da ética cristã (Mt 22.37-38; 25.32-46; 20.26), como ensinada na parábola do Bom Samaritano, e não de direitos pessoais individuais, e, deste modo, os cristãos participam do principal propósito do cuidado providencial de Deus sobre as suas criaturas;

CONSIDERANDO que clamar contra os abusos e práticas anticristãs no sistema econômico capitalista prevalecente no mundo livre é uma coisa, mas equiparar a solução cristã desses problemas com a "teologia da libertação" e o marxismo negador de Cristo é outra completamente diferente;

CONSIDERANDO que há realmente apenas duas opções lógicas diante de nós para acharmos solução para as questões econômicas da sociedade: 1) pela força e coerção, que é destrutiva pela sua própria natureza, ou 2) pela liberdade, que implica liberdade de escolha e um espírito voluntário, o qual, por seu turno, restringiria o governo ao seu único propósito verdadeiro; a defesa da vida, da liberdade e da propriedade, os direitos humanos básicos de todas as pessoas.

PORTANTO, nós declaramos que a "teologia da libertação", como defendida e ensinada hoje sob a análise marxista, embora vestida de terminologia religiosa, é satânica em sua origem; política em seu propósito; horizontal em seus interesses; decepcionante em suas promessas; desumana e opressiva em sua ética social; tirânica em sua natureza; destrutiva em seu conceito de liberdade e de direitos humanos; anti-sobrenatural em suas pressuposições religiosas; antropocêntrica, porque salienta a capacidade do homem para emancipar-se, e assim nega a depravação total. É antibíblica no seu esforço para unir ou sintetizar dois sistemas de crença radicalmente opostos (o natural *versus* o sobrenatural), anti-social na sua filosofia, pois escraviza o homem e aumenta seus problemas sociais; e, desesperada em sua mensagem, pois abandona o homem nos seus pecados, no seu estado de rebelião e de egoísmo, ignora a cruz e o sangue de Cristo, e destina o homem ao inferno eterno e à separação do amor de Deus.

OUTROSSIM, conclamamos os cristãos de todas as nações do mundo, onde a "teologia da libertação" está sendo propagada, que não se deixem enganar por esse falso conceito de teologia, nem por seu decepcionante e totalitário conceito de libertação social em nome de um falso Cristo. Exortamos todos os cristãos a oferecerem total resistência a essa ideologia religiosa apóstata, política e combativa, que está-se infiltrando nas igrejas e nos governos de todo o mundo de hoje, e que, teoricamente, prevê a completa erradicação da fé no Deus verdadeiro e do cristianismo bíblico de sobre a face da terra. Todos os cristãos deveriam ser responsáveis pela verdadeira justiça e pela verdadeira liberdade que só podem ser alcançadas e mantidas através da pregação e aplicação da fé cristã bíblica às nossas próprias vidas e, também, aos nossos problemas sociais.[212]

(Esta Declaração foi aprovada no dia 22 de junho de 1979, no X Congresso Mundial do Concílio Internacional de Igrejas Cristãs, por representantes de 320 denominações de 65 nações, reunidas em Cape May, New Jersey, E.U.A. Foi Relator o Rev. William R. Le Roy.)

NOTAS

1. *Enciclopédia Mirador Internacional*, Enciclopédia Britânica do Brasil Publicações Ltda., São Paulo, 1975, vol. 19, p. 10541.
2. W. K. Guthrie, *Os Filósofos Gregos de Tales a Aristóteles*, Editorial Presença, Lisboa, 1987, p. 97.
3. A. Knight e W. Anglin, *História do Cristianismo*, Casa Publicadora das Assembléias de Deus, Rio de Janeiro, 1995, p. 163.
4. Descartes, *Discurso do Método* (Tradução, prefácio e notas de João Cruz Costa), Ediouro, Editora Tecnoprint, Rio de Janeiro, s d.
5. R. N. Champlin e J. M. Bentes, *Enciclopédia de Bíblia, Teologia e Filosofia*, Editora e Distribuidora Candeia, São Paulo, 1995, vol. 3, p. 692-693.
6. Emanuel Kant, *Crítica da Razão Prática*, Tradução de Afonso Bertagnoli, Tecnoprint, Rio de Janeiro, s d, p. 118.
7. Ernildo Stein, *Racionalidade e Existência*, L & PM Edidotes S.A., Porto Alegre, 1988, p. 66.
8. Enciclopédia Mirador Internacional, Idem, vol. 9, p. 4632
9. Idem, p. 4633
10. Leonel França, *A Psicologia da Fé*, Civilização Brasileira S.A., Rio de Janeiro, 1935, pp. 253-254.
11. Tomás de Aquino, Suma Teológica I. 11, 3.
12. Philip Schaff, *A Pessoa de Cristo*, Casa Publicadora Batista, Rio de Janeiro, 1966, pp. 132-133.

13. Schaff, Idem.
14. R. N. Champlin e J. M. Bentes, Idem.
15. Verbete acerca do Liberalismo na Enciclopédia Mirador Internacional.
16. Lynn Harold Hough, *Free Men* (Homens Livres), The Abingdom Press, Nova York, pp. 94-95.
17. Cit. in Charles W. Turner, *Alicerces Históricos do Cristianismo*, Imprensa Metodista, São Paulo, sem data.
18. O Estandarte, edição de 11 de setembro de 1941.
19. O Estandarte, edição de 15 de setembro de 1953.
20. Humberto Rohden, *Pelo Prestígio da Bíblia na Era Atômica*, União Cultural Editora Ltda., São Paulo, 1954.
21. Karl Barth, *Dádiva e Louvor*, Artigos Selecionados, Editora Sinodal, São Leopoldo, 1986, pp. 410-411.
22. Francis A. Shaeffer, *Neomodernismo ou Cristianismo?*
23. Dr. Frederick Nolde, em discurso durante a 3ª Assembléia Geral do Conselho Mundial de Igrejas (CMI), Nova Délhi, em 23 de novembro de 1961.
24. Relatório da Comissão das Igrejas sobre Questões Internacionais, CMI, de 2 de dezembro de 1961.
25. Relatório da Seção sobre Serviço, CMI, de 4 de dezembro de 1961.
26. Telegrama enviado por K. G. Grup e F. Nolde, respectivamente Presidente e Diretor da CIQI, após aprovação da Assembléia Geral do CMI, em Nova Délhi, para U.Thént, da ONU, em Nova York.
27. Relatório das Missões Estrangeiras dos "Laymen", apresentado em 1932.
28. Idem.
29. Cit. por Joel C. Rocha, em *Ouçamos o Verbo*, p. 35.
30. Francis A. Shaeffer, idem.
31. Em discurso durante a 3ª Assembléia Geral do Conselho Mundial de Igrejas (CMI), em Nova Délhi, Índia, em 1961.

32. Hora Presente, janeiro e fevereiro de 1969, p.7
33. Jean-Paul Sartre, *A Náusea* (texto integral), Editora América-Europa, 226 páginas.
34. Sartre, Idem, pp. 18-19.
35. Sartre, Idem, p. 14.
36. Sartre, Idem, p. 122.
37. Sartre, Idem, pp. 128-129.
38. Sartre, Idem, pp. 196-197.
39. Sartre, Idem, p. 222.
40. Sartre, Idem, pp. 27 e 72.
41. Oziel Moura de Paula, *Assassinos de Deus*, edição do autor, Rio de Janeiro, sem data.
42. Revista *Hora Presente*, janeiro e fevereiro de 1969, p. 7.
43. Padre Sérgio Sanella, *A Igreja Traída*, São Paulo, s d, pp. 3, 22.
44. Harvey Cox, *A Cidade do Homem*, 1966.
45. Charles Bent, *O Movimento da Morte de Deus*, Lisboa, Moraes Editores, 1968.
46. Charles Bent, Idem, pp. 296-297.
47. *O Estado de São Paulo,* edição de 23 de agosto de 1978.
48. Relatório apresentado à 3ª Assembléia do CMI, em Nova Délhi, a 2 de dezembro de 1961.
49. Documento nº 47 do CEI — Centro Ecumênico de Informação, março de 1973.
50. Jornal *O Fluminense*, edição de 4 de junho de 1978.
51. Discurso proferido durante a Terceira Assembléia geral do CMI, realizada em Nova Délhi, Índia, em 1961.
52. Discurso pronunciado em Uppsala, Suécia, em julho de 1968. A nota foi também referida no jornal *O Estado de São Paulo*, edição de 7 de julho de 1978.
53. *O Estado de São Paulo*, edição de 15 de maio de 1977.

54. *Diário Popular*, São Paulo, edição de 22 de maio de 1967.
55. *O Estado de São Paulo*, edição de 19 de janeiro de 1967.
56. *O Presbiteriano Bíblico*, São Paulo, edição de fevereiro de 1966.
57. *O Diário de Pernambuco*, edição de 19 de novembro de 1978.
58. Carlos Bazarra, ¿*Que es la Teología de la Liberación?* Buenos Aires, 1985, p. 13.
59. Cit. por Raymond C. Hundley in *Radical Liberation Theology — An Evangelical Response*, Wilmore, E.U.A., Bristol Books, p. 24.
60. Leonardo Boff, *Igreja, Carisma e Poder*, Petrópolis, Editora Vozes, 3a. Edição, 1982 p. 33.
61. Orlando Costas, *Compromiso y Mision*, Miami, E.U.A., Editorial Caribe, p. 141.
62. Gustavo Gutierrez, *Teología de la Liberación. Perspectivas*, Salamanca: Ediciones Sigueme, 1972, p. 196.
63. O Presbiteriano Bíblico, abril de 1984.
64. Idem.
65. Gustavo Gutierrez, *A Theology of Liberation*, Nova York, Orbis Books, l973, p. 13.
66. Idem, p. 9.
67. Diário de Pernambuco, Recife, 29 de outubro de 1978.
68. Leonardo Boff, *Igreja, Carisma e Poder*, Idem, p. 45.
69. Estandarte, órgão oficial da Igreja Presbiteriana Independente, março de 1989, pp. 6-7.
70. John Stott, *A Cruz de Cristo*, Editora Vida, Miami, 1989, p. 80.
71. Idem.
72. Gustavo Gutierrez, *A Theology of Liberation*, pp. 295-296.
73. James W. Fowler, in *The Challenge of Liberation Theology, A First World Response*, Nova York, Orbis Books, 1981, p. 86.
74. Gustavo Gutierrez, *A Theology of Liberation*, pp. 36-37.
75. Dorothee Soelle in *The Challenge of Liberation Theology...*, pp. 15-16.

76. Abraão de Almeida, *Desafios da Nossa Época*, Rio de Janeiro, Casa Publicadora das Assembléias de Deus, 1980, pp. 133-134.
77. Idem, pp. 134-135.
78. John Stott, *A Cruz de Cristo*, Idem, p. 113.
79. Dan Cohn-Sherbok, *On Earth As it Is in Heaven*, Nova York, Orbis Book, 1986, p. 23.
80. Rubens Alves, *Uma Teologia de Esperança*, Corpus, p. 33.
81. Leonardo Boff, *Teología del Cautiveiro y de la Liberación*, Madrid: Ediciones Paulinas, l978, p. 43.
82. Leonardo Boff & Clodovis Boff, *Liberation Theology — From Confrontation to Dialogue*, Nova York, Harper & Row, Publishers, 1986, p. 56.
83. Leonardo Boff & Clodovis Boff, *Introducing Liberation Theology*, Nova York, Orbis Books, 1987, p. 33.
84. William R. Le Roy, *Qual o Rumo da Igreja?* São Paulo, Copiadora Continental Ltda., 1983, p. 118.
85. Chr. Senft, em *Vocabulário Bíblico*, São Paulo, Associação de Seminários Teológicos Evangélicos,1963, p. 338.
86. James H. Cone, em *The Challenge of Liberation Theology...*, p. 57.
87. Leonardo Boff, *When Theologians...*, p. 135, 136.
88. Gustavo Gutierrez, *A Theology of Liberation*, p. 295.
89. John Stott, *A Cruz de Cristo*, p. 168.
90. James H. Cone, in *The Challenge of Liberation Theology...*, pp. 56-57.
91. Cit. por James H. Cone, in *The Challenge of Liberation Theology*, p. 59.
92. Idem, p. 61.
93. *Theology of Liberation, From Confrontation to Dialogue*, p. 14.
94. Gustavo Gutierrez, *Teologia da Libertação*, São Paulo, Editora Vozes, 6a. Edição, 1986, p. 146.
95. Gustavo Gutierrez, *A Theology of Liberation*, pp. 151-153.
96. Cit. por Leonardo Boff, em *Vida para Além da Morte*, Petrópolis (Rio de Janeiro), Editora Vozes, 1988, pp. 124-125.

97. Leonardo Boff, *Vida para Além da Morte*, p. 124.
98. Leonardo Boff, *When Theology Listens to the Poor*, Nova York, Harper & Row, Publishers, 1988, pp. 63-64.
99. Idem, p. 64.
100. Folha de São Paulo (São Paulo, Brasil). 10 de junho de 1983.
101. Cit. por William R. Le Roy, *Qual o Rumo da Igreja?*, p. 114.
102. Luisa J. Walker, *Evangelização Dinâmica*, Miami, Editora Vida, 1988, p. 84.
103. Gustavo Gutierrez, *A Theology of Liberation*, p. 205.
104. Gustavo Gutierrez, *Teología de la Liberación. Perspectivas*, pp. 347-348.
105. Amos R. Binney, *Compêndio de Teologia*, Campinas (Brasil), Editora Nazarena, sem data, p. 105.
106. Gustavo Gutierrez, *A Theology of Liberation*, p. 205.
107. Leonardo Boff e Clodovis Boff, *Da Libertação — o Teológico das Libertações Sócio-Históricas*, Petrópolis (Rio de Janeiro), Editora Vozes, 1985, p. 90.
108. Gustavo Gutierrez, *Teologia da Libertação*, Petrópolis (Rio de Janeiro), Editora Vozes, 1986, 6a. Edição, p. 241.
109. Idem, p. 241.
110. Cit. por William R. Le Roy, *Qual o Rumo da Igreja?*, p. 117.
111. Diário de Pernambuco, Recife, 1 de novembro de 1978.
112. Leonardo Boff e Clodovis Boff, *Liberation Theology from Confrontation to Dialogue*, Harper & Row, Publishers, San Francisco, 1986, p. 29.
113. John Stott, *A Cruz de Cristo*, pp. 216-217.
114. Leonardo Boff, *Vida para Além da Morte*, pp. 112-113.
115. Idem, p. 120.
116. Idem, p. 126.
117. Jornal do Brasil, Rio de Janeiro, 27 de fevereiro de 1987.

118. O Estado de S. Paulo, 20 e 29 de julho de 1996.
119. Folha de São Paulo, 12 de agosto de 1996.
120. O Estado de S. Paulo, 25 de junho de 1997.
121. O Estado de S. Paulo, 21 de julho de 1997.
122. Leonardo Boff & Clodovis Boff, *Introducing Liberation Theology*, Nova York, Orbis Books, 1987, p. 49.
123. Gustavo Gutierrez, *Teologia da Libertação*, p. 265.
124. Idem, p. 242.
125. Orlando Costas, *Compromiso y Misión*, Miami, Editorial Caribe, 1979, p. 137.
126. Estandarte Cristão, órgão oficial da Igreja Episcopal do Brasil, novembro-dezembro de l982, p. 4.
127. John Stott, *A Cruz de Cristo*, Idem, 256.
128. O Estandarte, 15 a 30 de novembro de 1978.
129. William R. Le Roy, *Qual o Rumo da Igreja?*, pp. 143-144.
130. Idem, p. 141.
131. Idem, p. 147.
132. Cit. por Paulo Rónai, Dicionário Universal Nova Fronteira de Citações, Rio de Janeiro, Editora Nova Fronteira, 1985, pp. 555-566.
133. Vocabulário Bíblico, p. 176.
134. Idem, pp. 176-178.
135. Abraão de Almeida, *História, Milagres e Profecias da Bíblia*, Editora Vida, Miami, 1987, pp. 45-47.
136. Cit. por Paulo Rónai, *Dicionário...*, pp. 554.
137. Vocabulário Bíblico, pp. 176-178.
138. Visão (revista semanal de informação), São Paulo, 26 de abril de 1989.
139. E. Stanley Jones, *O Caminho*, S. Bernardo do Campo, Imprensa Metodista, 1984, p. 350.

140. William R. Le Roy, ob. cit., p. 125.
141. John Stott, *A Cruz de Cristo*, pp. 262-263.
142. Curtis Vaughan, *Efésios, Comentário Bíblico*, Miami, Editora Vida, 1986, pp. 65-66.
143. Girardi, *Cristianismo, Pastoral y Lucha de Classes*, p. 98.
144. Henlee H. Barnette, *Introducing Christian Ethics*, Nashville, Broadman Press, 1961, pp. 73-74.
145. John Stott, *Evangelização e Responsabilidade Social*, São Paulo, ABU Editora e Visão Mundial, 1985, pp. 21 e 22.
146. Cit. por Orlando Costas em *La Iglesia y su Mision Evangelizadora*, Buenos Aires, Argentina, Editorial La Aurora, 1971, p. 104.
147. Lynn Harold Hough, *Free Men*, Nova York, The Abingdon Press, sem data, p. 94.
148. Idem, p. 95.
149. William R. Le Roy, *O Presbiteriano Bíblico*, abril de 1984.
150. Rubens Alves, *O Suspiro dos Oprimidos*, São Paulo, Edições Paulinas, 1987, pp. 131, 132.
151. Folha de São Paulo (São Paulo, Brasil), 10 de junho de 1983.
152. Gustavo Gutierrez, *Teologia da Libertação*, p. 229.
153. Victorio Araya, *El Dios de los Pobres*, San José, Costa Rica, Ediciones Sebila, 1983, p. 150.
154. John Stott, *A Cruz de Cristo*, p. 267.
155. William F. Horden, *A Layman's Guide to Protestant Theology*, Esboço em português, elaborado pelo Seminário Unido, Rio de Janeiro, s d, p. 25.
156. Cit. por Carlos Gonçalves da Neta, in *Comunista e Cristão?*, Pró-Luz Publicações Evangélicas, Lisboa, 1976, p. 11.
157. Jacques D'Hondt, *Hegel e o Hegelianismo*, Lisboa, Editora Inquérito Limitada, 1982, pp. 110-111.
158. Ricardo de La Cierva, *Jesuitas, Iglesia y Marxismo 1965-1985*, Barcelona, Plaza & Janes Editores S.A., 1986, p. 363.

159. David B. Barrett, *World Christian Encyclopedia*, Nairóbi, Oxford University Press, 1982, pp. 3-5.
160. Carlos Gonçalves da Neta, em *Comunista e Cristão?*, Pró-Luz Publicações Evangélicas, Lisboa, 1976, p. 11
161. Camilo Torres, *Cristianismo y Revolución*, México, Ediciones Era, 1972, p. 376.
162. De uma página da Internet acerca do MST e de outros movimentos populares.
163. Jornal da Tarde, edição de 19 de novembro de 1998.
164. William R. Le Roy, *Qual o Rumo da Igreja?* São Paulo, Copiadora Continental Ltda., 1983, pp. 135-136.
165. Alfonso Lopez Trujillo, *Liberación o Revolución*, Bogotá, Ediciones Paulinas, 1975, p. 49.
166. Idem, pp. 50, 55.
167. Raimundo F. de Oliveira, *Seitas e Heresias, Um Sinal dos Tempos*, Rio de Janeiro, CPAD, 1987, p.175.
168. Cit. por Gaston Fessard, S.J., *Teología de la Liberación: Génesis y Trayectoria*, Caracas, Universidad Católica Andrés Bello, 1979, pp. 244, 245.
169. Folha da Tarde, 27 de dezembro de 1982.
170. Ricardo de La Cierva, *Jesuitas, Iglesia y Marxismo 1965-1985*, Barcelona, Plaza & Janes Editores S.A., 1986, p. 538.
171. Folha de São Paulo, 24 de março de 1984.
172. Padre Georges, *Deus nos Subterrâneos da Rússia*, Rio de Janeiro, Livraria Clássica Brasileira S.A., s d, p. 17.
173. Cit. por Daniel Guimarães em *Teologia da Libertação*, Rio de Janeiro, JUERP, 1984, p. 135.
174. Leonardo Boff, *Introducing Liberation Theology*, p. 87.
175. Idem, p. 82.
176. Cit. por Carlos Gonçalves da Neta, in *Comunista e Cristão?*, pp. 28-29.

177. Warren C. Young, *Un Enfoque Cristiano a la Filosofía*, El Paso, Casa Bautista de Publicaciones, s d, p. 260.
178. Idem, p. 261.
179. Karl Marx, *O Capital*, Rio de Janeiro, Bruno Buccini, Editor, 1968, p. 38.
180. Howard F. Vos, *Breve Historia de la Iglesia Cristiana*, Chicago, Editorial Moody, 1965, p. 147.
181. Cit. por H. P. de Castro Lobo, in *George Müller, 50 Mil Orações Respondidas*, Rio de Janeiro, Associação Evangélica Escola Bíblica do Ar, s d, 65.
182. Richard Wurmbrand, *Mártires nos Países Comunistas*, Barreiro (Portugal), Acção Cristã, 1970, p. 13.
183. Idem, p. 127.
184. Paul E. Billheimer, *O Amor Cobre Tudo*, Editora Vida, Miami, 1989.
185. Idem.
186. Gladys Aylward, *Apenas uma Pequena Mulher*, Miami, Editora Vida, 1987, pp. 24 e 129.
187. Carl Lawrence, *A Igreja na China*, Miami, Editora Vida, 1987, p. 138.
188. H. Henry Meeter, *La Iglesia y el Estado*, Grand Rapids, Michigan, TELL, 1968, p. 105.
189. William R. Le Roy, ob. cit., p. 130.
190. Idem, p. 131.
191. Peter Wagner, *Por que Crescem os Pentecostais?* Miami, Editora Vida, 1987, p. 69.
192. H. Henry Meeter, Idem, p. 158.
193. William R. Le Roy, ob. cit. p. 173.
194. H. Henry Meeter, Idem, pp. 186-187.
195. Leonardo Boff, *Vida para Além da Morte*, Petrópolis (Rio de Janeiro), Editora Vozes, 1988, p. 120.
196. Leonardo Boff, *When Theology Listens to the Poor*, San Francisco, Califórnia, Harper & Row, Publishers, 1988, pp. 131-133.

197. Myer Pearlman, *Conhecendo as Doutrinas da Bíblia,* Miami, Editora Vida, 2ª.Edição, 1974, p. 24l.
198. Leonardo Boff, *When Theology Listens to the Poor,* p. 128.
199. Robert McAfee Brown, *Theology in a New Key,* Philadelphia, The Westminster-Press, 1978, p. 108.
200. Myer Pearlman, Idem, p. 242.
201. O Estado de São Paulo, edição de 10 de setembro de 1978.
202. Correio Brasiliense, Brasília, edição de 11 de julho de 1978.
203. Idem.
204. Correio do Povo, Porto Alegre, edição de 15 de outubro de 1978.
205. Diário de Pernambuco, Recife, edição de 1º. de novembro de 1978.
206. A Gazeta, Vitória, edição de 5 de novembro de 1978.
207. O Estandarte, edição de 15-30 de novembro de 1978.
208. Idem.
209. Folha da Tarde, São Paulo, edição de 7 de fevereiro de 1979.
210. E. G. White, *O Desejado de todas as Nações,* Casa Publicadora Brasileira, Santo André, pp. 380-381.
211. O Estado de São Paulo, edição de 23 de agosto de 1978.
212. William R. Le Roy, ob. cit., pp. 91-93.

Ainda na elaboração deste livro, especialmente no que diz respeito à Filosofia, servi-me de muitas fontes, em sua maioria consultadas em bibliotecas públicas e particulares do Rio de Janeiro. Dou a seguir algumas dessas fontes, lamentando a impossibilidade de fornecer maiores informações acerca dessas obras e de seus editores.

- Jacques Maritain, *Introdução Geral à Filosofia;*
- Theobaldo Miranda Santos, Manual de Filosofia;
- Almanaque Abril;
- Cit. in Almanaque Abril, 1998, Editora Abril, São Paulo.
- Enciclopédia Conhecer;
- Enciclopédia do Estudante;
- Nova Enciclopédia de Biografias;
- História da Filosofia;
- História dos Filósofos;
- Iniciação à Filosofia;
- Enciclopédia Delta Larousse, 4º Volume;

- Enciclopédia Abril;
- Mário F. dos Santos, *Dicionário de Filosofia e Ciências Culturais*, 4º volume;
- Bertrand Russel, *Obras Filosóficas*, Volume 1;
- Humberto Padovani e Luís Castagnola, *História da Filosofia*;
- Grande Enciclopédia Delta Larousse;
- Enciclopédia Barsa;
- Enciclopédia Mirador Internacional;
- Dicionário Caldas Aulete;
- Obras Completas de Bertrand Russel;
- Enciclopédia Prática Jackson, Volume 5;
- Filosofia Moderna Didática, Volume III;
- Prof. Artur Versiani Vellôso, *História da Filosofia*;
- Arthur Schopenhauer, *A Necessidade Metafísica*
- Adísia Sá, *Metafísica, para quê?*
- André Vergez e Denis Huisman, *História dos Filósofos*;
- Coher Chapua, *Cristianismo no Banco dos Réus*;
- L. Gothier e A. Troux Recueils de Testes, *História*, Volume III;
- Padre Leonel França, *Noções de História da Filosofia*;
- William E. Hordern, *A Layman's Guide to Protestant Theology*; The MacMillan Company, Nova York, 1968.
- Prócoro Valasques Filho, *Uma Ética para nossos dias*, Editora Teológica — Editeo, São Bernardo do Campo, SP;
- Trabalhos de Filosofia elaborados por diversos alunos de minha classe de Filosofia no IBP (Instituto Bíblico Pentecostal), do Rio de Janeiro. Eis os nomes de alguns desses alunos: Ary Francisco das Chagas, Nilza Moraes Fernandes, Solange Maria de Oliveira Costa, José Alencar, Vicente Gomes Lopes, Samuel Francisco da Silva, Hélio José de Oliveira Fonteles, Roberto Deodoro, Benedito Hermógenes Celino, Ezequiel Mello da Silva, Osvaldo Luiz da Silva, Samuel Francisco da Silva, Gelson Brown, e Maria Lúcia de Aguiar Pinheiro.

Foram de inestimável valia as considerações acerca desta obra feitas pelo missionário N. Lawrense Olson, de saudosa memória. Muitas de suas oportunas sugestões foram inseridas nestas páginas.